北京大學圖書館特藏文獻叢刊

北京大學圖書館藏
老北大燕大畢業年刊

六 燕大卷

陳建龍·主編
張麗靜·執行主編

北京大學出版社

北京大學圖書館特藏文獻叢刊
編輯委員會

主　　編　　陳建龍
執行主編　　鄒新明
編　　委　　鄭清文　別立謙　張麗静　常雯嵐　吳冕　欒偉平　饒益波
編纂者　　　陳建龍　鄭清文　別立謙　鄒新明　張麗静　常雯嵐　吳冕
　　　　　　欒偉平　饒益波　徐清白　孫雅馨　程援探

北京大學圖書館藏老北大燕大畢業年刊
編輯委員會

主　　編　　陳建龍
執行主編　　張麗静
編纂者　　　鄒新明　吳冕　張寶生　吳政同

前　言

在晚清民國文獻中，畢業年刊（或稱畢業同學錄）是研究近現代教育、思想文化既獨特又頗具價值的史料，也是研究者不易見到或容易忽略的文獻。

民國時期，北京（及後來改稱的北平）最著名的三所大學當屬北京大學、清華大學和燕京大學，它們在北京乃至全國的教育和思想文化界都占有重要的地位。北京大學圖書館不僅比較系統完整地收藏了北京大學晚清到民國時期的畢業年刊，且因1952年院系調整，又得以完整收藏燕京大學的畢業年刊，可以説在民國時期北京重要大學的畢業年刊收藏方面得天獨厚。

北京大學的畢業年刊一般稱爲"畢業同學録"，也有個別例外，在命名上不像燕大畢業年刊那樣整齊劃一。現存最早的是《國立北京大學民國九年畢業同學録》，即1920年的畢業年刊。本書收録的北京大學畢業年刊包括以下12種：

1920年：《國立北京大學民國九年畢業同學録》

1923年：《民國十二年國立北京大學畢業同學録》

1924年：《國立北京大學十三年畢業同學録》

1925年：《國立北京大學民國十四年畢業同學紀念册》

1926年：《國立北京大學丙寅畢業同學録》

1930年：《國立北京大學畢業同學録》

1931年：《北大二十年級同學録》

1932年:《國立北京大學民國二十一年畢業同學紀念册》

1933年:《國立北京大學一九三三年畢業同學錄》

1934年:《北大一九三四畢業同學錄》

1936年:《國立北京大學民國廿五年畢業同學錄》

1937年:《民國廿六級國立北京大學畢業同學錄》

除上述畢業年刊外,我們還收錄了6册北京大學在校同學錄,或在校同學及最近畢業同學錄,包括:最早的北大在校同學錄——《京師大學堂同學錄》;民國成立後第一本在校同學及最近畢業同學錄——1912年的《北京大學校分科同學錄》;1914年的《北京大學民國三年同學錄》;1917年的《北京大學預科同學紀念錄》;1924年的《國立北京大學同學錄》;1929年的《國立北大學院同學錄》。這些同學錄也保存了不少跟北京大學有關的珍貴史料。

北京大學畢業年刊,除可以查找當年畢業的北大學生的姓名、籍貫、年齡、所在系等基本信息外,一般都配有照片,無論是研究者查找北大畢業某名人基本信息,還是畢業生後人查找其先世在北大基本情况,年刊都是非常重要的資料來源。北大畢業年刊的內容體例也有一個不斷豐富完善的過程,最早的《國立北京大學民國九年畢業同學錄》,主要包括校長、教務長和各系主任等教職員及學生兩部分内容;1923年增加了校旗和一、二、三院照片;1924年增加了校史和各系教員;1925年關於北大概况,除了"本校略史"外,還增加了"現行組織""圖書館""研究所國學門"等内容;1931年—1937年,雖然編排體例不完全相同,但内容基本固定,主要包括校長及主要職員、各學系主任、各學系教員、畢業同學、學術團體、校舍、學生生活、學生軍、校史等。從上述介紹可以知道,北大畢業年刊不僅收錄當年畢業生的情况,還保留了當年北大主要教職員的情况,學校的機構設置和歷史沿革,老北大建築照片,學生社團和學生生活的記錄等重要内容,對於北大校史和近現代教育、思想文化史,在文字和圖片上都頗多補足之處。此外,蔡元培、蔣夢麟、胡適等人的題詞和臨別贈言，也都頗顯珍貴。

本書收録燕京大學畢業年刊16種，時間跨度從1923年到1950年。在命名上，最初三册名爲"同級録"或"同班録"。自1928年開始，燕大畢業年刊改稱《燕大年刊》，直至1950年最後一册。1928年的《燕大年刊》在吸收之前畢業年刊主要優點的基礎上，在體例上做了比較大的補充和調整，確立了《燕大年刊》的主要内容和編輯體例，此後的《燕大年刊》基本都是在此基礎上的細微調整。1928年《燕大年刊》的主要内容爲：卷首語、序、校訓、校歌、校史、校圖、校景、本刊職員、學校組織（管理、教務）、畢業生、班級、學生組織、學校生活、體育、學校風景、廣告。1929年《燕大年刊》則增加了本學年"大事輯要"和學生的文學作品，還有關於教職員和學生的統計圖表。此後的《燕大年刊》經常收録反映學生生活的文藝作品。與北大畢業年刊相比，《燕大年刊》内容更爲豐富，學生社團和學生生活方方面面的展示尤爲突出。因此，燕大畢業年刊的史料價值，除上述北大畢業年刊也有的幾點外，在反映當年燕京大學學生的讀書生活、校園日常、體育運動、精神追求等方面，極具參考意義。此外，因爲有廣告贊助，《燕大年刊》在裝幀和印製方面也比北大畢業年刊考究。

本書收録的16種燕大畢業年刊具體包括：
1923年：《北京燕京大學一九二三級同級録》
1926年：《燕大一九二六班同班録》
1927年：《燕京大學一九二七班同班録》
1928—1932年，1936—1941年，1948年，1950年：《燕大年刊》

爲幫助讀者瞭解畢業年刊的主要内容和特點，我們爲每册畢業年刊做了提要式介紹，全部文字由北京大學圖書館特藏資源服務中心研究館員鄒新明撰寫。因時間倉促，如有錯漏，敬請指正。

北京大學圖書館特藏資源服務中心
2023年3月12日

第六冊　目　録

北京燕京大學一九二三級同級録……………………………………1

燕大一九二六班同班録……………………………………71

燕京大學一九二七班同班録……………………………………133

燕大年刊一九二八……………………………………193

燕大年刊一九二九……………………………………407

北京燕京大學一九二三級同級錄

　　民國時期的很多大學都出版有畢業同學紀念冊，如北京大學的畢業同學錄，燕京大學的《燕大年刊》。北京大學圖書館近現代文獻收藏豐富，其中既有老北京大學的收藏與積累，也得益於1952年院系調整時燕京大學圖書館主要館藏的併入。因此，本館收藏的老北大和燕大的畢業紀念冊相對比較完整。

　　就我們目前所知，本館藏有燕京大學畢業同學紀念冊16冊，時間跨度從1923年到1950年，中間缺1924年、1925年、1934—1935年、1942—1947年、1949年，共計12年。民國時期政治動盪，戰爭頻仍，想必這也是缺期的主要原因。

　　燕京大學由幾所教會大學合併而成。1916年，北京匯文大學和通州華北協和大學醞釀合併，但在校名上未能達成一致。1919年，司徒雷登出任校長後，最後定名爲"燕京大學"，故一般以1919年爲燕京大學建立的時間。次年，協和女子大學併入。

　　如果按照大學四年學制計算，到1923年恰巧爲燕京大學首屆本科生畢業。故本册《北京燕京大學一九二三級同級錄》應爲燕京大學第一册同學畢業紀念册，此推斷可以從本册英文序言中"this first Yenching class-book"一語得到印證。燕京大學畢業紀念册到1928年始統一定名爲《燕大年刊》，確定了比較詳備的體例，內容也更爲豐富。相對而言，本册《同級錄》體例簡單，内容也有缺憾。雖然如此，本册還是爲我們留下了當年燕京大學和畢業生的一些珍貴資料，而其中的文字今天閱讀仍令人心有所感。需要説明的是，這裏説的1923級，用現在的表述，一般稱爲1923届。

此册封内有英文題記"Peking Univ. Library, with compliments of Class 1923"，並鈐有"PEKING UNIVERSITY LIBRARY/燕京大學圖書館"藍色方印。據此可知，此册爲燕京大學1923級畢業生贈送給燕京大學圖書館者。需要指出的是，燕京大學最初的英文名爲"Peking University"，即後來北京大學的英文校名，而非"Yenching University"。當時北京大學的英文名稱，一般爲"Government University, Peking"。

此册首頁爲當時大總統黎元洪題寫的1923級級訓"仁愛與和平"，而就在當年6月13日，黎元洪被直系軍閥驅逐，不再擔任大總統，故此題詞頗顯珍貴。

總統題詞之後的《東風明月》歌曲，其開頭唱道："温愛的東風吹緑了無邊大地，清和的明月普照着一切群生，遍看世界到處都是仁愛和平，這就是自然生命，這正是我們的象徵。"1923級的級訓"仁愛與和平"嵌入其中，由此可知，此係1923級的級歌。級歌之後，還有該級級旗。

接下來的《一九二三級——驪歌》，即該級的離別之歌，其中讚頌仁愛與和平，最後"與君此去，分道圖功。地北天南，山河萬重。臨歧休有，别淚沾胸，少年行役兮氣如虹！"幾句頗有幾分少年壯志的氣概。

本册同級録雖然篇幅不大，却有序言三篇，分别爲代理校長戴樂仁（J. B. Tayler）的英文序言；男校副科長陳在新的中文序言；1923級畢業生代表謝婉瑩的中文序言。此外，還有女校科長費賓閨臣（Mrs. M. S Frame）的英文導言。陳在新在序言開篇説："天下事最好莫過的就是於韶好的年齡中能同有一樣志趣的伴侣，互相勸勉扶助在所修的學業中。"並勉勵畢業生"久遠有互助行善服務的精神。久遠保存平等自由的理想"。謝婉瑩即著名文學家冰心的原名，1918年入協和女子大學預科，1920年隨該校併入燕京大學。冰心在序言中寫道："訓練的課程，從茲完畢；服務的生涯，從茲開始；數年的相聚，從茲分手。只留下現在的面龐，和年前的往事，印在這小本子上，來作寂寞時的慰安，……"對於未來，序言中鼓勵："在'仁愛與和平'裏，我們携帶着同一的使命，奔向着同一的前途。填崎嶇爲平坦，化黑暗爲光明。"

本校教職員圖片一直是畢業紀念册常見的內容。在本同級錄中，除校長司徒雷登以外，還可見到燕京大學榮譽校長、合併前的匯文大學校長羅威理（H. H. Lowry），代理校長戴樂仁，男校科長博晨光（Lucius C. Porter），男校副科長陳在新，合併前協和女子大學校長麥美德（Sarah Luella Miner），女校科長費賓閨臣（Mrs. M. S. Frame），神科科長劉廷芳等人的照片。

本册的主體是1923年燕大畢業生的個人照片、基本信息和小傳。冰心在本册序言中説"我們三十九人"，説明該級畢業生有39人，但是本册刊登的合影只有37人，《一九二三同級通信處一覽表》中所列名單有38人，個人照片及小傳部分有36人，其中靳鐵山只有名字和照片，費興智只有名字。與後來的畢業紀念册相比，此册集體活動合影較少，只有植樹二張，野餐和聚會各一張。

畢業生小傳部分，或由本人撰寫，或由同學、友人編寫，或莊或諧。如冰心用文言爲同學陶玲、黄世英和自己寫有小傳，稱陶玲"平居深思慕吉思愛丹女士（Miss Jane Addams）之爲人，欲以一身肩社會貧民之重任，國步多艱，社會需君矣，君勉乎哉！"此小傳體例常爲後來的燕大畢業紀念册採用。

此級畢業生中，後來卓然成名者，除了冰心，尚有戲劇家熊佛西（1900—1965）。熊佛西在燕大讀書期間即於1921年與沈雁冰、鄭振鐸、陳大悲、歐陽予倩等人發起成立中國話劇史上第一個劇團"民衆戲劇社"。1922年發起創辦《燕大週刊》，任總編輯。後赴美留學，主修戲劇和教育。歸國後任北京國立藝術專科學校戲劇系教授，兼系主任，抗戰期間創辦四川省立戲劇教育實驗學校，任校長。抗戰勝利後任上海市立實驗戲劇學校校長。1949年任上海戲劇專科學校校長，1952年任中央戲劇學院華東分院院長。

而被冰心寄予厚望的陶玲，後與冰心同船赴美留學。1930年起擔任北平崇慈女中校長。

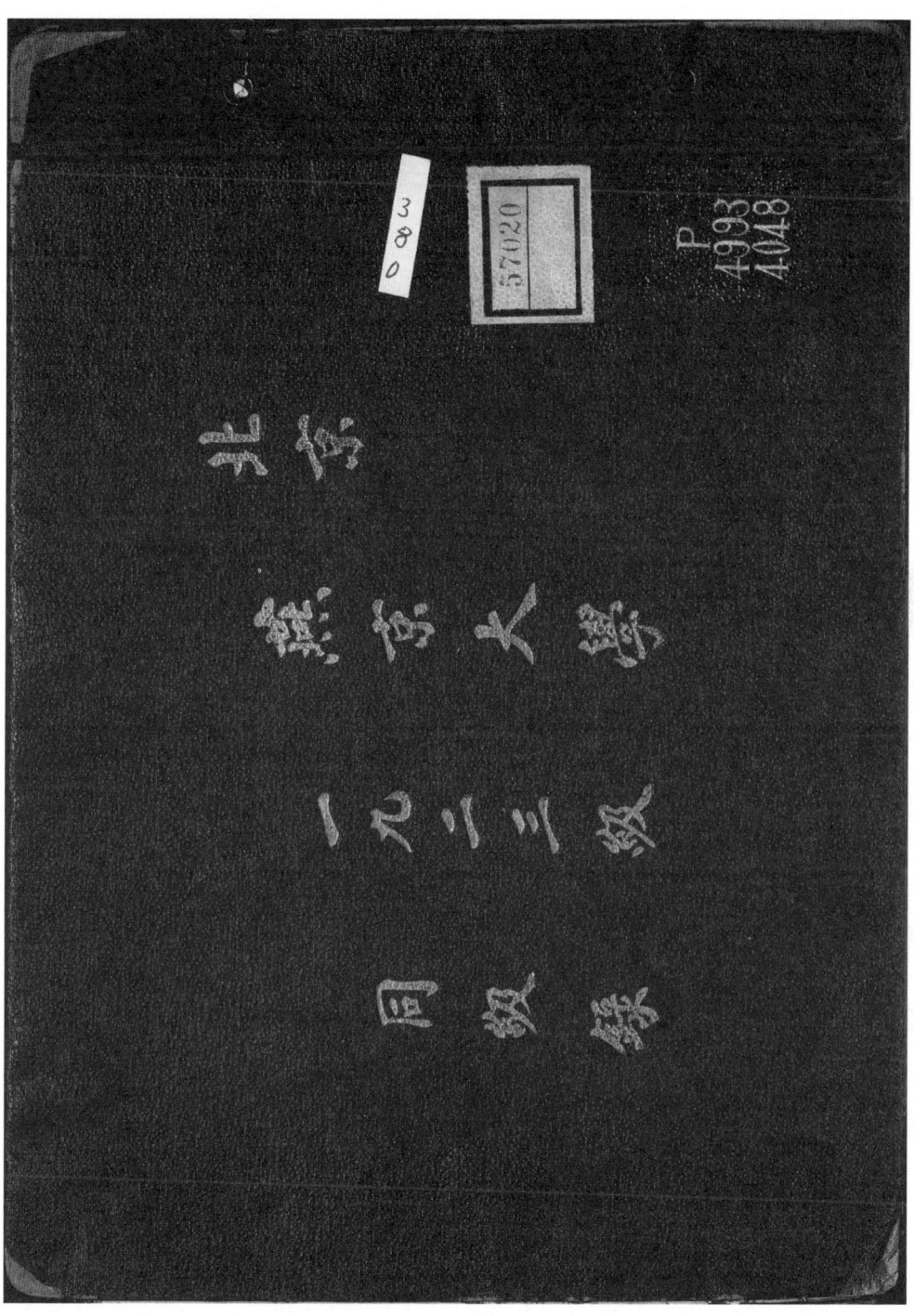

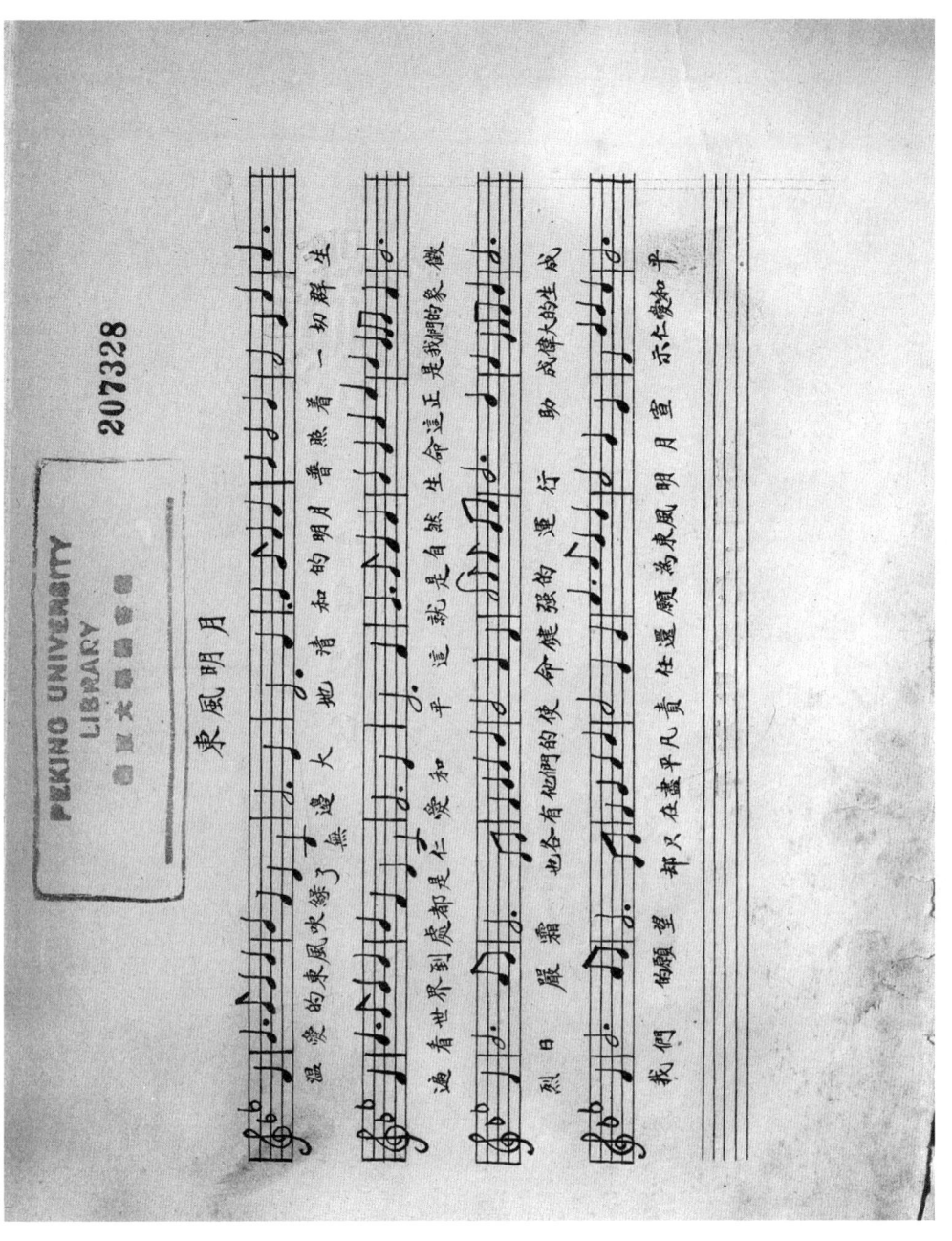

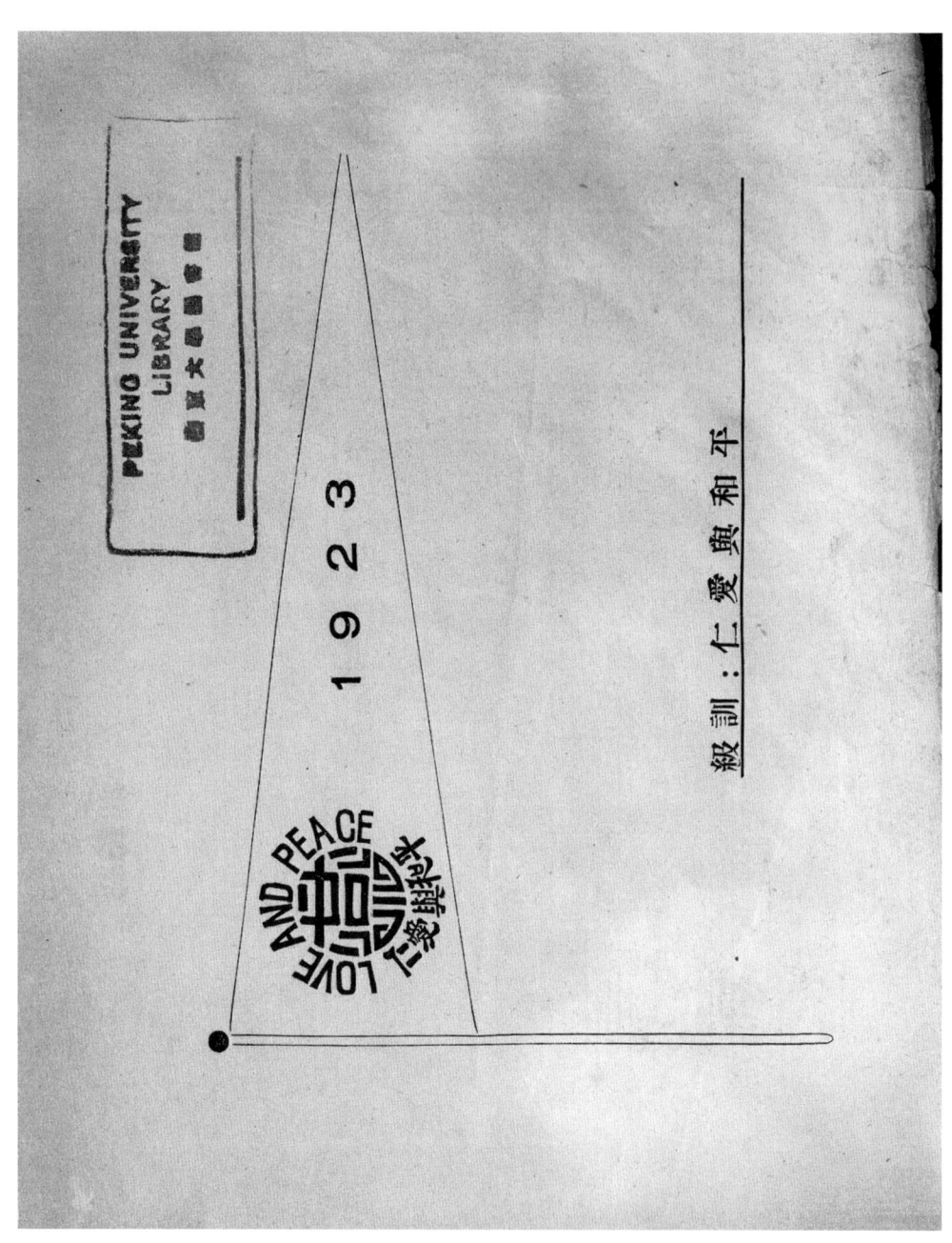

一九二三級——驪歌

（1）同心敲起仁愛之鐘　　大聲鏜鏜發自亞東
　　吾儕來從仁愛之宮　　鐵兮血兮消融此中
　　願以此旨兮振群聾　　偏走天下兮播仁風
　　捧此旗幟兮喜相從　　踏破塵藪兮覓新蹤
　　優童心兮佩箭張弓　　愛之神兮永矢精忠
　　仁愛仁愛高呼聲滿太空

（二）同心敲起和平之鐘　　大聲鏜鏜發自亞東
　　吾儕來從和平之宮　　唅兮域兮消融此中
　　願以此旨兮振群聾　　偏走天下兮揚和風
　　攀越翠岩兮登碧嵩　　折取一枝兮為吾宗
　　啟機葉兮鬱其青葱　　和平神兮永矢精忠
　　和平和平歡呼聲滿太空

疊句　與君此去　分道圖功　地北天南　山河萬重
　　臨歧休有　別淚沾胸　少年行役兮氣如虹
　　與君聚兮如夢　與君別兮匆匆　與君誓兮同工

Preface.

But little is needed by way of preface to this first Yenching class-book except to congratulate the class of 1923 on the precedent they herein set. The Value of a classbook as a bond of union between the members of the class is happily described in the Introduction and does not require to be enlarged upon here. The consideration that this little brochure should prove a material aid in maintaining the links already formed, coupled with the important fact of the recent organization of an Alumni Association, gives us good ground for hoping that the graduates of Yenching and its constituent Colleges are on the highway to becoming a united, effective body for carrying the spirit of their alma mater into various walks of life.

As one with an unusual number of personal friends among the members of the class, they will, perhaps, allow me to take this opportunity of expressing the good wishes of those whom they leave behind in the University. A fitting form for our hopes is suggested by the incidents of their own Arbor Day, when the significance of the choice of the Sweet Date Tree was so well elaborated by one of themselves. May the promise of that parable be fulfilled! Striking strong roots to spread new shoots of vigorous life in the broad fields of China's future possibilities; hardened and toughened by icy blast and pitiless sun to stand the shocks and jolts of China's uneven ways, until they can be depended upon even at the bitterest pinch; seeking not for admiration and conspicuous place, but ever ready to serve for protection and support; not avoiding the thorns while these remain, but steadily building up a sweeter and more harmonious social order may the Class of 1923 realise in the life of China all that they have learnt to value at Yenching.

J. B. T.

天下事最好莫過的就是於韶好的年齡中能同有一樣志趣的伴侶，互相勸勉扶助，伴侶在所修的學業中。自己所未見到的，伴侶已能了解。自己了解不來的，伴侶已見到。自己快樂時候亦能有忘形的情誼。我不是男女的奴隸人憂愁鬱時候，伴侶來表同情。平等在知識上。平等愁非是我的傀儡。熙熙穆穆，相處三四在社會的階級上。同學的友誼自然與泛常朋友不年五六年，不可一日語。聚合與離散是更進一輪轉的定例，亦非好的定例。離合悲歡也都是不加思索的感情的好的作用。我曉得一九二三畢業燕京大學的學生，必能有一番的新作用。使得各學友於畢業後。在社會裏有長久的精神。供獻人羣，按在校中時已定的决志供獻人羣，按在校中時已遇着社會中的阻難，惡的風俗的勢力，仍有同學的扶助勸勉。使自己發生不能灰心的毅力。遇着事自己判決不下時，一封書就可咨詢從先在校中好伴侶的見解。遇着銀難的境況，一封書就可能得忘了同學的援手，安慰。絕不能因我得勢就有子夏離群過久的嘆息。也不能因形骸的隔離，忘了同視的修禊。久遠保存中等自由的有理行善服務的精神。久遠有互助有理想。如此一九二三年級的同級錄，自有可寶貴的價值。問一問本年畢業諸君，所以做同級錄，是否是這個用意？

陳在新謹誌

一九二三，六月。

Introduction to 1923 Class-book.

By
Mrs. M. S Frame

At the end of the four years' path of college life, there inevitably stands a great gate, opening outward into a busy world of new responsibilities, new tests and struggles. Not a graduate passes through that outward gate but looks wistfully back over that pleasant winding road of learning, with regret, perhaps, but surely also with a quickening of his pulses at the sense of all he has gained,——wider vision, new and lasting friendships, high ambitions.

There are always so many happy things to remember that it savors of ungraciousness to try to weigh or compare the differing impressions and memories. Perhaps it is only much later that the realization comes that the greatest gains of all were those that came directly through personalities, not in abstract form,——through the fellow-student whose good-nature was as unfailing as his jest, the teacher whose unflickering ideals of truth and hard work won us to sincerer efforts, the intercollegiate contests where eages rivals taught us the joys of an even match and fair play. Most clearly of all, perhaps, against the background of jokes and games, of feasts and work and hot discussions, stand out the faces of our classmates. A little book like this, from whose pages look out wholly familiar and friendly faces, will prove a lasting treasure against the years of separation ahead. Scattered far and wide, this will always bear witness to the class of 1923. Though their service to the world will differ with differences in opportunity and in environment, and most of all because of initial differences in personality, the bond of common traditions, of similar training, of neverfailing sympathy and friendship, will ever hold true. Persons all —— teachers, students, —— our happiest memories of college are rooted back in their hearts, and their highest hopes will bear fruit in the lives of the graduates. Life unto life. And so may the class of 1923 go forward, out of the old college portals, into the needy world beyond. May they feel that all that is living in their own minds and hearts, all that is vital in their knowledge and experience is a gift to pass on, to the quickening of a new life in their communities and nation, even to the generations that come after them. Life unto life.

同級錄序

「住這廣漠的世界上，人生一個人的人生，充其量只是一個夢罷了，」這話我似乎也承認；然而縱是宇宙無限，人類卑微，而人生決不能只是一個夢。即在這夢中，還有一兩個焦點，或是深愁，或是極樂，極分明的印在生命的歷史上；與無限的宇宙，同此遺留，直到永遠。

一個大學循例畢業了一班學生，這不過是學校歷史上極平常的一段記事，細想起來，這幾十個青年，從天南，從地北，自山陬，自海隅，不期然而然的偶然的偶然聚到一處，不可值得紀念的。然而當局者，仔沒站在一九

七

「一九三三」的班旗之下。「一九三三」這四個字，無條件的使這幾十個青年男女，觸目驚心。為著這四個字，便大家合攏來！禍福與共，憂樂相關。「天實為之」，是非常的平常，也更是平常的非常。

我們三十九人夢中的這個焦點，不是深愁，也不是極樂。只覺到了這點：訓練的課程，從茲完畢；服務的生涯，從茲開始；數年的相聚，從茲分手。只留印在這小本子上，來作寂寞時的慰安，也是無聊之極思呵！然而同級錄之作，原不是這般無聊的。在「仁愛與和平」裏，我們攜帶著同一的使命，奔向著同一的前途。壎篪嚅嚅

為平坦。化黑暗為光明。為著要堅持守我們同心的慷慨的將影兒聚在一起，互相提醒，互相勉勵，還要印証數十年後，我們三十九人中，是否沒有一個落伍者。

沉，低徊翻閱這一本書的時候，能以煥起

別了！我的級友，只要我們任煩悶鬱

憧着無限的往事，激觸起無限的前途，慰

上同級錄的價值，就在世界一切的書籍以

了！

四，十五，一九二三。<u>謝婉瑩</u>。

九

燕京大學一九二三年級畢業植樹頌

窈窕平和且訓班穆穆燕京與莫大學賾探員載
鈞邑安美式敕休育作建燕懃學填遂其樹
大平日和斁匪珍匪孔義材樹良屆大探念
頌邑安美文栗之渴神心以投辰七實期意樹
象神麗用物饑慰報赤欲裁廣當則安結亦
　　　　　祝敬名顧　　　哲木喬意宜

PRESIDENT EMERITUS
PEKING UNIVERSITY.

校長　司徒雷登博士

前女校校長　麥美德博士

代理校長　戴樂仁先生

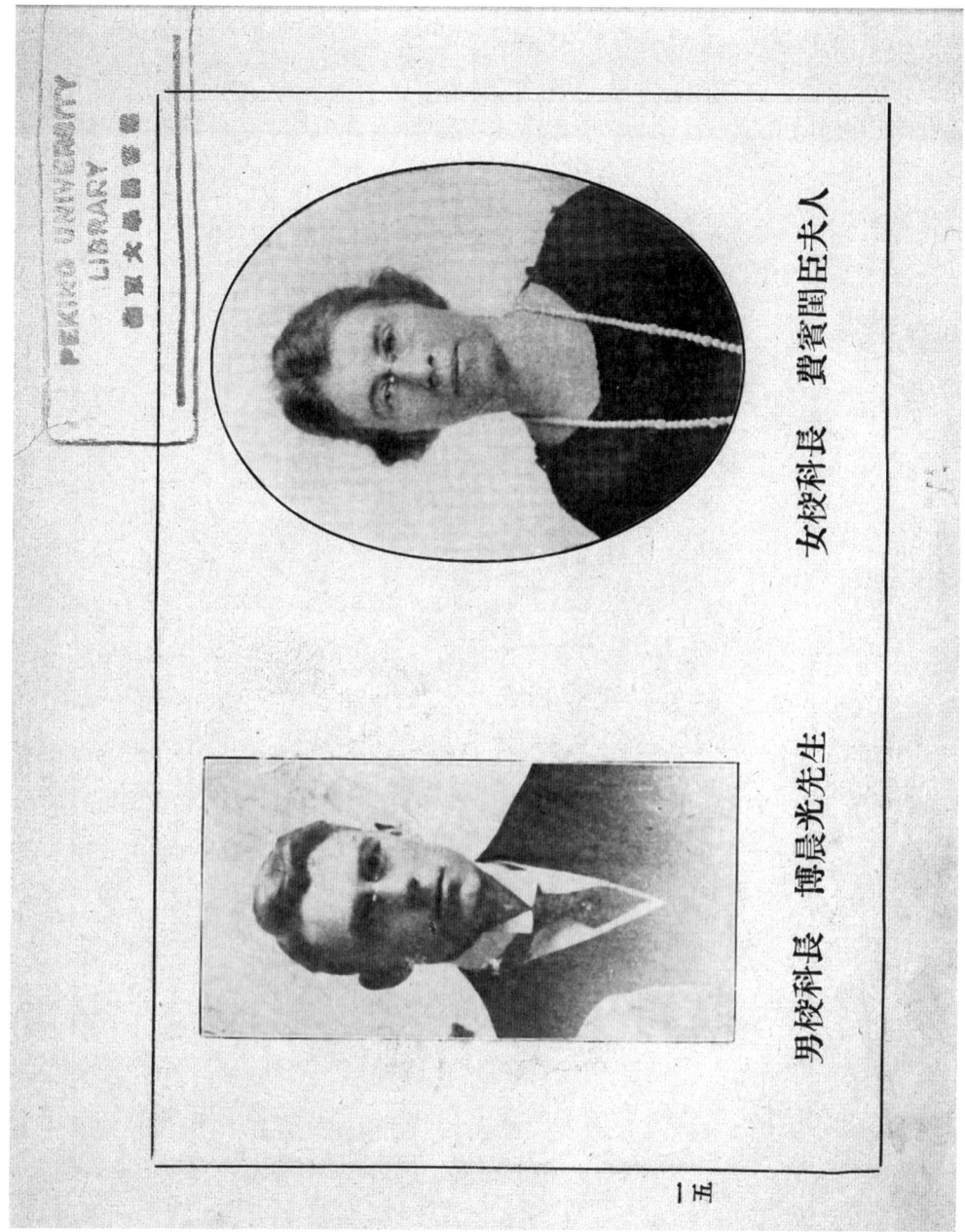

男校科長 簡晨光先生　　女校科長 費賓闌臣夫人

一九三三同級全體

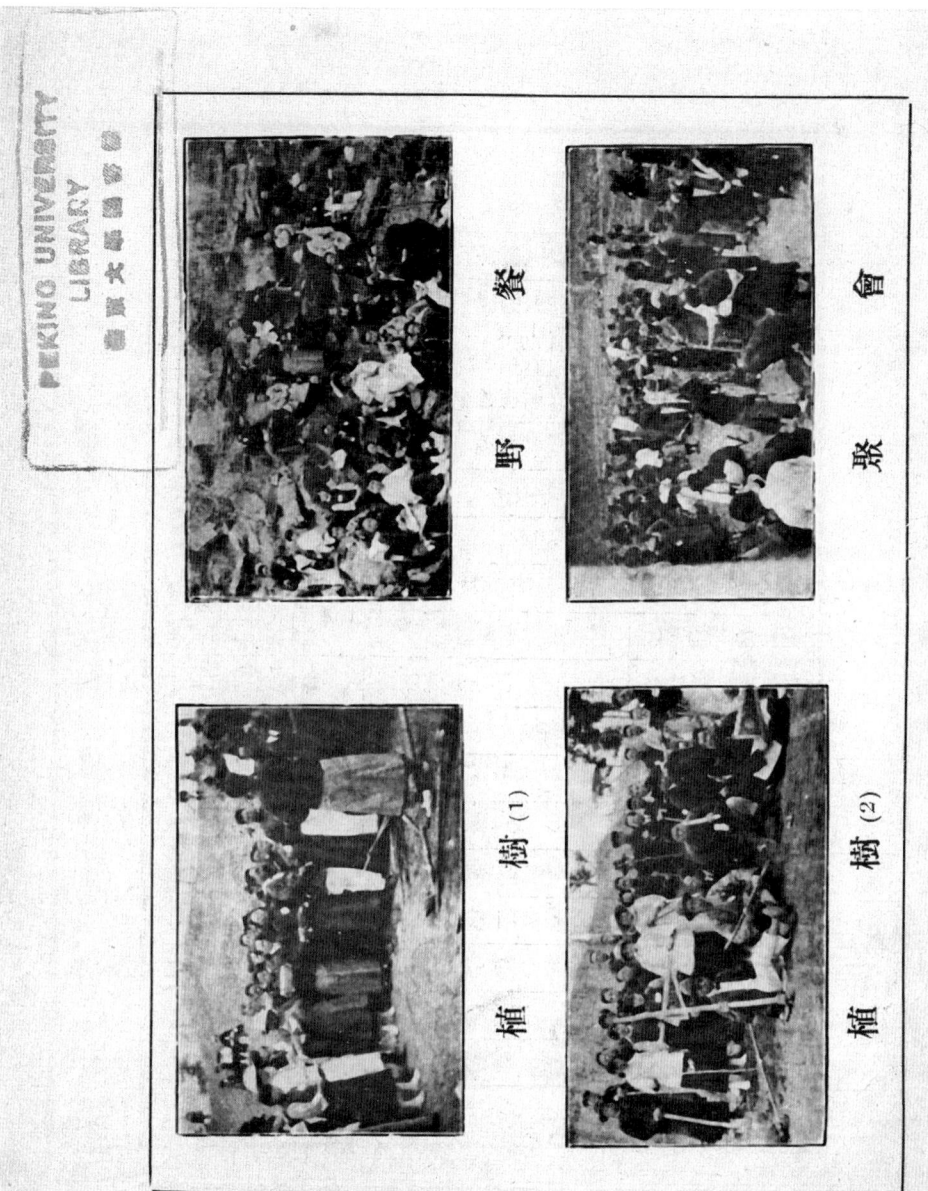

野餐 眾會 植樹(1) 植樹(2)

一九二三同級通信處一覽表

姓名	別號	暫時通信處	永久通信處
于振周		燕京大學	
王有	又得	燕京大學第一院	京奉路石門車站福音堂
王安宅		天津匯文學校	京奉路石門靖安胡家莊
王書生		燕京大學第一院	奉天莊河縣青堆子福音堂
王廉	像夷	燕京大學	直隸延慶南辛堡
王德曦	文光	燕京大學	轉直隸樣縣永清亭廟韓德堂鎮阜豐樓
王學洲	老漁		山東泰安茅茨
田慶年	慶豐		直隸安次縣大北尹福音堂
田寶鴻		天津新學書院	直隸棗強縣東汪西尚興
田蘊璞	云朴		黑龍江綏化北蓮花鎮西街
余良歆	仲謀	上海自治學院	安徽滁縣披樓街
何靜安			先寄奉天關東州小河沿施醫院何
何慶治	致平		所京兆密雲縣石匣郵局代辦轉交兵營何
李天耀		北京匯文學校	山東泰安鴻庄
李明忠		燕京大學女校	
周乃洞	少楠	Ohio Wesleyan University. Delarvare. Oh'o, U.S.A.	安徽定遠縣東門大街周寓
陶玲			
費與智		北京貝滿女校	
陳彥良	西柯		福州后洲新廟社慶福紅紙行

梁伺鏊		燕京大學	
黃子詧			
黃文寶		北京前門外草廠七條五號蕙州館黃心泉大夫轉	廣東惠陽淡水生號 Chop Kwong Seong Hin, 116 Petaling Street, Kuala Lumpur, F. M. S.
黃世英		河南開封施青女校	河南鄭州德化街
富汝培	蔭之		北京北新橋長老會
彭樹仁			湖南桃源長老會
靳鐵山		北通縣潞河中學	直隸文安縣蘇橋鎮福音堂
崔豫河	可舟		北京前門外大柵欄高家胡同二號張胡同內
造恩德			
楊錫慶	鐵山		北京崇外河泊廠下一條一四號
楊繼宗	繩武		保定南關同仁學校
鄔貴明		東志望協和醫學校北京先生轉	
熊伽西			漢口洪益巷熊和記
滕柱平	砥平		江西橫峯縣湖坂
劉宦倫	敬伍		宅米天海城基督教會門劉盛號轉
謝景升			浙江杭州湖濱河坊宜盛號轉
謝琬瑩	冰心		北京中剪子胡同十四號
歐陽茂春			
蘭良			

周振于字幼岐於一千八百八十年生於奉天之錦縣年十四始入初小十九歲入于振周中學二十八歲畢業文科三十一歲畢業墾牧科亦一孤苦學生也

周振于

君字又得，直隸昌黎人。崇基督，不屑
衿衿者之所為，開張豁達，所成就在事
功之域。昌黎固近海，海之為物也，汪
洋萬頃，澄之不清，撓之不濁，君殆所
鍾毓者歟。　　　　　紹明敬題

王　有

王安

詳安度態，王君誠挚。性情沉靜，好學競業，不枝不蔓。毛君博覽群書，文飢擅乎中西，識復通古今，矯矯然群雞中一獨鶴也。自喜不與人爭勝；竭其力以祝彼略騖於衆者皮毛，其風格為何如乎。在今日學務實之青年，篤學設。至其吐屬雅趣，談笑逐顏開，則君非莊時，君誠欲求加人一等，幾不可得之敎，亦復可愛也。王君輒沾沾自聽之者無不復日赖之可。譜雜出，

趙錫禹謹述

王安宅

三

四

書生

兄性剛道而恭、利寡言而謹行,友輩敬愛之。虛心求真理,將終身服務教會焉。善讀中外古籍,尤工希伯來文學而學。

書生,奉天莊河人,年二十五,宿願致力宗教與文學。學問有為生而學,為學而學,與無所為為學而學。

我祝他在這為生而學底道上努力和快樂。

天耀·北京

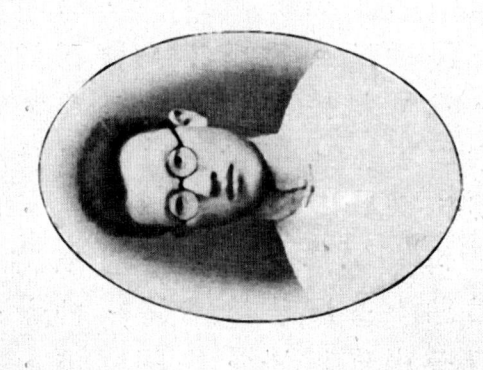

王書生

做人的序歷是直隸延慶人；民國九年做人由滙文學校轉入燕京大學文理科；民國十年做人由本校文理科轉入本校製革專科；做人所讀的課程如製革學、化學、及一切關於製革學的學科。

作人可分作四段：

1
2
3
4

王 廉

五

六

王君德曦字文光直隸永清縣人年二十四歲和謁溫厚好義樂羣專事修教育造詣各有所獨深除等等勤學外更熱心公務屢任校內人所贊服焉。組織重要職員才德兩全品學兼優業為

田鑑璞敬述

王 德 曦

王學洲，字步瀛，山東泰安人。由泰安美會中學畢業後，升入北京滙文大學預科，由預科直入燕大。稟性敦厚，有沉理緣默寡言者，無不樂與其人相交面。和藹可親。但與有獨到具淵博，不獨其餘事耳。至若學問學，春風滿面，

王安宅逑

王學洲

田慶年

田慶年君豐儀卓犖京兆人籍隸文淵學識領袖群倫文匯經濟委員會副總裁及文匯刊慮恒在校廓其令名人所共仰止以治學精明成績優著自滙文以來叉由本校升本大學畢業本校自幹才兆安有長者之風學問淵博厚利以調燮為己任儉樸寬宏性質大學擧全校同學以老班長牛長及病休學後見想概可親佩本班三年二甲一九等職無不勝任其令人本班久辦一任校位深載呼聘之

谷鷗遠

田慶年

田寶鴻 直隸第省人 一九一三年入蕭
張英文學校 一九二十年天津新學書院畢
業 入北京燕京大學所學經濟

鴻寶田

田君韞璞字完白黑龍江人性穎悟饒才智熱心服務是以歷任學生自治會各部長及教育研究會學生會等會長而修學益精尤嗜教育算學兩科成績亦極優卓既以幹才著復以博學稱洵士林中之皎皎晨星也余與君同學六載相知頗深贅此數語以陳其實是爲序

弟楊文超謹撰

田韞璞

余良猷一文學士一來自金陵華中。

一九〇〇冬初，生於安徽滁縣。

一九二〇春季，考入本校文科。

一九二一秋季，改入理科華系。

一九二四暑期，華系可望告終。

余 良 猷

何君慶治字致平年二十五歲籍京兆
密雲專攻經濟兼數學爲學刻苦寡言笑以
聊目持然接人利露故儕輩皆樂與之遊

祖桐

何慶治

好友，
　　你曾經大筆頭與白雪往還吧；
何以你論文持理如此的高玄呢？
不然，你論文特理如此的高玄呢？

董紹明

怪僻，濃情似淡。
急剛毅，敏捷似遲。
奇特，自詳，獨行獨斷。
公正，知者若性爽，若慢，
　　　常人所厭。

王雯愈

李天耀，山東泰安人。一九二十年
出滙文入燕大，所學文學。

李　天　耀

李明忠

上海女子。幼時在本省英浸會女校讀書。卒業後到青年會中學及協和女子師範讀書。至民國七年始來京入該省立西女藝師範專科。次年該校與燕京合并，一年稱燕京由文科擔任教授。於民國十一年畢業。至民國十年改讀大學，定章轉入該省女子大學事業數年。

體以恆為用人天津新學書院肄業九年升送燕京
立身以誠為體以恆
好學
毅
沈
洞
乃
周

大學專門文科經濟學又三年畢業游美其
十二年未嘗無故輟學一日足見誠而有
恆

桓晉

周乃洞

陶玲

湖北民國三年奧爽奠
幼女中學君性脫爽疾
產滿人同學相善者
長於北京貝滿女子中學君居深思慕吉年
君多才多藝性情過人
愛丹女士(Miss Jane Addams)之為人欲以
同學多才藝君受護無不至
余同病憂苦君愛護無不至
一思肩社會貧民之重任國步多艱
會需君矣君勉乎哉！

謝婉瑩

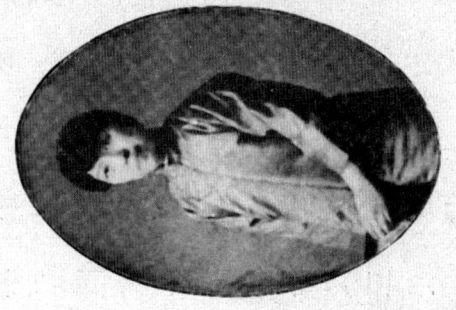

陳彥良，西柯，自福大轉學以來，而致力於文學及社會事業；最近華北英語辯論會之優勝，其緒餘也。專攻經濟旁及文哲，蓋嘗以人生物質，理性，藝術三大精神之調和，為整個之生活云。

陳錫篆 一九三五，十六，北京。

陳彥良

蔡 鎔 簡

白序之

天性純樸，幹練老成，幼失學，習於濟繼卒業。繼卒業於本校。歷任尤始入小學，復由匯文聘人，對於慈善事業多供年美中學。年二十一，職員及服務國等職貢獻。天華青年會

黃君文寶，粵之惠陽人。一九零二年生於南洋羣島。曾卒業於 Senior Local of the University of Cambridge。一九二十年始返國，就學於燕大文科；今夏得學士矣。君性倜儻，能任勞，而於英文尤精稔；國學能成誦者頗衆。始吾僑之益友也。

馮日昌謹誌於燕大

黃文寶

黃 世 英

君幼讀於天津仰山．受中學教育於
貝滿女中．性孝友．親老校中學不歡
君滿溫柔．臨事有斷．歷肩校中學生
靜鈿職務．勝任愉快．而深諳推恐
體銀君喜音樂．善歌詠．孤高自賞．
不然．古之奇人也
及，君
之溫
即
北京　謝婉瑩

顧護吾心temperament溫良敏於紅塵視人慨然展翅期讀攻債發憤而作因寒苦貧君汝培京宛人也

培汝君家道貧寒其尊先哲云行千里者風具糧富君勉諸同學至今八年你那溫和的表現在作劇作上更

學弟李雲祥敬題

培汝兄與我同窗至今八年你那溫和儉勤的學者所賞許
為諸位謹慎好友。

學弟王宗元

培汝

彭君樹仁湖南湘潭人也現年二十四歲性頗和靄喜結交思想亦稱敏銳長於英語音樂哲學一科精心研究彼者冀造成一近代哲學家云

歐陽嶸

彭樹仁

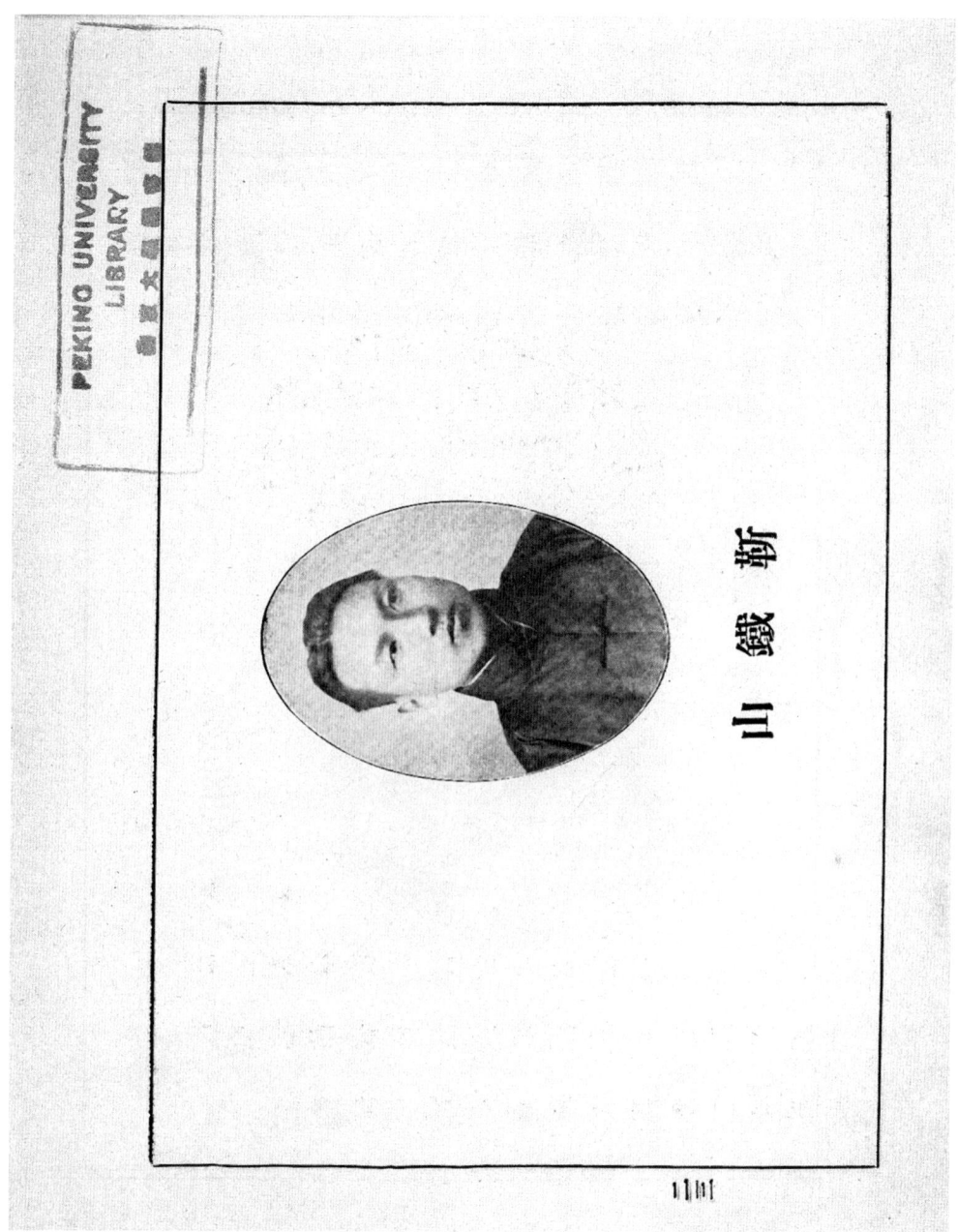

靳鐵山

翟豫河字可舟京兆人現年二十五歲
性相謹品敦厚讀書求深刻不喜躁急畢業
後擬入本校神科專攻宗教學

劉德元

河豫翟

趙君恩德年二十三京兆通縣人
由匯文中學預科畢業後升本大學君天資
敏性質和靄謙平生不苟言笑毫無驕矜習氣
氣凡服務事莫不見義勇為學識尤為精確，
誠青年人不易得者也

田慶豐

楊君鍚慶 京兆大興人 年二十五歲 素志研究宗教輔匡社會 為人性情曠達 善辭令 言多而不失 數年同窗獲良深深，舉止大方不拘小節 而天資聰敏隨機應變。 先為儉量所不能及 李松齡汝培。於北京。

楊 鍚 慶

楊 繼 宗

短小精幹。天資活潑。喜歌唱。擅體育工詠譜。性和靄。頗孤僻。少孤。母教之自序。幼讀於保定同仁學校。繼卒業於潞河中學。專攻教育。擬終身服務於教育焉。

我過去的教育最感激的有兩個學校：漢口輔中、北京燕大。我的天性嗜好：教育與文學。

西佛熊

君性豪爽，惡居詐僞，與虞兄應甚契，因一點感情，竟爾離京滬濱，與虞兄不洽染一點惡感，始終不渝，與虞兄接物，處世克勉，符合西哲健身健體質，實難自用實難，語云，非才之難，自用其才者，何克臻此，君體質健，聰穎宜智，習不健，嗟乎，非猶著非才，其時加珍攝，惟君不苟，就學京滬，與虞兄

呂醒寰

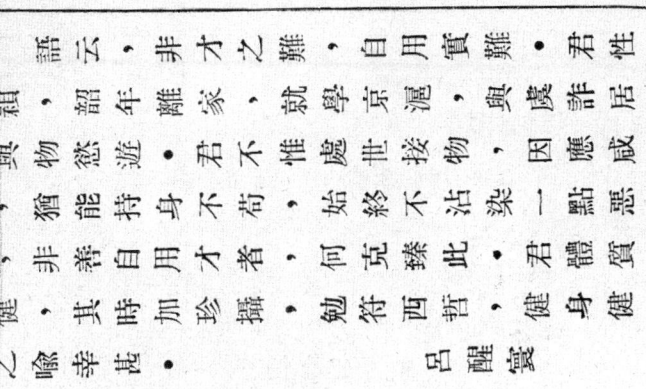

滕 柱

劉君富倫字敬伍奉天海城縣人，一九一八年畢業理預文
科，頂一同入本大學。相處既久，相知益深，
由奉天轉學昌黎，始與余遇。同人匯
及翌年，本大學，相處既久，相知益深，
前其知心也。平心而論，劉君為事而辦事之人也，至其所學，
以算學、物理學、經濟學為最長。明其接物也周，

滕柱

劉富倫

崇信中學卒業後，到南京匯波中學；二年間凡三易學校，到上海，到杭州，我於一九二年秋繼入本大學，屈指已三年了。

歡樂的回憶

人的生命真如滾流不息的泉水，變化萬千的雲霞。回憶過去，靜想不可知的將來，我不希望我的泉水合著彩色凝散自如；我願這水依自然的狀態，凝散自如。我不希望我的雲霞凝結不變；我願這雲霞經散惹澄染的雲霞。我願起大地，霑潤田野而入大海；我願這雲霞保持其美妙的狀態，灌溉起大地人間。

謝景升

瑩幼承家教育於北京又幾及十年生之隅之活者幾及十年及十
客芝罘學校數月略識南方風土
過之又數月擬自述生平始舉
海隅故鄉偶人。
之陳與義「唐多令」詞內「二十
瑩覺。誦此竟無可紀者。此身雖在堪驚」之語，
幼後此間僅回
年。其外此
十餘年成一夢，
俯仰宇宙概歎何極！

謝 婉 瑩

春茂蘭君字培之直隸遵化人年二十五歲於一九二〇年自匯文預科升入燕京大學以來體育名譽復著熱心提倡籃球歷任隊長後選為體育部一至

君性剛直篤友道深於學勇於為校母校畢業長亢蘭

周諧一

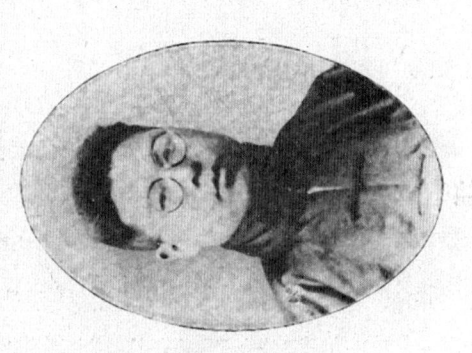

春茂蘭

歐陽良

南海 江聰

先生先世從事辦事才有際於交家早歲受教育於香港精通外情故學成一專為家於諸君好詠良早歲受世界知識以其所學從事實用成一專為家於外交專家互相媲美為家

乘門科天的現家與光云之的現家畢業已有其見之必能出其所學從事實用

黃君子彥,道隸寧晉人,性溫利,好學不倦,雖經困塞而堅苦卓絕,不改初志,其得力於道學者深,故志量迥異常人,余與同堂講學,知之稔,目覩之深,出其玉照,屬題,略述事略,以誌景慕云。

同學 常福元

黃子彥

三五

智 囊 集

燕大一九二六班同班録

《燕大一九二六班同班録》是現存燕京大學畢業紀念冊的第二冊，1924年和1925年暫未發現畢業紀念冊。此冊與第一冊在編製體例上類似，相對簡單。因無廣告贊助，印製也沒有後來的精美。

本冊扉頁有1926班題贈："圖書館惠存。一九二六班贈。"同頁鈐有"燕京大學圖書館，Yenching University, The University Library"藍色橢圓印。與第一冊畢業紀念冊所鈐印記對照，可知此時燕京大學的英文校名已改為"Yenching University"。

本冊同班録首先是燕京大學校長司徒雷登給1926畢業班的英文贈言，其內容主要是對1926班班訓"獨立與互助"的闡發，認為此班訓體現了1926班對當時中國生活所包括的獨特問題的洞見。司徒雷登認為，此班訓對於作為國家的中國，以及變化中的中國社會問題都有指導意義。司徒雷登認為畢業生們在學校裏已經通過實踐體認到此班訓的價值，希望他們能在進入社會後強調"獨立與互助"兩個方面，並保持平衡。

新任副校長吳雷川（震春）為本同班録寫了中文序言，他指出古今學校之義，頗有相通之處，"近代學制學科雖頗異於古，然如諸君之編輯同班録，獨拳拳於共學之誼，非猶是行古之道歟"？序言又說，"獨立與互助"之班訓，古已有之，"夫獨立者，楊子為我之說也；互助者，墨子兼愛之說也"。因此，吳雷川認為，"名號雖殊，理事無二，今非必異於古所云"。

本册同班錄學校管理層人物圖片，僅有司徒雷登校長與男校文理科長洪業（煨蓮）、文理科副科長陳在新、宗教學院院長劉廷芳、女校主任費賓閨臣科長合影一張，並注明："此係校長科長合照，惜新任副校長吳雷川先生未能攝入。"

較之第一册同級錄，本册增加了燕京大學新校區建築照片，包括"新校女生宿舍""在建築期中之新校舍""姊妹樓""新校講室（教學樓）""宗教學院講室"等，對於考察燕京大學新校區的建設情形，具有一定參考價值。從圖片看，燕京大學1926年遷入西郊新址的具體時間，應在1926班畢業之後。

本册同樣刊登了班歌、班旗。班歌的歌詞用参天翠竹、凌雲喬木比喻班訓中的"獨立"精神，用"萬壑流水""百鳥諧音"比喻班訓中的"互助"含義，並希望保持發揚此班訓精神，"直到它彌漫了我神洲大陸，那還怕東西的強鄰"。

本册也刊載有畢業班合影一張，共計65人。吳雷川中文序中說"公曆一九二六年夏燕京大學本科畢業者六十有七人"，應有兩人缺席合影。後面刊載畢業生單人照片60張，缺7人，也沒有與1923年畢業紀念册類似的畢業生小傳。紀念册最後刊登了67位畢業生的基本信息表，包括姓名、字號、年齡、籍貫、學系、通信地址等基本信息。

67位畢業生中，從事中學和大學教育者多人，也有從事文學翻譯和繪畫創作者。

陳如葆曾任廣州培道女子中學教員，南洋星洲靜芳女子高級中學校校長。

周同璧（1894—1986），曾任北京協和醫學院内科化驗室主任、生物化學系助教、研究員，中央大學醫學院生化系、銘賢學院化工系研究員、副教授、教授。新中國成立後，先後任山西農學院化學系、西南農學院土化系教授。

司徒喬（1902—1958），畢業於神學院。遊歷京、滬兩地，並從事創作。1928年底赴法深造，曾師從寫實派畫家比魯。1930年赴美，半工半讀。1931年回國，任嶺南大學西洋畫教授。1935年移居上海，任上海版《大公報》《藝術》週刊美術編輯。爲《魯迅先生遺像》的作者。1949年後，任中央美術學院教授。代表作品有《國殤圖》《放下你的鞭子》《魯迅與閏土》插圖、《秋園紅柿圖》等。

張士崱（1905—1930），筆名采真。大革命失敗後參加中國共產黨，1930年被殺害於武漢。譯有蘇聯西蒙諾夫的小説《饑餓》等。

饒世芬，歷任北平國聞通訊社英文部副編輯、北平今是中學教務長、英文《平西報》經理等。

張天澤，後畢業於燕京大學研究院歷史部。留學荷蘭萊頓大學，獲博士學位，曾任商務印書館編審委員。主要從事中外關係史研究。1950年代任新加坡南洋大學文學院院長，後任教於夏威夷大學。

張印堂（1903—1991），著名地理學家，中國經濟地理學主要奠基人。燕京大學歷史系畢業。1933年畢業於英國利物浦大學，獲地理學碩士學位。同年回國，任清華大學地學系教授。抗戰期間任西南聯大地質地理氣象學系教授。1948年赴美休假，後寓居美國。

畢業生中的余協中（1899—1983），即歷史學家余英時之父。燕京大學畢業後留美，回國後曾任教於北平國立師範大學歷史系、天津南開大學歷史系、河南大學文史系。抗戰勝利後，應杜聿明之邀赴瀋陽任東北九省保安司令部秘書長、東北中正大學校長。1957年赴美國定居。

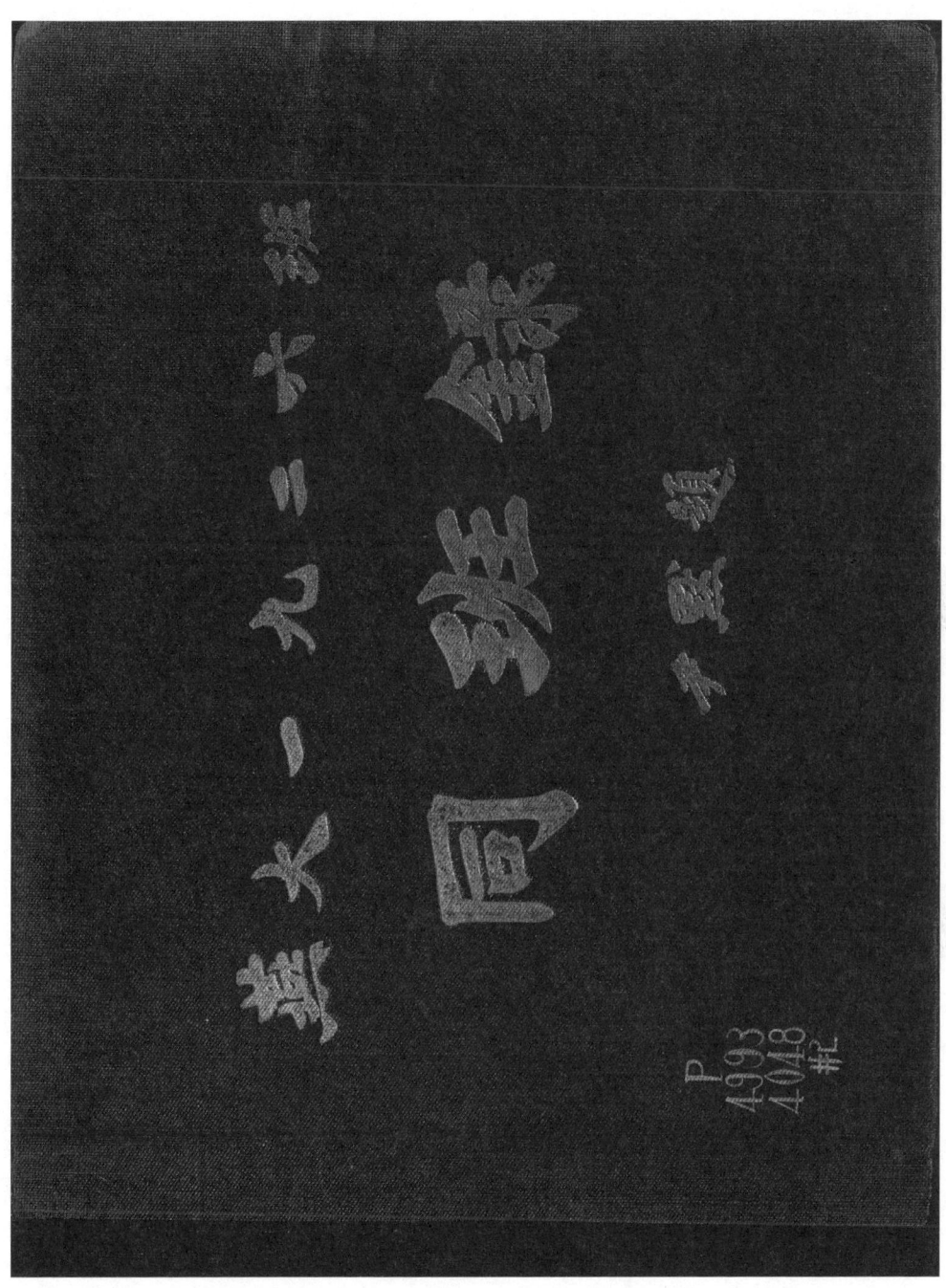

圖書館惠存

一九二六班贈

207330

To the Class of 1926:

It gives me genuine pleasure to express through your CLASS RECORD my good wishes for all of you as a class and for each one of you individually now that your common life as undergraduates is about to end and you enter upon your separate careers for which the years spent here are the preparation. Nor can I do better than comment upon your class motto, "Independence and mutuality". The motto of the University has from the time it was decided upon seven years ago seemed to me more and more really to describe the aim and function of our University and our desire for every student who graduates from it. I have also been much attracted by the mottoes which have been suggested by successive classes. They are indicative of the ideals of each class and more or less reflect the currents of thought and the special circumstances of the time. This motto of yours especially interests me and implies a fine insight on your part into the peculiar problems that life in China now involves. There is, for instance, the application of this motto to China as a nation. China aspires to and ought to have complete national independence. The nationalistic urge among Chinese students deserves all sympathy. But China needs relations of mutual benefit with other countries, sharing her products and her culture with them and receiving theirs. The motto applies again to social issues in China in view of changing standards. In some respects the Chinese people seem more individualistic than those of western countries, and again more completely solidified into family, clan, guild, provincial and other groups. It is probably true that the traditions of Chinese life have tended to develop an excessive sense of group dependence and that modern conditions require a stronger emphasis on personal independence of thought and will, just as the mutuality so nobly characteristic of the narrower social groups of the past must now be extended so as to include the new loyalties called for by the age in which we live. So with all the activities and relationships into which you will soon be finding yourselves placed your motto will hold true. I hope that in your college days you have learned its value by your own experience with one another and in regard to the institution itself, and that it has trained you to emphasize both aspects of this lofty ideal in proper balance and to live worthily of your motto.

J. L. Stuart

燕京大學一九二六同班錄序

公曆一九二六年夏燕京大學本科畢業者六十有七人將彙集各像各著其名籍行年以為同班錄敘囑序於余余惟禮樂記言大學考校之序始於辨志中於樂羣取友終於知類通達強立不反而其論教之所由興廢則又以觀摩而善與孤陋獨學為其差別之主因蓋古者設學造士非持授之以業而已固將使之馴習於人類生存之大法而後底成德達材故其導人以愛好朋羣之旨有如是其深切而著明者近代學制學科雖頗異於古然如諸君之編輯同班錄獨樂樂於共學之本意而又聞之古之道歌卻之諧定非酒之歡也與互助以獨立以獨立而為班為我夫羣立者楊子為我墨子兼愛之說也涉董仲舒春秋繁露曰以仁安人以義正我又曰正人弗子為義人不不彼其愛誰厚自愛不子愛不子為仁是知兼愛者我為義楊墨之學雖會天資自完其實詣同仁義之極則矣今世之士論學術則知伸張楊墨以為我之學而不樂道庸詎知名號雖殊理事無二今非必吳於吉所云郎國光而於仁義顧或以為迂闊而不樂聞之精神以修養人格又推互助之義以服務於社會夫亦曰仁

然則自茲以任諸君將奮獨立之說以上君其共其勉之歎

義而已矣諸君其共其勉之歎

中華民國十五年五月杭縣吳震春

此係校長科長合照惜新任副校長吳雷川先生未能購入

費青國臣
劉廷芳
司徒雷登
陳在新
洪煨蓮

新校女生宿舍

在建築期中之新校舍

姊妹樓

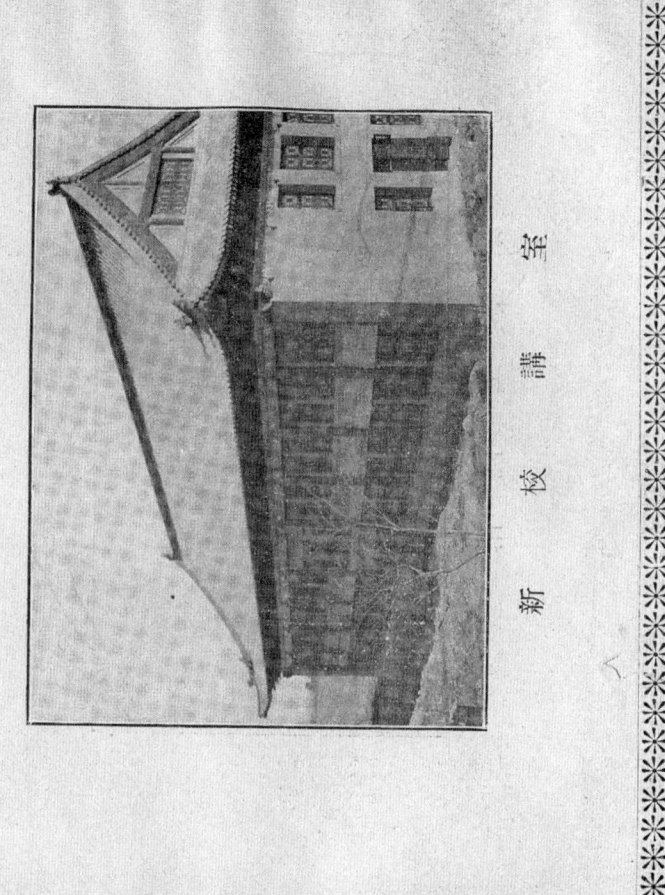

新校講堂

宗教學院講室

班 歌

```
| m . f | s : s | l . t | d' : s | s : s . l | s : f | f : s . l |
| d . r | m : m | f . f | m : m  | m : m . f | r : r | r : m . f |
     看   參   天    竹    翠    凌    雲    森    獨    立    天
     聽   萬   壑    流    水,    百    鳥    諧    音    同    聲    相    應    同

| s , s |   | s : s | l . t | d' : s | s : d' | d' : d' |
| d , d |   | d : d | d . s | s : d' | d . d | d . d  |
| s : m | l : m | m : m . f | s : s | l . t | d' : s | s : s | l : t | d' : s . l | l . l : t | d' : t | d' : - | - : - |
| m : d | d : d | d . r : m . f | m : m | f . f | m : f | f : m . m | f : f | m : f . f | d' : d' | d' : d' | d : - | - : - |
     嵐    出    塵    可    敬    可    愛    的    姿    態    象    徵    我    一    九    二    六    的    精    神
     氣    相    親    相    愛    的    自    然    景    物    象    徵    我    一    九    二    六    的    精    神

| s : s : s | s : s | s : s . s | l . l : d' | d' : s | s : l | l : d' | d' : d' | d : - | - : - |
| d : d : d | d : d | d : d . d | d . d : d | d : d | d : f | f . r : s, | d : d | d : - | - : - |
```

本班全體合影

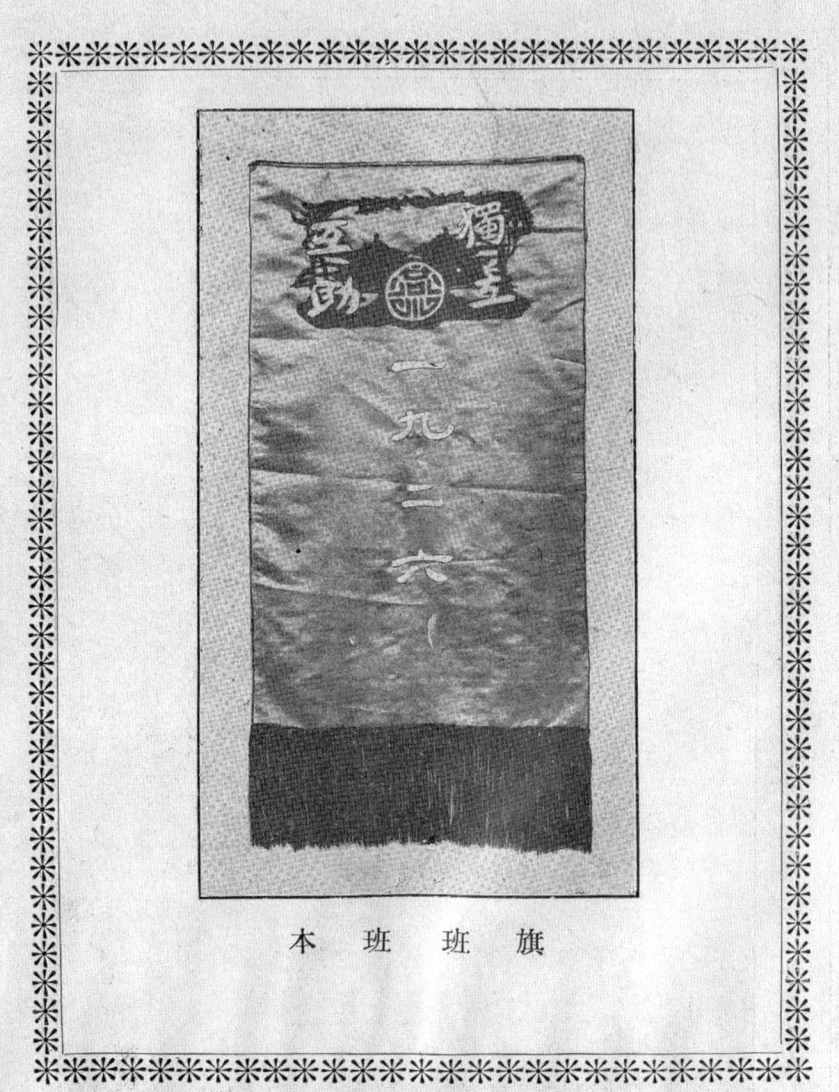
旗班班本

本班所贈與學校之紀念物

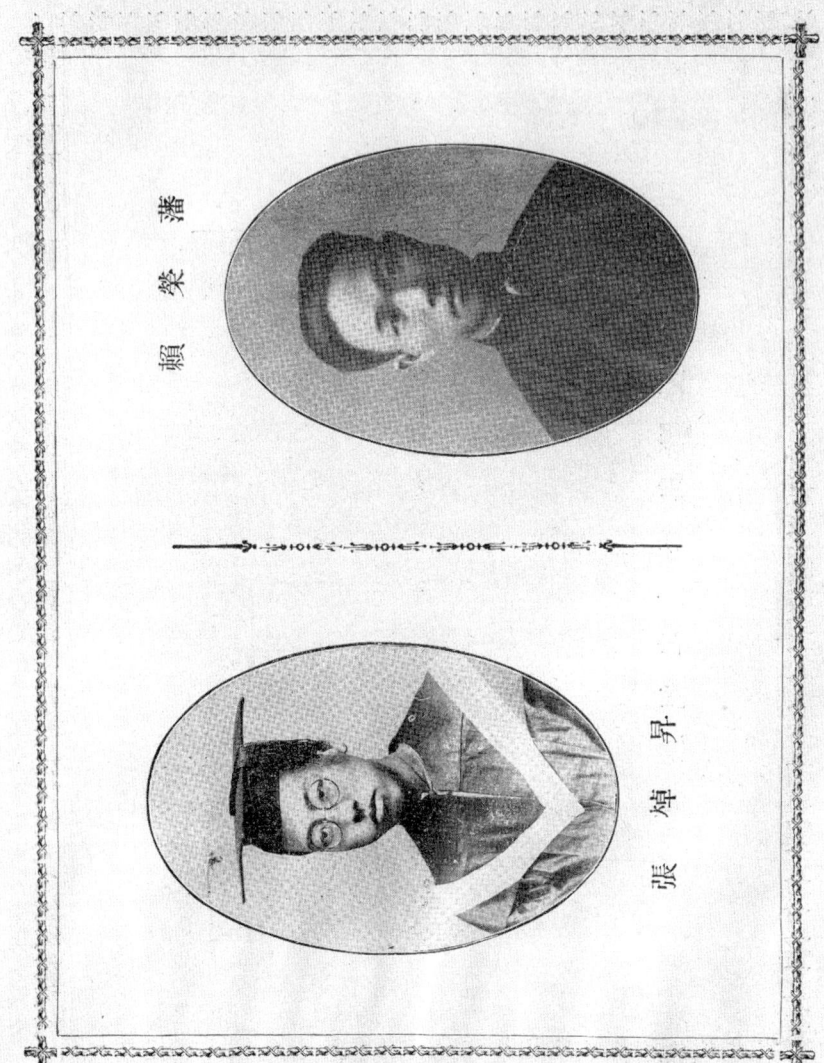

裴庶熙

萬振華

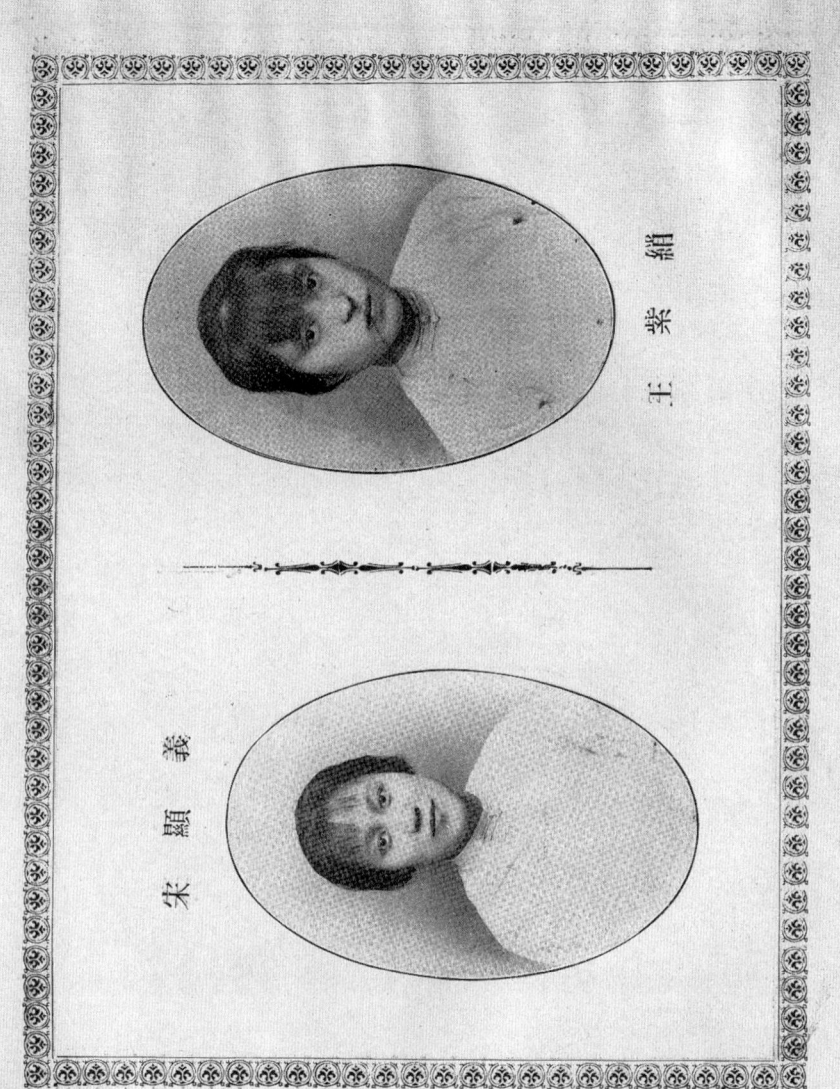

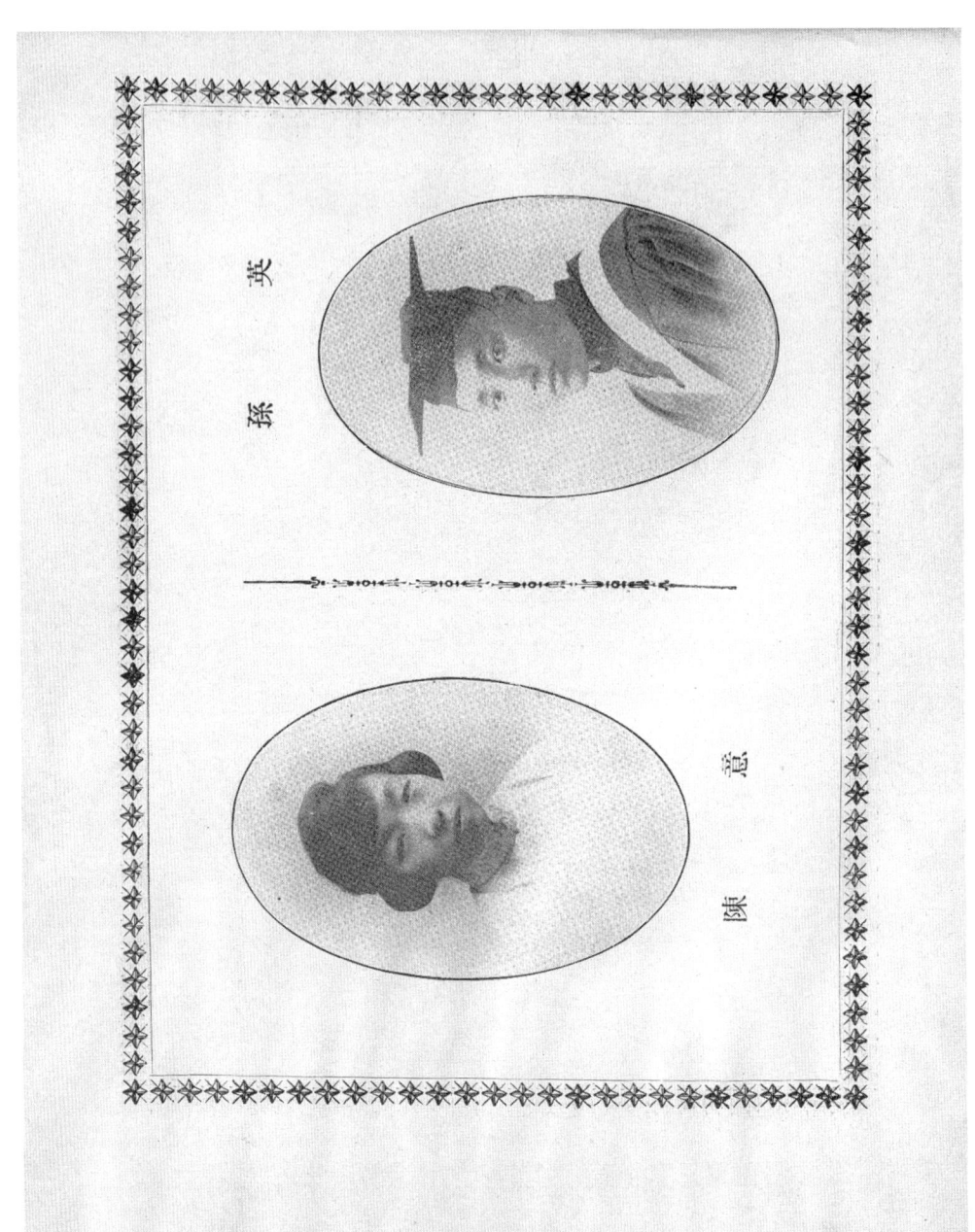

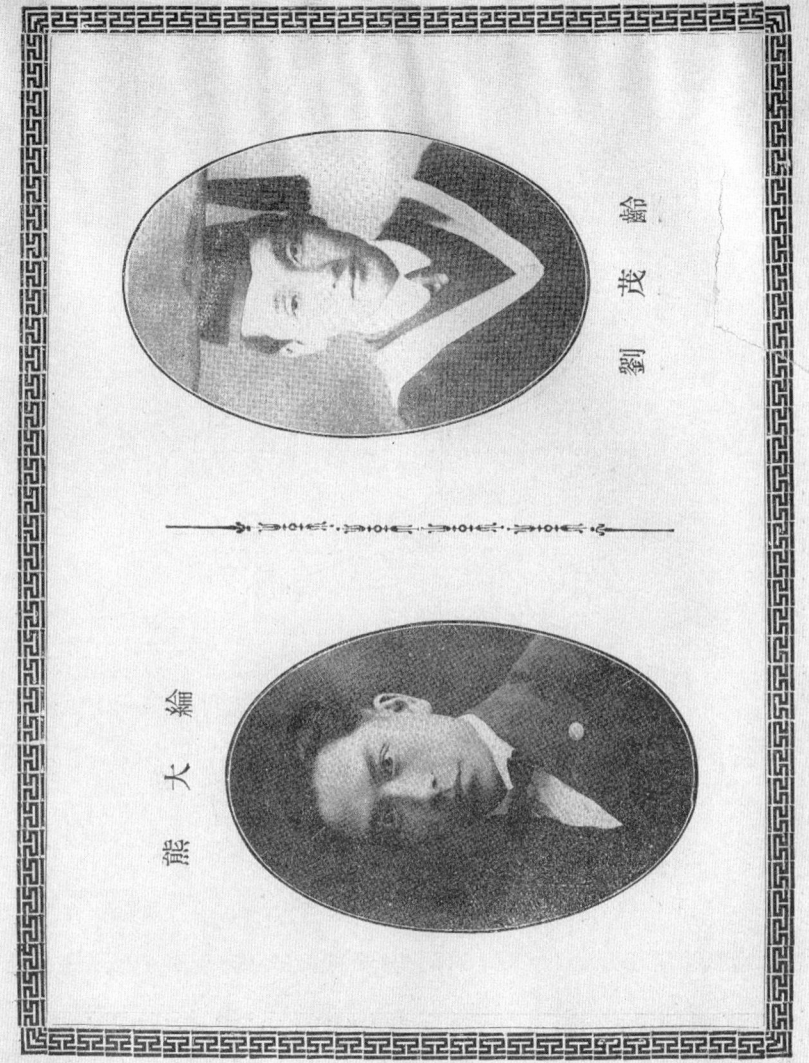

劉茂齡

熊大縜

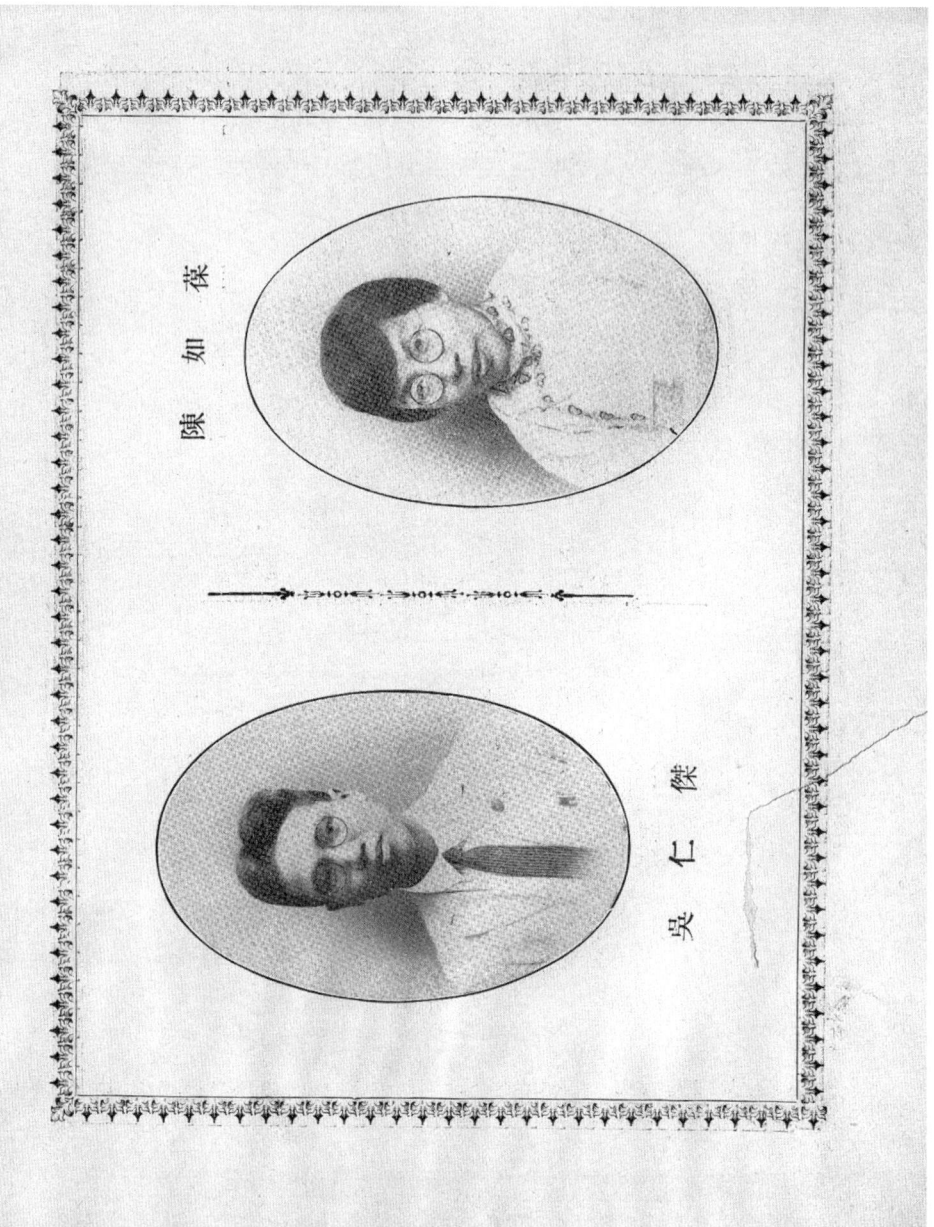

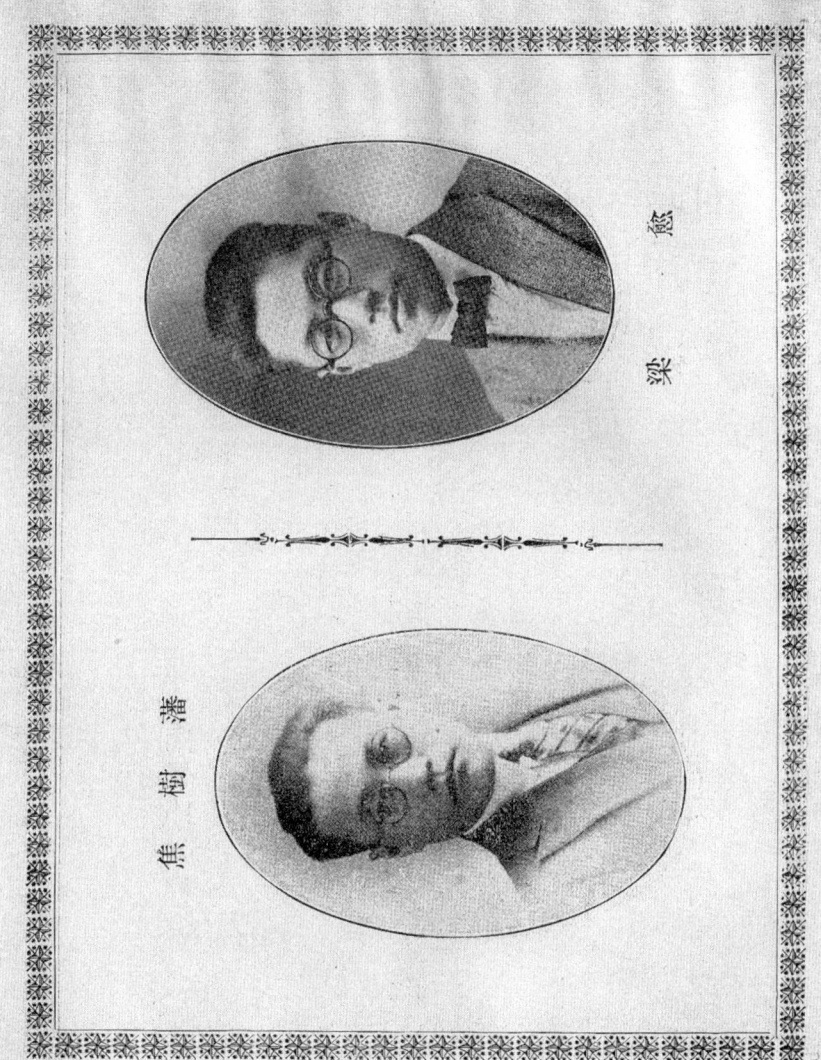

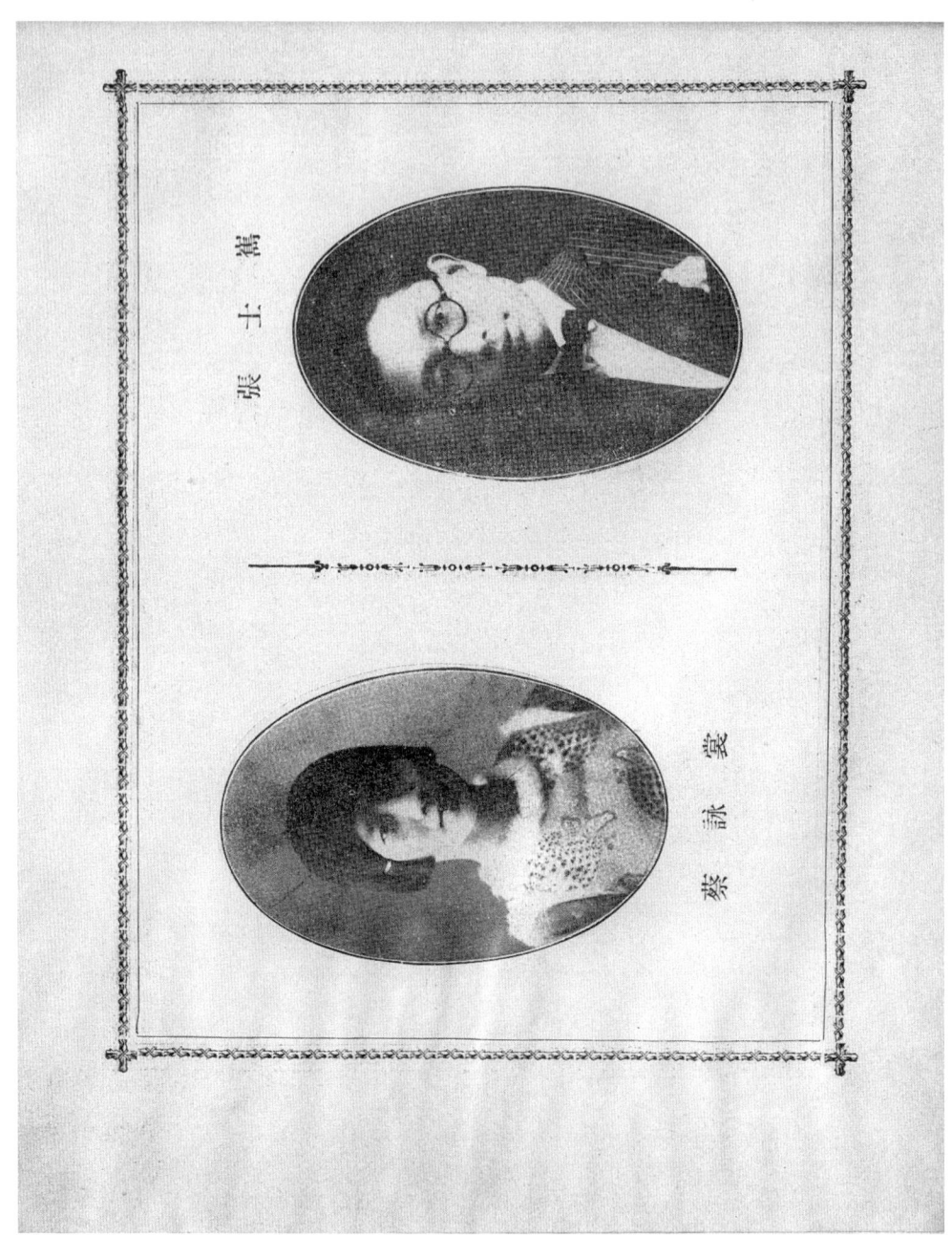

王 傑 儀

王 鑫 樑

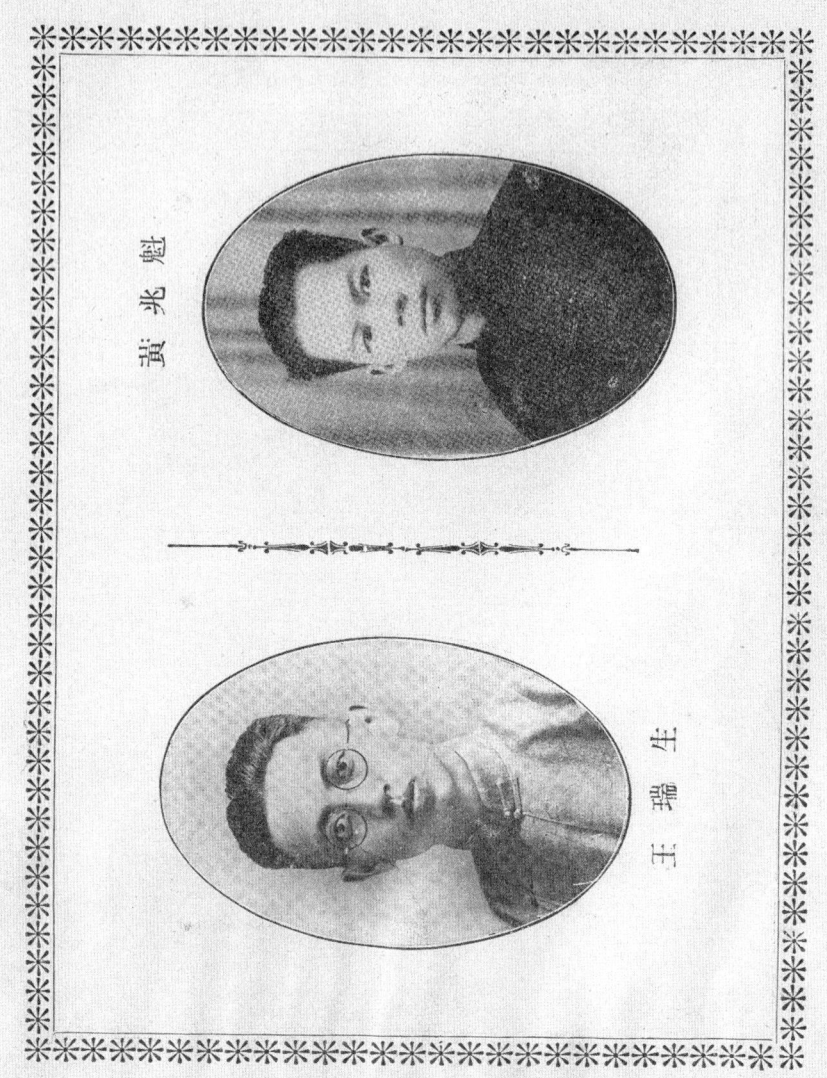

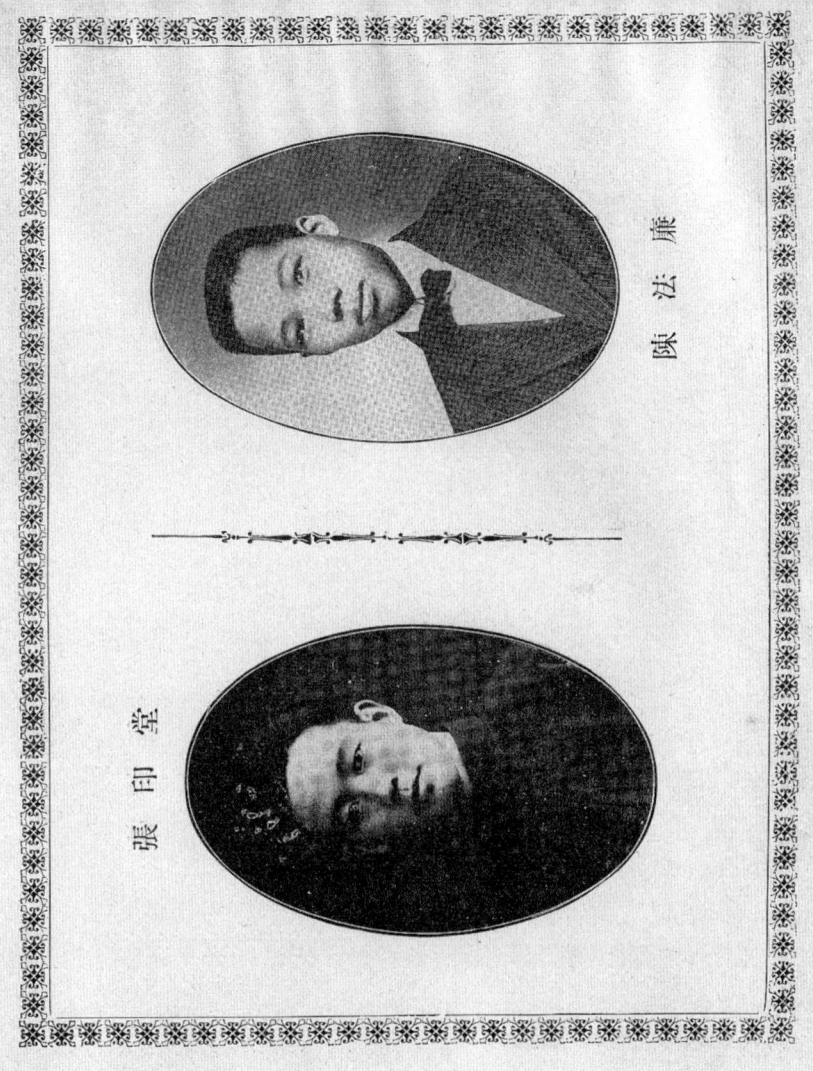

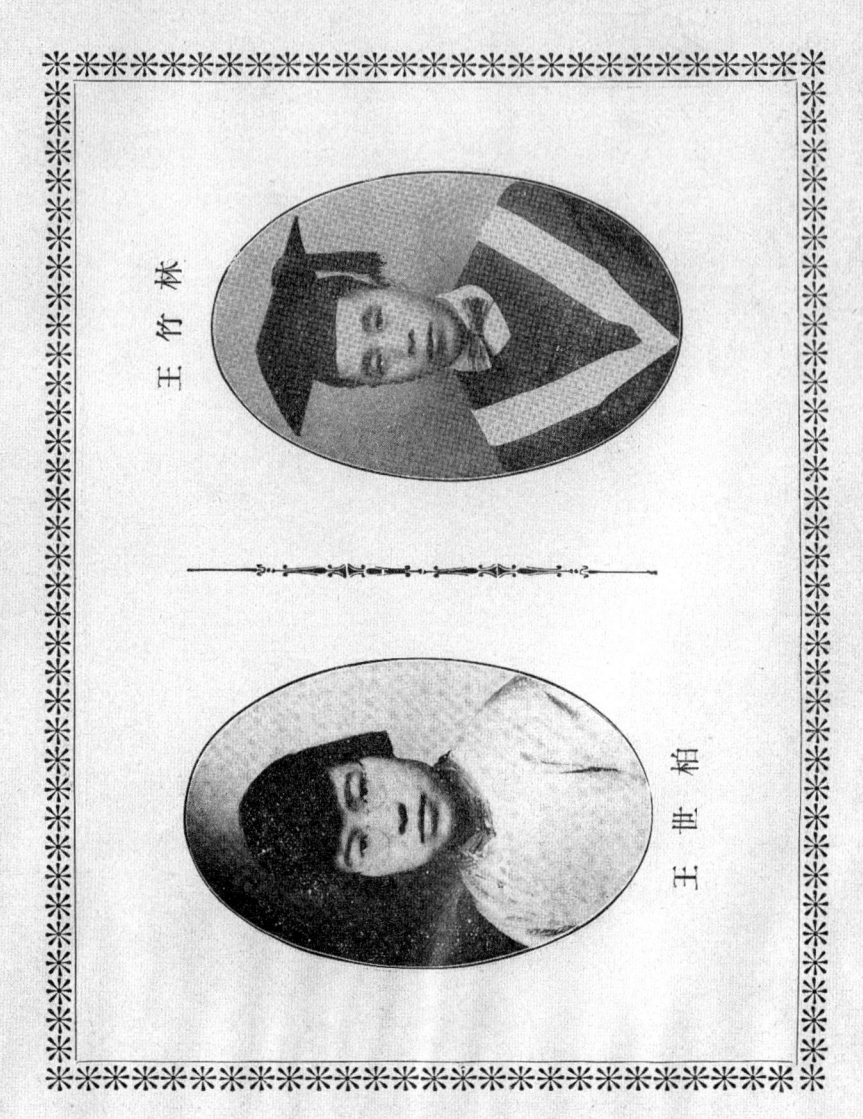

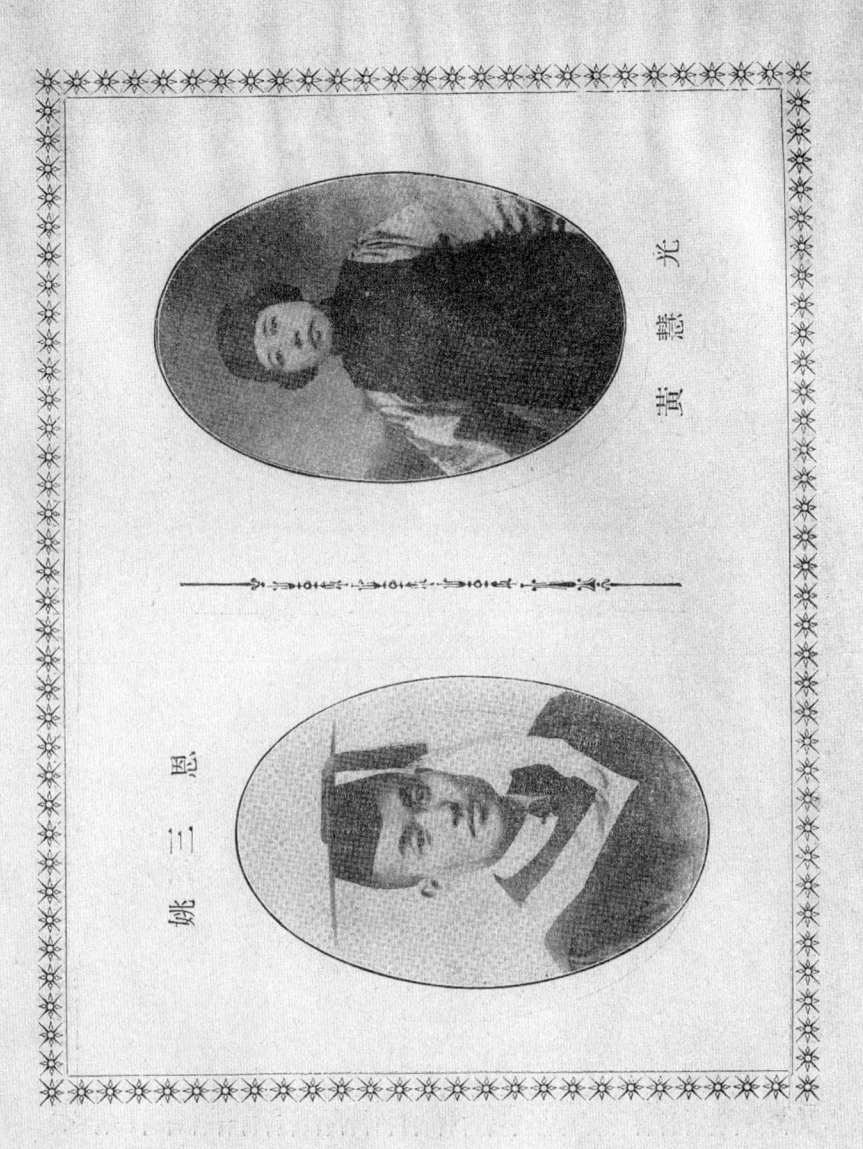

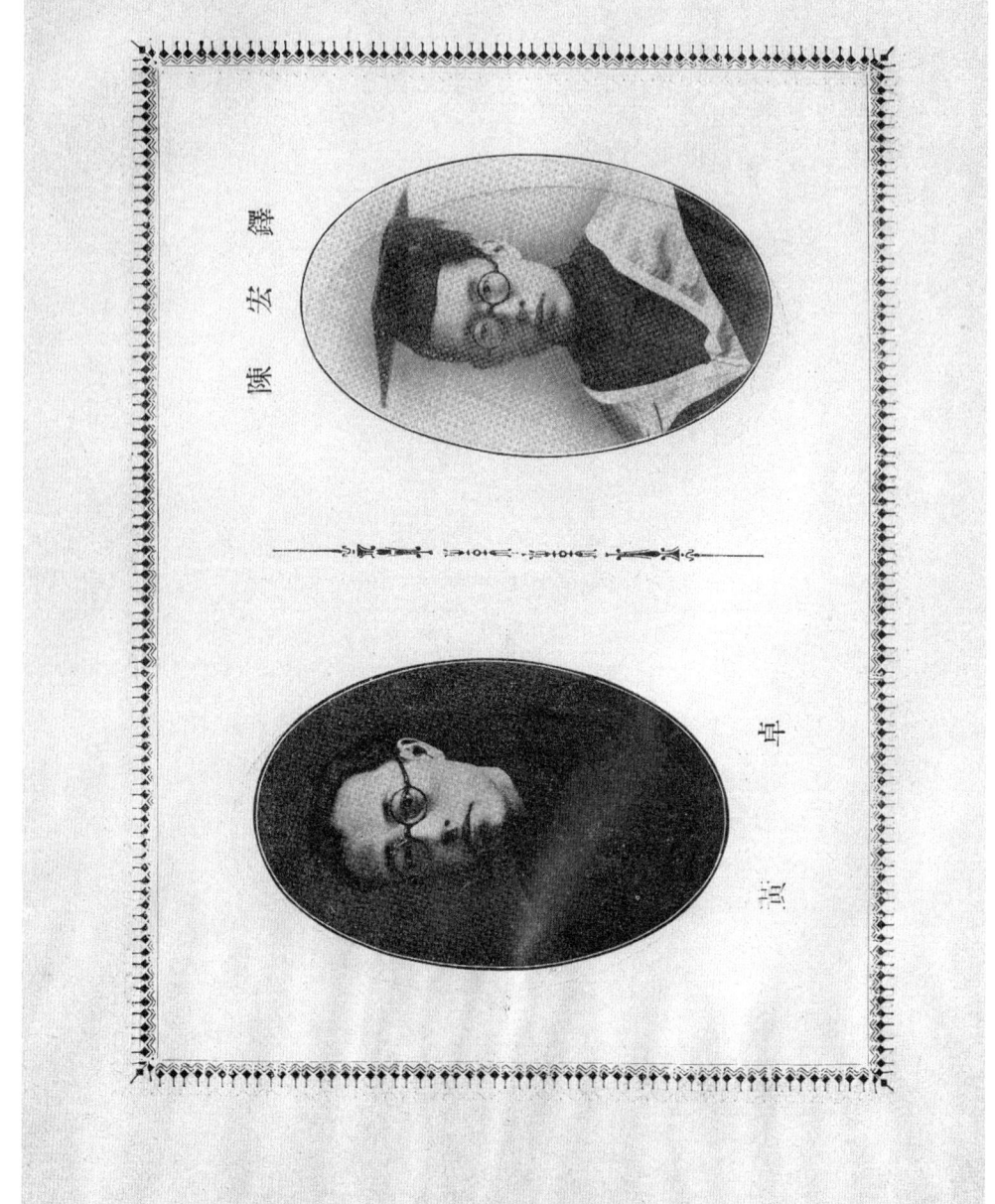

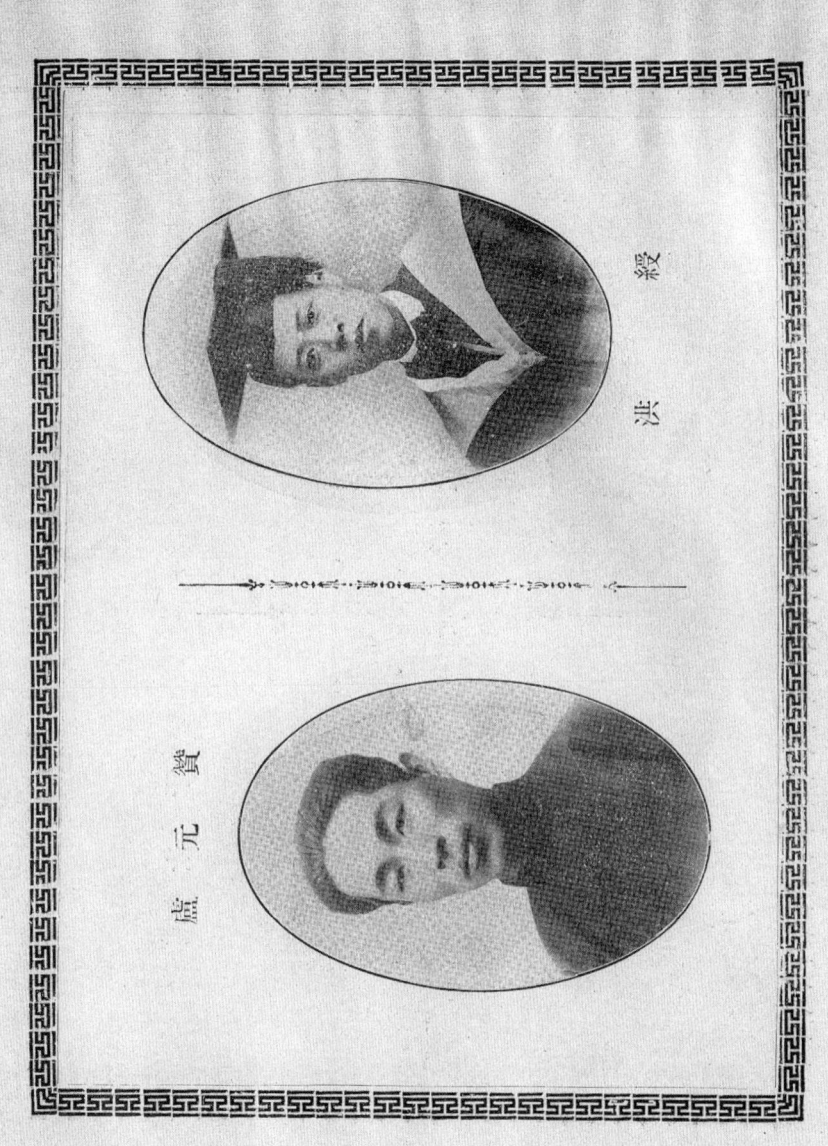

盧元骏

洪　毅

燕大一九二六班同班録

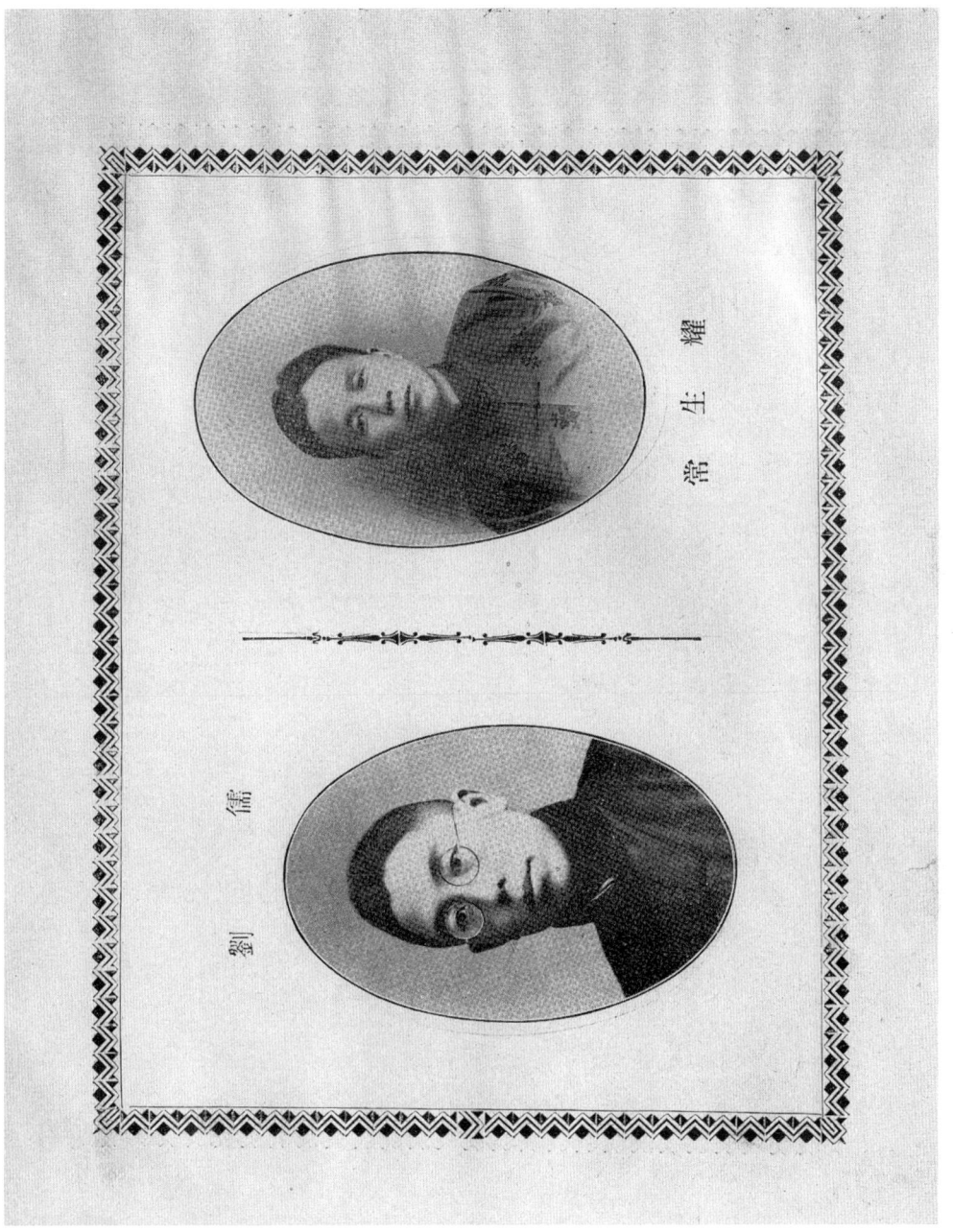

燕大一九二六班同班録

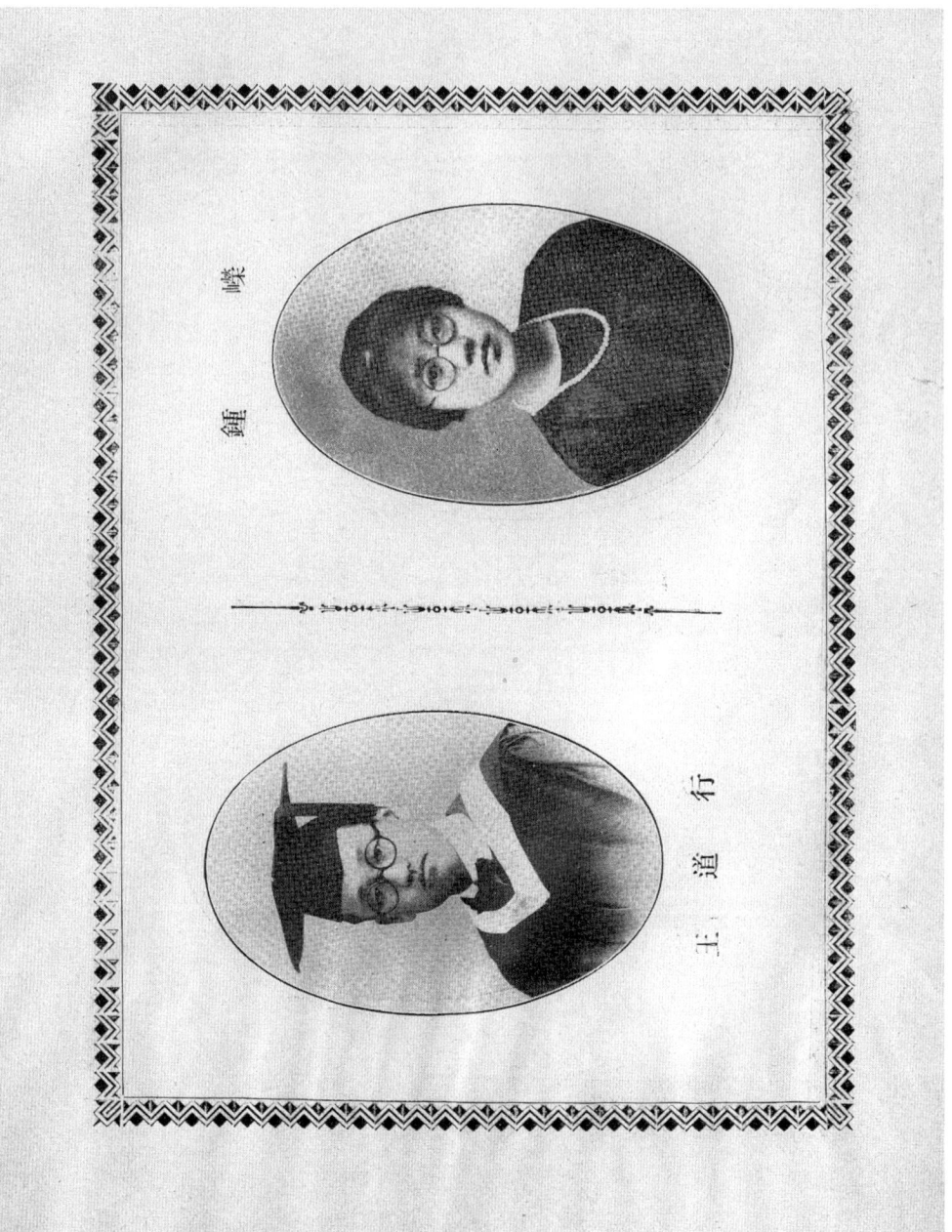

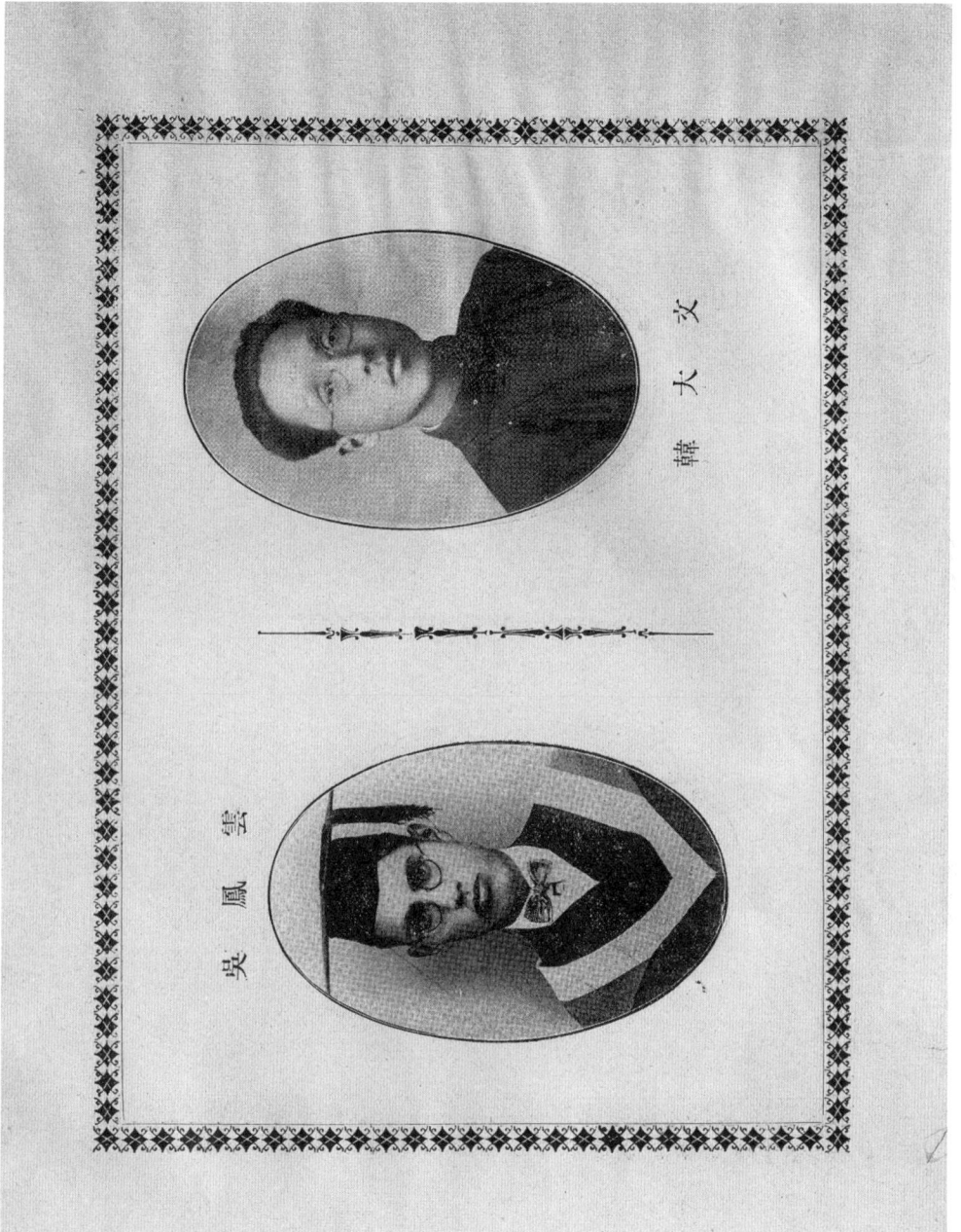

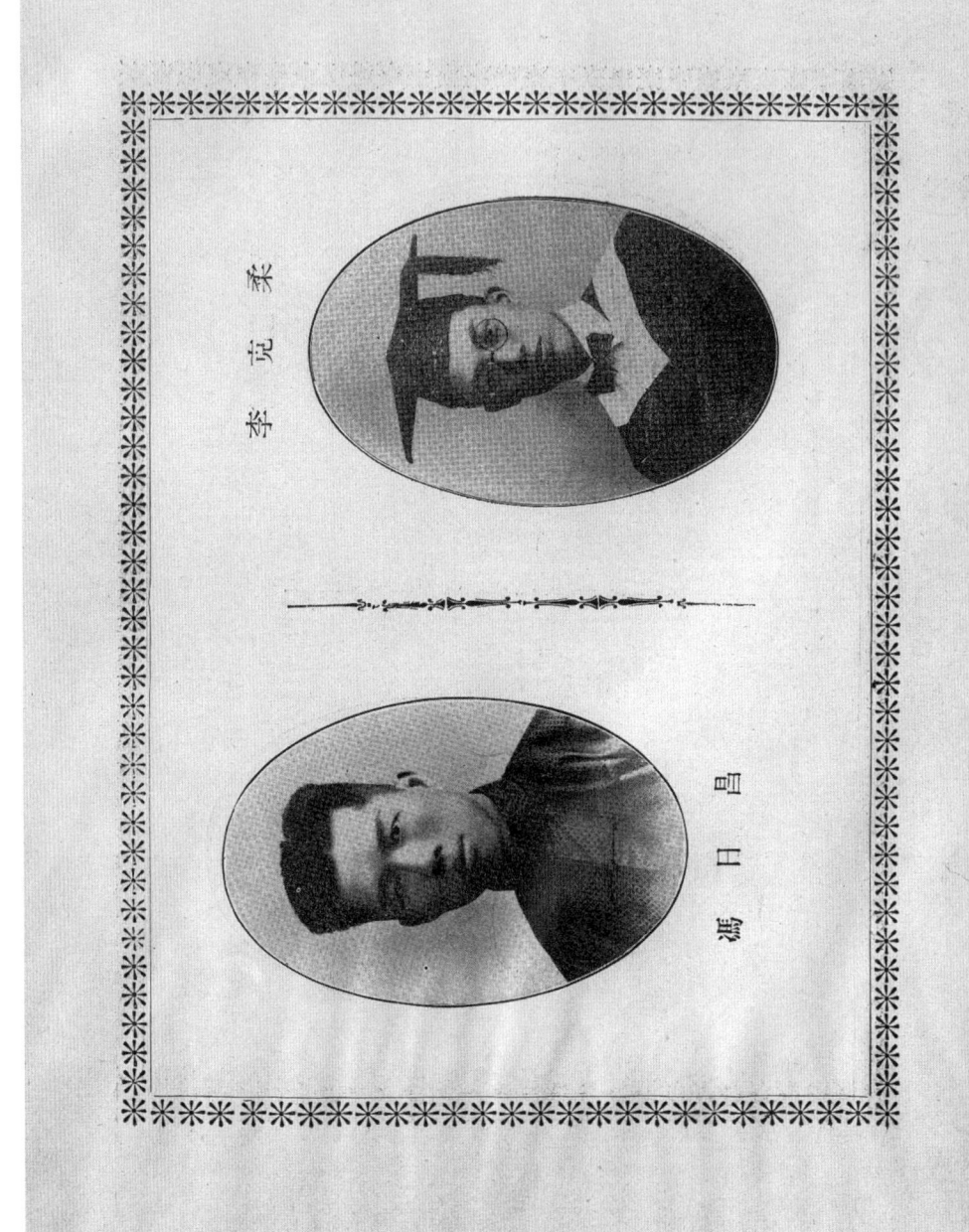

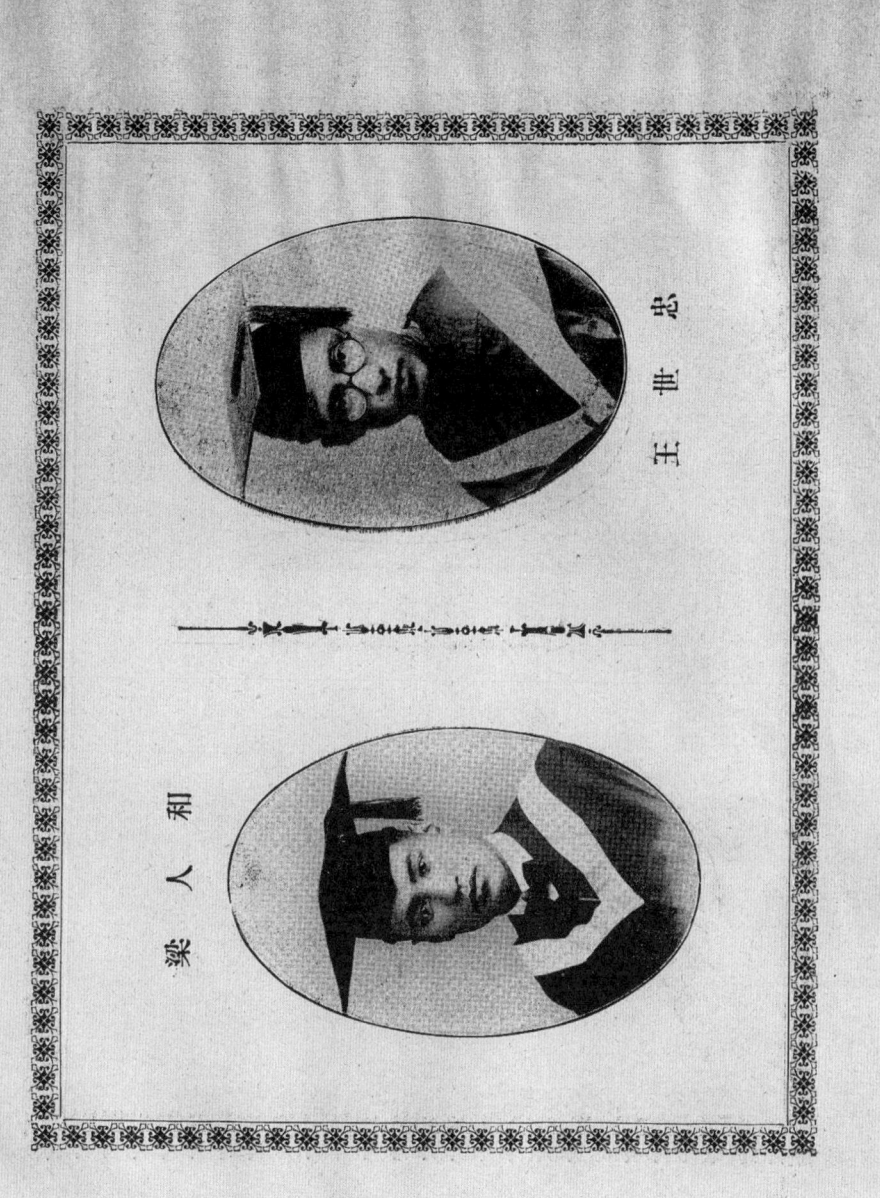

燕大一九二六班同班録

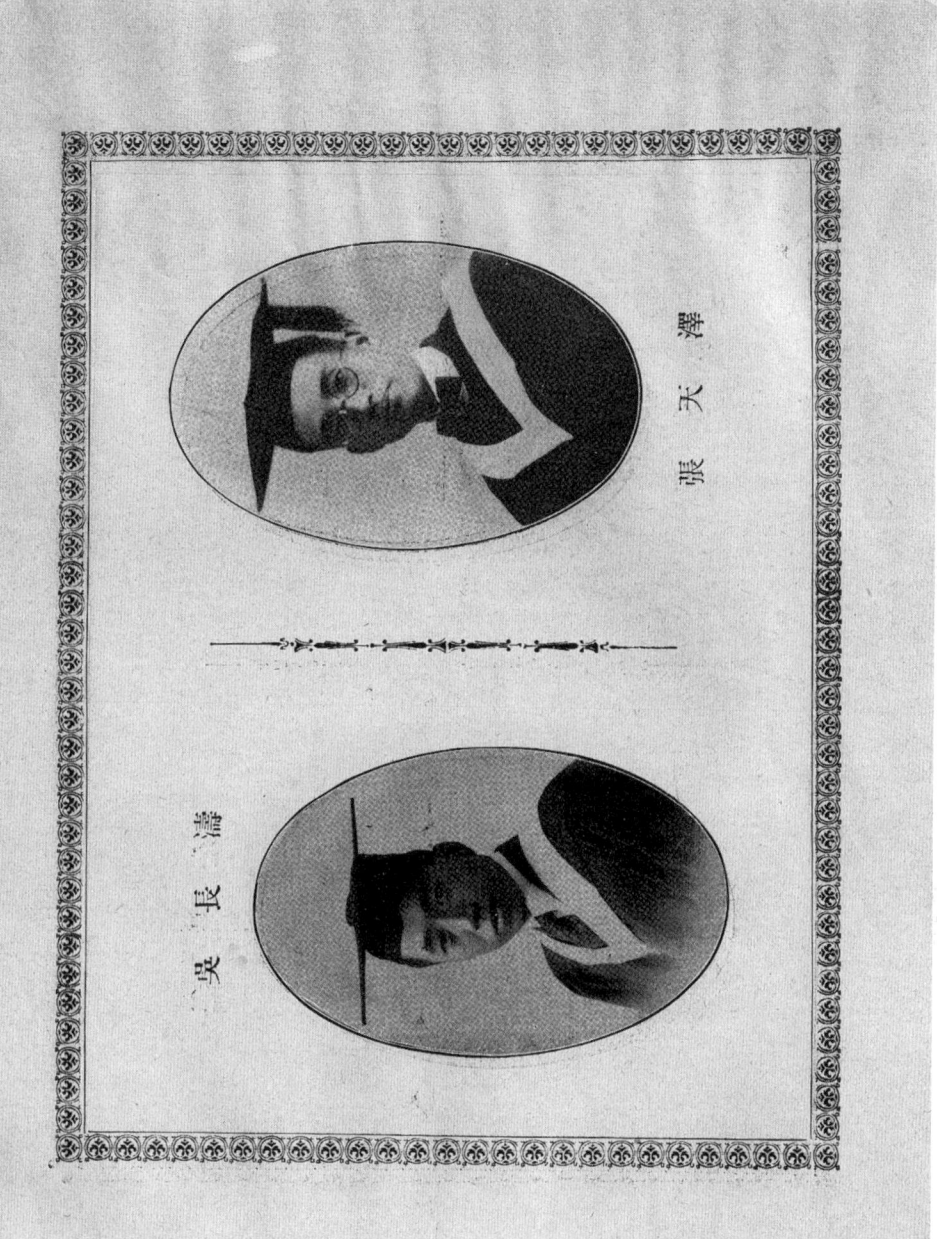

張天澤

吳長濤

燕大一九二六班同班録

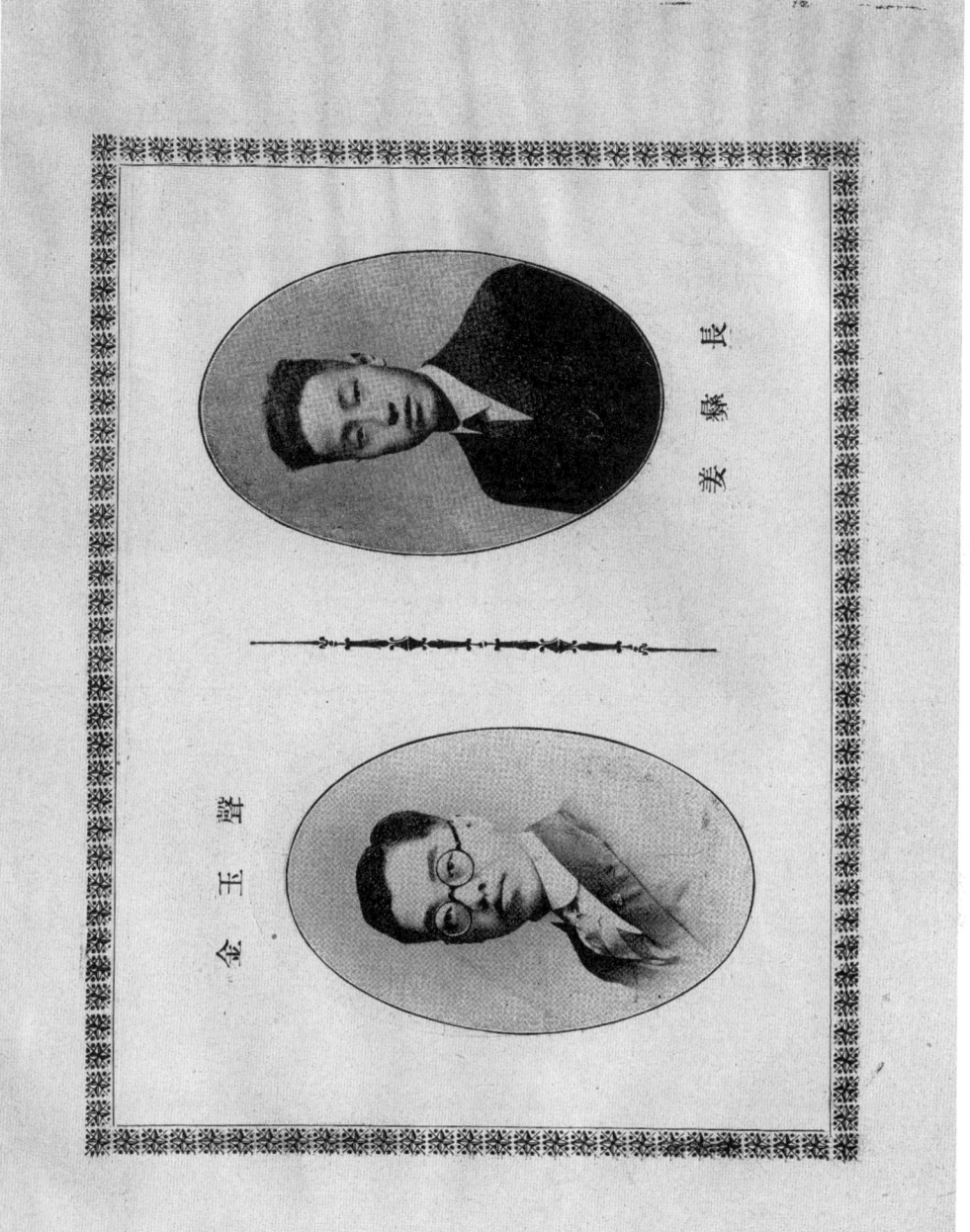

燕大一九二六班同班録

北京大學圖書館藏老北大燕大畢業年刊（六）燕大卷

姓名	字	年歲	籍貫	學系	通信處
陳意		二十五	浙江杭州	家政學	北京東城禮士胡同二十一號
王傑儀		二十三	浙江定海	心理學	北京東城西觀音寺十七號
陳如祿		二十七	廣東廣州	教育學	廣州維新南路陳府芬醫所
宋顯義		二十三	山東	地理	山東濟南六大馬路東口
褚惠慈		二十六	京兆永清	社會學	奉天小河沿基督教村光師範女學校
黃喬雲		二十八	江西	社會學	南昌葆靈學校
史洪耀		二十六	山東	化學	北京協和醫院
王紫綃		二十五	山東	地理	北京孝順胡同慕貞學校
鍾嶸		二十三	湖南長沙	歷史	湖南長沙青石橋義興長絲綜莊內鍾寓
胡啟純		二十六	河南開封	歷史	開封青雲街青路西胡同
王世柏		二十四	四川華陽	歷史	江西南昌縣馬橋八十四號
于汝麒		二十七	直隸鹽縣	教育	北京東城大佛寺三號

姓名	字	年齡	籍貫	科系	通訊處
蔡詠棠		二十八	四川	化學	北京公理會貝滿中學
黃慧光		二十四	廣東南海	社會學	廣州西關觀音橋樂賢坊二十八號
李賜姜			福建	化學	燕京大學
王瑞生	輯五	二十六	山東臨清	家政學	福州城內紫峯坊九曲亭第五號
熊大綸	柔明	二十三	江西南昌	教育	直隸清宮郝家屯德慶恒
余協中		二十六	安徽潛山	歷史	北京宣外保安寺街二十五號
吳必位	毅	二十三	江蘇吳縣	經濟	北京前門內戶部街二十號汪宅
朱寶琛	民	二十五	直隸保定	經濟	天津法界老西開牧堂後餘慶里一號
吳長潛		二十六	福建閩侯	教育	天津法界西開興忠里五號
顧祭	澄宇	二十四	福建閩侯	英文	福州南台龍頭頂水利衙
孫英		二十五	福建連江	歷史	福州城內津門樓二十七號
劉鎮泉	蒙	二十五	直隸玉田	英文	福建連江縣大井兜
					直隸玉田縣城北黃莊子次

姓	名	字	年齡	籍貫	科系	通訊處
洪	綬	畏三	二十三	福建	經濟	北京燕京大學錄樂遷籍
司徒	喬		三十	廣東廣州	宗教	廣東廣州禺山市民豐盛米阪
劉	僑	經	二十四	河南衛輝	教	河南衛輝沿淀街小南門
韓	大文	墓韓	二十五	江蘇銅山	教	江蘇徐州培心中學校
金	玉聲	鶴	二十六	奉天遼陽	經	奉天遼陽東二道街金宅
劉	茂齡	鳴	二十五	山東壽光	物理	山東壽光縣稻田街隆興東
王	譽傳	名	二十三	京兆涿縣	化學	京兆涿縣高官莊百裕昌轉交
張	煒昇	旭初	二十五	直隸豐潤	經濟	京奉路唐山新軍屯鎮岳定莊
梁	愈	耕九	二十六	直隸遵化	宗教	京奉遵化不安城鎮義聚德交國各莊
黃	卓	公	二十六	湖南寧鄉	經濟	湖南寧鄉大南內本宅
王	長振	蔭	二十九	直隸武邑	教育	武邑派敎育局傳
裴	階熙	潭	二十四	山東泰安	數學	山東泰安瀅汝口西裴家馬庄
關	麟			廣東南海	經濟	上海靶子路同福里五十六號

姓名	字	年齡	籍貫	科系	住址
陳紹經	達	二十	廣東	教育	瓊州嘉積市發興昌號
黃兆魁	偉	二十八	廣東梅縣	經濟	北京東單二條十七號
吳永續	吾	二十五	福建晉江	化學	福建泉州祥芝
王竹林	希賢	二十六	福建	教育	京綏路畢正九百戶
常生耀	自白	二十六	察哈爾鹽鎮	數學	京綏路經入鹽木車站
萬振華	東之	二十六	河南汝南	歷史	河南汝南萬家寨鎮內路北
王鑫樑	逸琴	二十五	江西上饒	經濟	江西上饒獻家芽王宅
焦樹藩	尾義	二十四	直隸懷安	經濟	直隸懷安縣城內焦宅
張弘印	誠	二十五	江蘇	經濟	鎮江利商街六號
王道行	達	二十三	山西	經濟	山西縣石縣柳林鎮
張印堂		二十三	山東泰安	歷史	山東泰安西關大車道張宅
陳法康		二十四	河南	國學	北京未央胡同一號
李兌柔		二十三	福建	教育	廈門白水營馬坪

姓名	住址	科系	籍貫	年齡
陳宏澤	北京前內松樹胡同六十號	經濟	福建	二十一
錢瑞華	杭州涵水芳橋堡英醫院	經濟	浙江	二十六
梁人利	山東泰安驛莊	數學	山東	二十六
姜鑾長	北京安爾胡同新昌路十三號	經濟	直隸	二十六
范翊華	京西海淀燕大農科	農科	京兆	二十六
馮日昌	燕京大學	農科	廣東台山	二十六
吳鳳雲	江蘇板浦小猪市	國學	江蘇	二十
張采駕	楊柳青西辛謨村博裳城鎮	化學	京兆霸縣	二十一
王揆生	鎮江城內太平橋下太原王寓	英文	山西文水	二十六
盧元贊	朝鮮本撰	宗教	朝鮮	二十
吳仁傑	廈門泉州洪瀾信安堂	數學	福建廈門	二十三
姚三恩	浙江上虞崙南街茶花街	宗教	浙江上虞	二十五
王世中	京奉路冀州軍站長疑鎮柳行庄	英文	直隸冀縣	二十五

饒世芬	廣東	英文	上海山東東路二〇二號國聞通訊社	
張天澤	福建	歷史	北京燕京大學	二十三
李玉英	湖北	國學	湖北宜昌馬路舖原讓廠	

燕大一九二六班同班録

燕京大學一九二七班同班錄

本年同班錄在內容和編輯體例上與上一年大同小異，仍請校長司徒雷登和副校長吳雷川作序，刊登校景和學校主要行政管理人員合影、班訓、班歌以及畢業生照片。所不同者，增加了費賓閨臣（Alice B. Frame）的前言，多數畢業生在照片之外還有自己或他人撰寫的小傳，恢復了1923年畢業紀念冊的做法。

司徒雷登的英文序，主要内容是對1927班班訓"奮鬥與和平"的闡發，並希望畢業生通過卓越的奮鬥獲得完美永久的和平。

吳雷川的中文序言，也是對該班班訓的申述。他認為"和平是世界終極的目標，但人生永久的歷程，却是奮鬥。惟有奮鬥能改造一切，惟有奮鬥，人生纔有意義與價值"。序言引《易經·説卦》"立人之道，曰仁與義"，稱："就表面上論，仁的趨向是和平，義的趨向是奮鬥，但更深一層着想，奮鬥正是仁必有勇，和平乃是義以制宜。"最後吳雷川祝畢業生"信德，望德，愛德，一齊增長，同心合力的，在各方面奮鬥爭先，所成就的事功，都與和平進行的工作上有分"。

在燕大主要行政管理人員的合影中，較上年增加了宗教學院院長李榮芳、總務主任全紹文、男校註册部主任陳國樑、女校註册部主任滿儀德。此張合影下部鈐有"燕京大學圖書館"藍色橢圓印，可知此册原爲燕京大學圖書館舊藏。

"校景"部分刊登了九張照片,包括校園全景、電燈機器房、校門內石橋、湖邊石舫、男女生宿舍等。

燕京大學在1926年秋遷至西郊新校園,1927班是搬遷後的第一屆畢業生。因此,張菊英和黃正編寫的"一九二七班班史"開篇說:"'一九二七'領導着燕大同學從古城狹隘的舊環境裏,搬到清麗宏偉的西郊;毅然抛棄了傳統式的生活,另闢一個新燕大。在新燕大的建設史上,'一九二七'是第一個產兒。"根據"班史",1923年入校時,該班有女生22人,男生86人,畢業時有女生14人,男生61人,共計75人。文章回顧了1927班在"五卅運動"和"三一八慘案"愛國運動中的重要表現,"使社會上全知道燕大並不是一個帝國主義侵略下的一個學校"。"班史"還介紹了該班在中英文辯論賽和體育比賽中爲燕大爭得的榮譽,以及在學生社團、中西文學、中西音樂等方面的活躍而突出的表現,認爲"一九二七燕大第一"是實至名歸。文中還說,該班畢業生將本着班訓的精神,"去努力'奮鬥',而謀得全人類'和平'的實現"。

燕大1927班同樣有自己的班歌,主旨也是弘揚他們"奮鬥與和平"的班訓:"世界變亂無止息,等待吾等去救濟。要謀人群平等的待遇,當爲自由去奮鬥。社會秩序不安甯,全仗我等去鎮定。要謀人類永遠的和平,當爲真理去奮鬥。"

在本班全體合影之後,是1927班畢業生的單人照片及小傳。簡單檢索一下,可以看看"燕大第一"的1927班畢業後的表現。

林崧(1905—1999),婦產科專家。畢業後入協和醫學院,1936年赴德國、英國、加拿大、美國進修。次年回國,在協和醫學院任職。1942年到天津行醫。新中國成立後曾任天津市婦幼保健院院長、第一中心醫院婦產科主任。

張菊英(1899—1987),1927年教育系畢業,先後任教於保定女二師、北師大女附中、北平香山慈幼院。1942年赴冀南抗日根據地參加抗日鬥爭。新中國成立後，任教育部幼稚教育處處長。1961年參加支援西北建設，曾任甘肅教育學院、甘肅師範大學教育系主任、政治教研室主任、圖書館長等職。

張舜英，1927年數學系畢業，次年與物理學家謝玉銘結婚，爲物理學家謝希德繼母。

林書顏（1903—1974），魚類學家。1927年生物系畢業後曾在廣東農林局工作，1938年到香港任水產研究場主任。1949年在聯合國糧農機構從事漁業生物學技術工作。

吳其玉（1904—1995），1927年政治系畢業後入燕大研究院，1929年獲文學碩士學位。1933年獲普林斯頓大學博士學位。同年回國，任教於燕京大學政治學系，升至教授，兼政治學系主任、法學院院長，曾主編《外交月報》。後任教於成都燕京大學、中央大學、金陵大學。新中國成立後，先後任教於之江大學、四川大學、西南政法大學等院校。1978年任中國社會科學院民族研究所研究員。

劉壽慈（1903—1981），後名劉北茂，音樂家劉天華之弟。1927年英文系畢業後任上海暨南大學高中部英文教師，1929年任國立北京大學英語系講師，1938年任西北聯合大學外語系講師。1942年任重慶國立音樂院教授。新中國成立後任中央音樂學院國樂組、民樂系教授。

同班錄最後是畢業生姓名、別號、年歲、籍貫、學系、通信處基本信息一覽表。

207331

FOREWORD

It has interested me each year since our University has been in existence to note the motto selected by the graduating classes. With, I believe, only one exception this has been in the form of a contrast and seems usually to have been a reflection from the prevailing conditions of the time. Especially does this impress me as being true of the motto chosen by the Class of 1927. All China is now convulsed by a great STRIFE that involves hardships and dangers for many of her people and which cannot but create serious difficulties for the members of this class. The goal, however, of all this struggle is a greater HARMONY both within the country and in relation to other nations. I gladly look for this splendid objective to be realized and feel proud to know that the members of this class will be not merely passive sufferers from the present strife but active strivers in its midst. The peace and goodwill that we expect to follow after these struggles will have ended could not otherwise have been won, and they will in consequence more heartily appreciated.

What is true of China now is also a parable of the strife and resulting harmony in each individual life as it struggles to overcome weaknesses within and obstacles in its environment. These years of study have been a striving, but they have brought a sense of harmony with all that the University stands for. May this be richly true of each of you throughout your lives, with peace perfect and eternal at the end of noble striving.

J. L. Stuart

燕京大學一九二七同班錄序

燕京大學一九二七班編輯了同班錄，要我寫一篇小序。我想同班的集合，此刻不過是年級的區分，其後乃有班訓，用為共同的表記。班訓能使班友的信念集中，其關係是十分重要的，所以我就申述本班的班訓，為諸君進一言。

本班的班訓，「是和平與奮鬥」五個字。和平是世界終極的目標，但人生永久的歷程，卻是奮鬥。惟有奮鬥能改造一切，惟有奮鬥，人生纔有意義與價值。諸君學業有成，後此數十年的生活，無非為個人，為家庭，為社會與國家，謀求改進。改進必要奮鬥，義的趨向是奮鬥，仁的趨向是和平，好似迴環的易經卦辭有言：「立人之道，曰仁與義。」就表面上論，仁義似相反，互相傾伏，但更深一層著想，奮鬥正是仁義以制宜。和平乃是義以制勇，這兩稱事理，互相傾伏，好似迴環的鎖鍊。年年的栓住人生，不可解脫。倘若有人懇望和平而不願奮鬥，或是等待他人奮鬥而自身享受和平，那就是反人道，無以自立。所以孔子卻說「天地之大德曰生」「天地不仁以萬物為芻狗，丨兩人的說法不同，其實是一事。試看數千年人類進化的歷史，那一件事不是從艱難困苦中成功？那一種成績不點染着志士仁人的淚痕和血跡？我們必要了解老子冷酷的批評，正是描寫人世間熱烈的演變。乃至甘為芻狗而不辭，我們的人生，就自然的安於正軌了。

我中華民族遠大的程途，在這前進的時期之內，正不知要犧牲多少青年士女，總能更見光明。我為此敬祝諸君：信德、望德、愛德，同心合力的，一齊增長。協望不知經過若干年，全世界民族要在中國建立一座和平紀念碑，所有這班同窗諸君的姓氏，一一的勇現在上邊，照耀人天，光華條爛，所成就的事功，都與和平進行的工作上有分。

民國十六年，六月，吳雷川，于北京海淀朗潤園

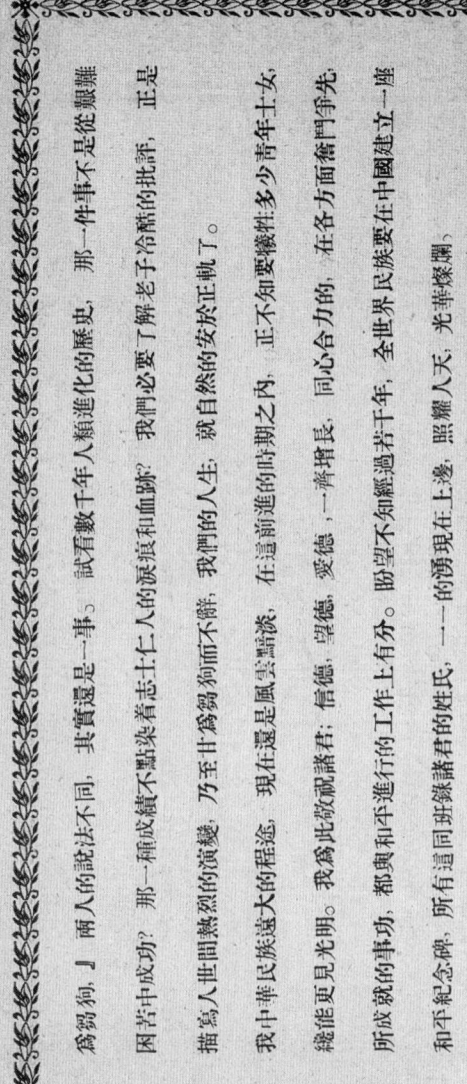

PREFACE

With the new life of each spring time, a new college graduating class steps forward into the regard of faculty and fellow-students alike. Gladly and yet soberly we look at them,——the men and women of the class of 1927,——a new group of eager youth who all carry the name and spirit of Yenching out into the world. What will the years bring to them? Backward and forward they look,—backward to the four years just passing, forward to the unknown years ahead. What inheritance of talent and energy and hope did they bring to the college gate? With that added richness of acquaintance with the greatest minds of all countries and ages, of peering steadfastly and unafraid into the secrets of science, are they leaving behind them the college doors? With what new strength of reasoning, of concentrated thought, new heights of vision and purpose, do they look forward to the future?

The picture of youth facing opportunity is a stirring one. Was there ever a year when China more needed life,——young, devoted, generous life,——than now? During these years of transition from the old campus to the new, of changes of faculty and courses, of political stress and strain, there have been many distractions and hindrances to quiet study. But perhaps even these very difficulties have been molding the class of 1927 to higher uses, to a greater courage and steadiness of will; in the midst of many cross-currents. In a world like this it is no small achievement to front these upheavals and storms with a calm poise. The class of 1927 has chosen its motto with rare wisdom and we only wish for them that they may indeed be able to be at peace even in the midst of the struggle and conflict all about them.

Like those brave adventurers of old, let the class of 1927 go forth
"One equal temper of heroic hearts
Made weak by time and fate, but strong in will
To strive, to seek, to find, and not to yield."

Alice B. Frame

第三排 女校註冊部主任陳國棟
總務主任金紹文
男校註冊主任陳國棟儀萱德

註：本班導師許仕廉因事請假
離校放未攝入

第二排 自右至左
男校副校長司徒雷登
教務主任洪煨蓮

第三排
女校教學院教務副主任陳芳芝
男宗教務副院長李榮芳
費崇聞臣新

燕京大學一九二七班同班錄

143

本校全景之一面

本校電燈機器房

男生宿舍

男生宿舍前湖中之石舫

本校進門處之石橋

女生宿舍之一部

男生宿舍夜景之一部

男生宿舍之夜景

科學樓與門前之小亭

一九二七班班史

「一九二七」領導著燕大同學從古城狹湫的舊環境裏，搬到清麗宏偉的西郊；毅然拋棄了傳統式的生活，另闢一個新燕大。在新燕大的建設史上，「一九二七」是第一個產兒。

「一九二七」同學，自一九二三年的秋天起，開始在燕大工作。當時有女同學二十二人，男同學八十六人。共同擔負起改造燕大的使命，黽勉高深學問的追求。他們在課餘之暇，曾參加過校內外各種活動，也會有顯著的成功。四年來同學們努力前進，始終如一。中途離校的同學也有，但並不因此減少全班的勇氣。現在女同學有十四人，男同學有六十一人。這七十五人在燕大所完成的工作，是值得永久紀念的。

同顧在校四年的生活。「一九二七」同學，一方面感激師長同學們的鼓勵扶將，一方面傷悲欲離開母校。實是百感交并。因此，他們願意將「一九二七」的生命小史供獻出來，作個臨別的紀念。

在救國運動中，「一九二七」同學一致參加這種組織，每人都有重大的工作，全國鼎沸，學生界組織後援會習季大恥。卿君汝樹南下宣傳，來走呼號。「三·一八」慘案，本校委員會成立，「一九二七」同學聯征委員的十除人；于君成澤，管君梅蔭爲男女兩校委員會委員長，發表宣言，力爭外交，援助傷亡同學。這兩件驚天動地的事件，全有「一九二七」同學的參加和指導。在民衆方面，警醒了自動開浮校。

[下略]

的解放；在學校方面，使証會上全知道燕大並不是一個帝國主義侵略下的一個學校，這個由她所敎育的愛國靑年可以証明。

母校的光榮。「一九二七」同學是常常盡力奪取的。同學中如張君菊英參與華北各大學國語辭論會，得了勝利；張君金德兩次代表本校參與華北各大學英語辯論會，兩次參與英文演說，校內外鄒奪錦標，爲燕大有史以來所希有。至挍體育方面，李君逖韻，李君思屬會代表本班參加籃球競賽；得過燦爛的銀杯；王君大恩，在本校體育界，也是一位健將。「一九二七」同學處處爲本班本校爭光；無論學術藝技方面，都能執全校牛耳。

有人說：「一九二七燕大第一」這不僅是句讚詞，而且也是事實。

再説到校內團體活動方面，管君梅露會任女校學生會會長，李君遐頓會任女校自治會會長；于君成澤、丁君逸奉、曹君亮會歷任男校學生會部長，龍君鷲會任幹事部部長，改績昭著；有口皆卹。別的同學，也都有各種活動，如過刊社副社長爲張君菊英，女校靑年會長爲田君貴鑾，歌咏隊隊長爲許君曉君，敎育會長爲梁君潛訓，甜君學恒，文學會長爲劉君文移，週刊社編輯部部長爲姜君允青。總而言之，「一九二七」同學在燕大各團體，都有他們的供獻和犧牲。

最後，說到學藝方面。長於中西文學的，有丘君玉麟，姜君允長，許君隴君，李君瑾，羅君學濂，長於各種社會科學的有鄺君汝棟，吳君其玉。長於史學的，有趙君泉深，王君宗元，李君遠蘭，此外同學，也都各有所長。提倡「學者」，跟君企德，劉君壽慈，李君逆邦，以中西音樂名於校。張君菊英，管君梅格皆以藝術表演著。七十五人的活動和特點，不能在此盡述，這不過是幾個例子。

「一九二七」已經忠實地，勤懇地，在燕大完成了他的使命。「一九二七」同學畢業後就要到社會上去做重大的工作。他們將用他們在學校裡所用的勇氣，不僅建設了新燕大，而且還要建設一個新中國，新世界。

在這種祕懇的社會裡，最後的需要共是「和平」。「一九二七」同學本着他們的訓，「和平」，與「奮鬥」——去努力「奮鬥」，而謀得全人類「和平」的實現。這種偉大事業的起發點，眈間是在「一九二七」地址是在燕大。

——張菊英 黃正全選

五，五，一九二七

本班班歌

燕京大學

```
: m : f | s : s | s : m | d : m, d | s : s | s, t, r t | d : — | m | m : m |
  我們  大家  都是同    志同  德      去奮鬥      世  界   變

| m : r | de : de | : de | : r r | l, s | f. — | : r | m, f : m, f | s : s |
  亂無  止息      等    待吾     等去   救     濟   要謀人羣       平等

| s : —. m | d : m. d | s : s, s, t. r t | d : — | — | | | |
  的  待  遇當  為自   由   去奮   鬥
```

1. 我們大家都是同志同德去奮鬥世界變亂無止息 等待吾等去救濟要謀人羣平等的待遇當為自由去奮鬥

2. 社會秩序不安寧, 全仗我等去鎮定, 要謀人類永遠的和平, 當為真理去奮鬥

3. 這幾年來所學習, 都為服務而預備, 要求吾民充裕的生計, 當為真理去奮鬥

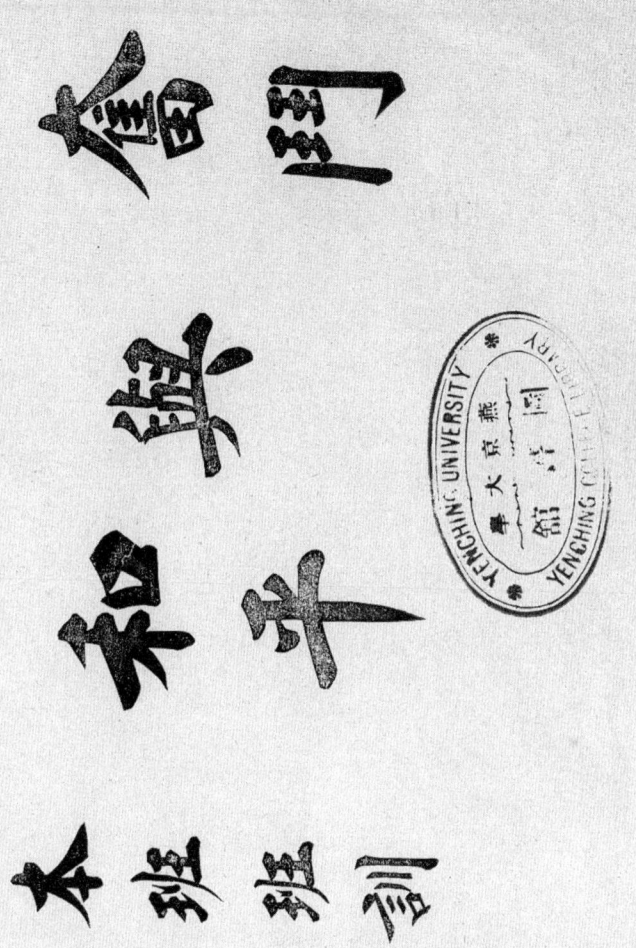

燕京大學一九二七班同班錄

本班全體畢業生攝影

王宗元

林 椒

同學兄 當汝培拜撰

王宗元先生惟情剛毅言詞直爽客堂不苟事每遇不平事雖不干己亦為辨曲直人多怪其剛余卻惡其直相交十餘載敬愛如一日尤能勇於納諫有所規戒無不拜納衣冠樸素不喜修飾在校專攻畜牧事政學攻史冊善攻擊於滿史有心得至於音法者老過人殆其末技也

椒闽之仙遊人，初就學幅州青年會學校，卒業後升學本省協大，逾年轉學本校。平日敏學嗜修，求實際不務虛名。為人誠懇敦厚，善誠語，同學無不樂與之交。初相知誹其行止弛弛，有失持躬之道，繼乃知君胸襟之坦達、意氣之豪俠，初非近世偽君者流所可與比，則更令人敬愛之矣。在校專攻化學兼修生物學。

賴榮潘謹識

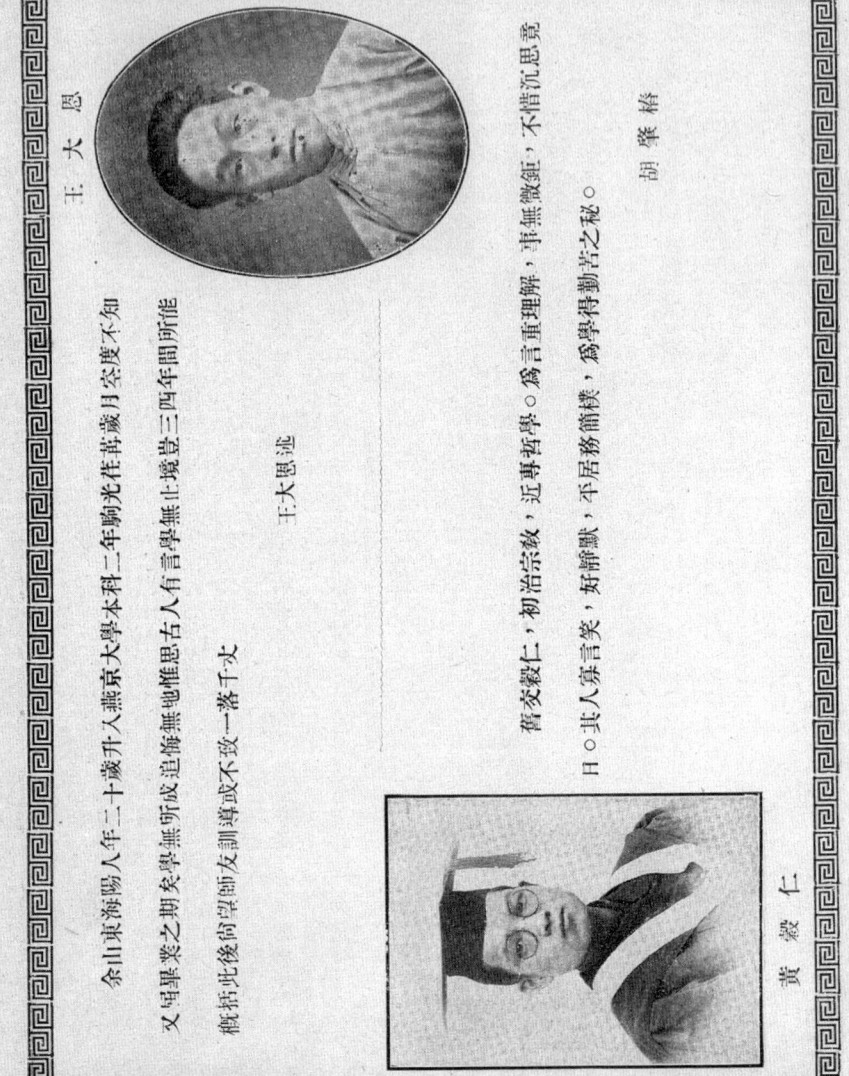

王大恩

余山東海陽人年二十歲升入燕京大學本科二年聊光在苒歲月荏苒不知又屆畢業之期矣學無所成追悔無地惟思告人有言學無止境豈三四年間所能概括此後倘友師友訓導或不致一蹉于丈

王大恩誌

賈毅仁

舊交毅仁，初冶宗教，近專哲學。爲言重理解，菲無傲鈍，不惜沉思竟日。其人寡言笑，好靜默，平居務簡樸，爲學得勤苦之秘。

胡肇椿

馬玉鄰

看他沉默柔弱的外貌，你決不會想到他是太好圓的廣東人的同鄉。但他實際上是強健活潑又有堅忍性的廣東人的優點。最近半年來，他感覺着學校生活所給的呆板無味，自己過去所學的無用；而願改治去製革的。製加『創』字於『革』下邊的一種學問。當他畢業大禮服的的候，他說：『這不是要孩子戲馬？』呵，誰說不是呢！
證友：在商業化的現代，能有你放久經泊的我的摯友，這是我生平的幸事！但願你常指導我這迷途的人！別了，努力！ 金居

栗慶瑩

栗君慶瑩，號翊化，豫北沁陽人。紅臉巨臂，不修邊幅，外表很粗鉋；然辦起事來，那和藹前顧後，詳審精愼的態度，竟是運籌帷幄的樣子。或者三四分鐘也不出一句話來；但對知己的朋友，也不過如此。見生人時，更勤懇自持，是非對人，是非對人。一平生對人，忠實對人的本色。也不顧笑罵，坐談竟日，滔滔不絕；那純幹的精神前，勇往直前；回到故鄉，也曾幹過教育員的生活，還是鄉下人的生活，比那鐵面包添，還君曾習晉敎育於金陵，講至懇切處，拍板起面孔來，對於台今各國盜莢存亡之道，深有研究。使聽者如坐春風。三年前入燕大歷史系，卒於今年畢業後 怨必還要拿出鄉下人的本色，大膽的爲社會幹些革新的事業。
(明)

孫孟澶

孫君孟澶字雅賢直隸武强人君性剛直而謙和，律己謹嚴，對人極誠懇，崇實際而惡飾爲，有一直心爽快人也；故師友均相推重。天資敏妙，好學深思，尤中意經濟數學諸科目，君喜郊游而不好運動，課餘之暇，則與友數人散步田郊以自適。其養生之道，學养之能，君子之風，誠足令人欽佩。草此數語，以示願步君之後塵！

十六、四、十四、愛頓

李運科

李運科、步庭、直隸玉田人。中樂超乎親來，吹笙可謂拿手好戲。熱心團體公益之事，從不知怎麼出「風頭」。讀書之勤實，與人之誠，與打開心胸體公益之汗，我是深知道的。他以爲中國現在的報界太无臉，因萬初開學珠之閉門，將來中國一嚴白請白記者也無疑。

田籍綜謹記

高鵬遠

　　鵬遠弟，思想快，讀書亦快，作事更快，故吾稱之爲快人。

崔毓林

鵬遠兄是個慨有血性的大丈夫，見義勇爲的好英雄當打不平的奇男子，此外他在學問上體格上幹才上均有一致的進展敢係皎係皎略誌數語把他介紹給社會尤其希望鵬遠兄能永恒的這樣作下去！

啟皎我

朱昌亞

朱君昌亞，字翼東，年二十三，江蘇崇明人也，民國七年，畢業於本邑高小，是年秋來京，肄業匯文學校，畢業後，轉升本校，君治國學，兼攻史地，尤好孟子，性堅毅，不苟交遊，朋儕之相得者，多爲北產，蓋居嘗慕燕趙慷慨之風也。

張叔孫

黃 育 倜

育倜黃其姓北以字行吾閩閩清人早歲修業於福州英華書院後升學夏大負
笈擷京治畫會學以茲歲卒業徽於坤十載篤好敬介一言育倜秀魔蘊文而心
雄高夫好客縱情善歌論交不辨久暫念念不別親疏啣槃迎啣槃脣能留遺跡於
劇齣齟會改造人生意味當於此中得之大丈夫立身斫世業無巨細能留遺跡於
人間足矣攜并玖泉登高瞰巔育倜勉夫哉

　方寸靈臺變化多　人華繼粲簬云何　年來面壁禪參透　略識天
　機醉後歌　　　　　　　　　　　　　　　　　葉 樹 坤

余君景唐陶之台山人也　風袖奕奕　器宇軒昂　道貌巍然　令人望而
欽佩　天資高世　讀書穎悟　從不以盛氣凌人　平生無怒色　待人以誠
才學優贍　君性沉默　寡言笑　喜談科學　通英法俞諸國文字　待身恆以
儉約　服御樸素　世風習俗　一無所沾　然獨好兩樂　幣亦於胸懷
精化學　尤善理數　課儕其中　樂師忘食　不以分數之多寡　幣亦於胸懷
○諸化學畢業論文中　經儕文言先完卷　其成績誠可稱也　君之畢業論
文爲「燕大滌水之處置法」啟有滌水博士之稱　異日君出而問世其有造於
社會　景唐淺鮮哉？

　　　　　　　　　　　　　　　　　　　　　　　茅 善 昌

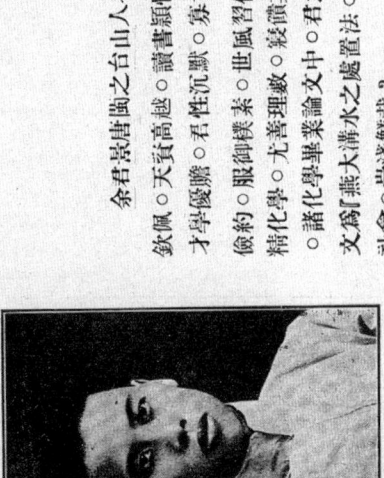

余 景 唐

李 環

丁遇春

女士，弗所郁人□也。長身玉立。雅辭儁絅。素以「燕大精神」著名。專工教育。性喜文學。尤以歌唱見長。每於傍晚之際。輒依窗而立。而山而歌。或三五儔行。徐步園中。歌聲婉轉抑揚。雖在白武之外。亦能辨其音也。

劉文彩

身修長而目聰，形秀外而悲中，
聲嘹亮而婉轉，性卿密而和藹，
其言也款款，其思也默默，其飲也話潑，
與之交遊何多，其歌也雲遏，可人兒其伊兮，

筱 眞

梁蔚訓

丁君身長體大，喜詼諧，廣交遊，數年前北京運動界之錚錚者，今則致力教育，無暇及之，雖體力較遜于前，而精神閱歷較之既往則有過焉無不及，今歲正値卒業之期，行見不遇春則已，此丁一遇春，則頭角崢嶸，出人頭地矣。

周蘭溍

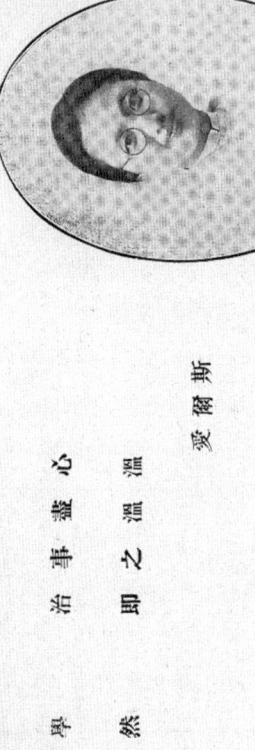

虛心好學　治事盡心
望之儼然　即之溫溫

愛爾斯

凡與文熙混熟了的，沒有不知道他左手第四指的戒指，戴的比誰的年代都久，比誰的資格都老，可是，命中註定婚姻晚，戒指任戴廿五季，嗚呼，「波氣」成；蔡君浙產，在燕京專學經濟，對他們不放亂箭，穩健之尤者也。未丁，此君近來又醉心翻球，在我們「童子隊」中，願神眷佑。

蔡君文熙與漢朝之蔡文姬只差一點尾巴兒矣，浙江崇德人也性惰溫和未順有東方美人之風放同學畫均樂與文善聽琴只可惜不會弄琴負丁那琴的一番好意好讀書研究經濟為本班罕有之人材也

倪學懋五日，五月，一九二七

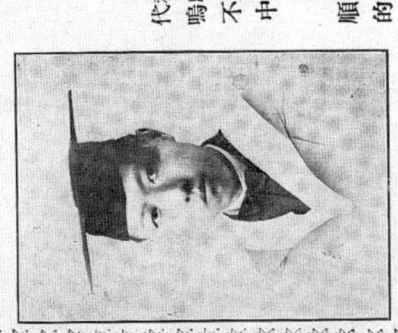

蔡文熙

CHANG CH[...]

張金德

Outwardly he looks like a cynic and [...] steel will; but he is, in fact, inwardly [...] warmth of his heart by his cold, indiffe[...]. His clothes are always in good style. [...] rather proud and stubborn, self-assu[...] great dreamer and loves to philosophi[...] a lover of books and music, he can s[...] volumes of verses and a fiddle, letting ti[...]

She is short of stature but well proportioned. She is seen by all [...] known by few or none. To the eyes she is a blithe, gay girl who sn[...] her youth away; But, in truth, she has a heart heavy laden with ser[...] thoughts and dissatisfaction of her environment. She has a sweet ni[...] ingale voice; she loves musice, books and merry friends. Her [...] are keen—quick to perceive; her mind is bright—able to learn; [...] judgment is sound—quick to see the truth; her heart is kind and [...] sincere. Her true self is kind, gentle, honest sincere and frank. [...] has her many weaknesses; but, at best, she is the finest price of clay [...] Creator has ever made.

By Chang Chin Te.

于成澤

...瀚密，至誠可感金石，居與社會周旋，有君子風。在校三年，舉凡團體組織，粹。唯英雄每不能兒女，成澤乃畢而有文章博誦一時，而於世界大勢尤精於觀建深。如此青年，曾未多見，菊丞與同紀其品格，以為後日柝掌。

焦菊隱

李耀女士浙江人也。其容闊然。其色渥然。其氣充然。其聲音言語，一望可識。一年之中。北被舉為四年級會長。同鄉會長。女士英漢俱佳。厚德潤身。北被舉辦事。無待賓迎。磊落大方。身材雖短委員。週列職員等。不一而足。深諳辦事。顧走而不佻。長髯令。談諧雜出。妙語解頤。於七尺昂藏也。

鴻冥

羅錫廉

劉錫瑕

「採菊」東籬下，悠然見「南山」其實是為二爺作的。二爺的文章、說話、神氣，又清楚、又鋒利。他專攻文學，此外音樂、繪畫等等，都有很深的造詣。二爺愛買書，家裡可以開圖書館，其實他肚子裡也有一間！二爺口不談「愛」，真的，他是個實行家！（歷來編派大調刊的都走「桃花運」，二爺的。可不是這麼得來的！）還有，他的忠實、堅忍，更是有口皆碑了。

長沙鄭謙

麥允長

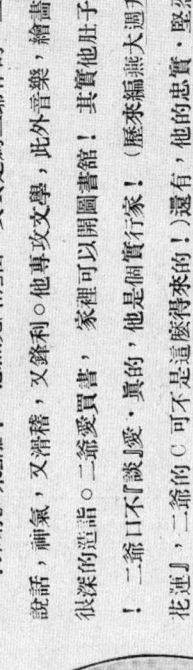

劉君錫瑕，字公純，山西汾城人，性剛直，讀書好深湛之思，羣居講習，唯君理勝於詞，言必有中，故儕輩莫不折服之。自游學京師，余與之相交最密，相知最深，君於學內求自得，不事表襮，交友不衒示異己，擇其所長，故士之鑒識昧於君，無所加禮於君，而信義自誠始，不誠無物，營營自附焉者，音樂自誠者，余極歎為知言，謂池日事業殆未可量，將以此為嚆矢焉。

長沙鄭謙

張 菊 英

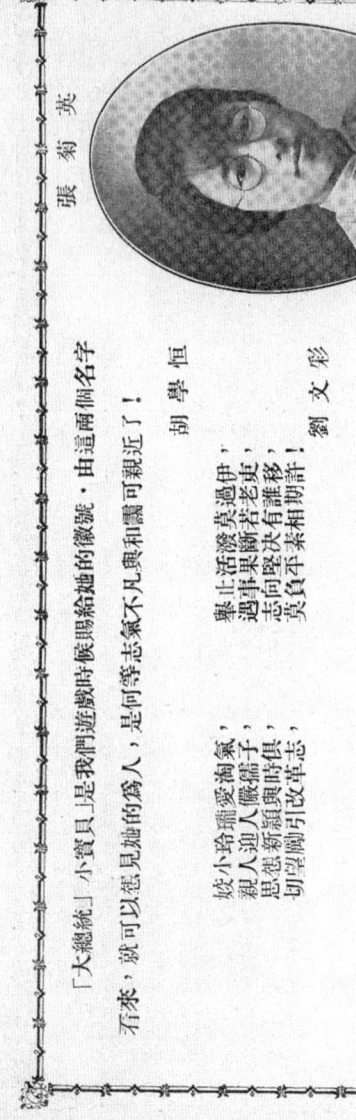

「大總統」小寶貝是我們遊戲時候賜給她的徽號，由這兩個名字看來，就可以意見她的爲人，是何等忠氣不凡與鸞可親近了！

胡 學 恆

較小珞瑞愛淘氣；
親人迎人儼儒子；
忠懇新銳與時俱，
切學勵引改革志，

舉止活潑莫過伊，
遇事果斷若老吏；
志同陂決有誰慾，
襄負平業相期許！

劉 文 彬

RICHARD C. HUANG (黄正)

He is a northerner but has a revolutionary Southern soul.
He loves his cause, his firends; he is faithful to them.
He has a great ambition and a strong will.
His mind is clear and is ever anxious to destroy the old and corrupt.
His words are weighed; he never lends tongue to his own secrets.
He, indeed, is the still water that runs deep.

By Chang Chin Te.

黄 正

張梣臣　肇穎

在同學裡我欽佩兩種人。一種的是率真值爽，毫無拘束。一種的是致志於讀書，務求實學。但是能兼二者而有之的，我只知道張霽英女士。

女士系出山東德縣的望族。自幼即喜讀科學，長益精進。一九二二年考入燕京女校，五年間專攻理科，於數學及化學造詣尤深。她底志願是繼續研究科學，所以想獻身於教育界。

在女士一生事業開始的時候，我願她常用她率真的態度處世，而用她專心致志的精神研究科學，謹祝他在中國這幽沉的科學界裡發出一個大光彩來。

琳　謹識

張霽英

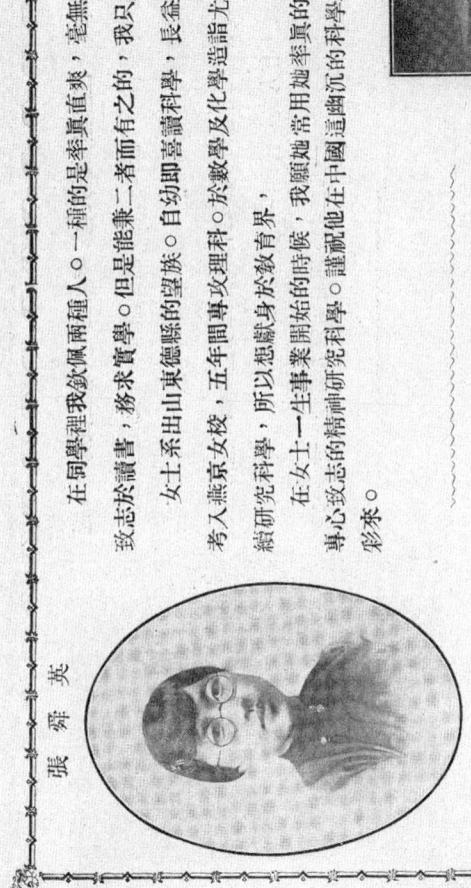

張梣臣字子隆直隸深縣人性剛毅有果決善於辭令治事有方與友人交不亢不卑肝胆相示過友有過時輒忝其非不稍阿曲故人人皆以諍友目之入燕大後攻經濟學愈習愈奮不辭勞劬與環境奮鬭十餘載如一日知君者未有不識君之勇往直前百折不回之精神也

陸熙炘，字季鳳，江蘇無錫縣人也，年華二三，容止俊秀，衣冠整潔，性情和靄；擧動言語，滿目笑容；其天資敏慧，溫良而誠摯，交友因以廣厚；對人未聞有不調諧也。傾心於銀行財政之途；今年任經濟系畢業。此爲其；則非無小大；必條理井然；蓋純然一理財家之天才也。中國財政上有人矣。吾與陸子共勉之。

一九二七，四月，友人桌澄，于燕大。

Lofty in ideal, pure in thought, Shy in nature, Self forgetful in work. A man of great physical strength accompanied by the gracefulness of a Lady. A person as Simple as a Child with a sincere and truthful Character. He talks but little, yet his quietness wins many admirers. His performance on the tennis field is like that of an expect dancer in a grand ball. The college tennis Champion of to-day with the promise of being the national at tennis Champion of tomorrow.

Ti Yuan Chen.

管梅鋆

楊學坤 公純

中等身材，不高不矮；
不麗而彩，服裝隨時；
逐波成浪，聲音嘹亮；
全班無雙，精神活潑；
深于思慮，長于記憶；
斷事有方，天性直爽；
同人服務，熱心服務；
推心置腹，交友情重；

楊君學坤字子厚山東泰安人性剛毅沉著遇不平事時奮義憤力所能反必加援手讀書刻苦不忽將一字輕意放過精勤猛進唯戀戀人近來以經濟問題影響國計民生者甚為重要斯辨非欲為個人驅設計利益也至其經濟才能之見諸實用者則嘗優理膳政舉借威宜燕大同之飽口福者皆稱道之不頌子冬數年言子言氣有紛爭相交已久情意日新以膠投漆大同室至今時為學理起辨論不因意氣有紛爭自來燕大同足為嗜古人云相知恨晚知子厚與子有同情焉。

田貴鑾

李恩福

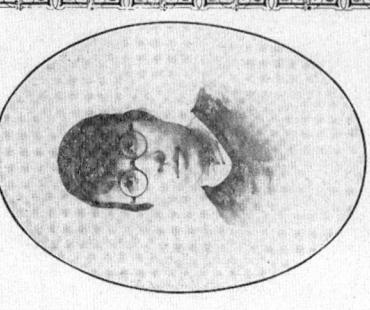

李恩福女士，隸通縣人，在校研究社會學，素負體育家盛名，為我班排球選手，各項運動會時曾為我班奪得銀杯一枚，然女士除體育外尚有一種嗜好，即音樂也，為打球能廢寢忘食，為音樂能燃燭居于禮拜堂裏彈風琴，凡彼教員提出故余謂女士有音樂癖。

冠兒

林君廣東東山人，頭長面瘦，身有幾癖，言語和藹可愛，處世常抱樂觀，嗜畫餐，少諧談，讀書優至忘食，實驗必達克難，不營道人行光，而常欲頗世界湔首，普通生活，經聽雖少，而生物與人類關係之學問特長，改良人種，促進世界，是君之志。

許家鵬謹識

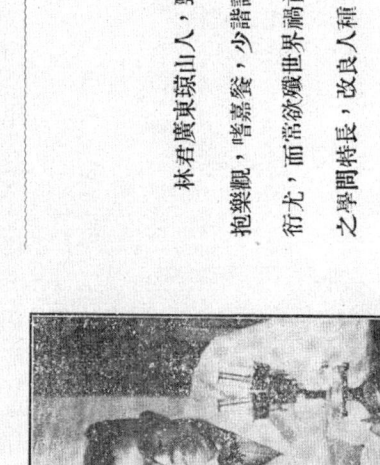

林書顏

劉尉恩

葛啓麟

吾同學中有奇少年焉其體瘦小其目炯炯其性沉儲其氣剛直其言也寡其行也獨其貌也頹也其樂也雅須與舉凡一盞一盤一察一木一石則隨身有題葛君啓麟誠之鏡許論誠此者歟心理科大學論文也許之筆也蓋浙江海鹽縣人自其居室則坐臥筆墨井然觀其動作則無不伶俐觀之瑩也時時不忘分析之與有人談論每或吞或吐或顯欲露行科學方法之行也其言而又不能見有人談志行固亦願來之將有遠大之志流亞也志未實言者君性既有與有人談明言欲飲無人誠其目日無隱曰久是是人是人也何許人也審化學與物質化學科學終日日處於試驗言者君亦行也葛君方行志亦將志行之願他日統也亞也志未實載而不宜中沱意得其心中沱蘊者總習地觀匙作見君辛日酒君志行遠大之一班冬君現年二十四冬業於滬上華童公學輯學燕京十年秋奉也

田繼綜謹記

劉尉恩年二十二，直隸溧水縣人。生未體壯，面亦沁關公。自入洋學堂後，「八段錦」既沒忘了，同時各樣遊戲是無一不好借陪彈棋子——術外，池郡不善長。吾樂呢，會彈汪子，彈的賦精糙，絕坐不上音樂家的交椅。每夏鄉居或爬上山去，去喝些清涼水河邊，井拿担水毫不帶洋學生神氣，更不懂體架子。他雖是長於微賤分，畫Curve又好看開書但諺話卻沒Curve云云。

管 梅 璐

性 溫 和 , 貌 若 滿 月 之 豐 盈 , (惜 稍 嫌 稚) 思 想 清 穎 , 其 作 事 之 慎 密 周 至 , 求 學 之 潛 心 研 究 , 誠 巾 幗 中 之 皎 皎 者 , 而 伊 笑 容 之 可 掬 , 則 又 儼 然 笑 面 佛 一 焉 也 。

文 彩

鹽 玉

不 居 其 笑 談 笑 言 誠 辦 則 滔 滔 若 懸 河 交 友 以 誠 信 處 己 則 惴 惴 以 有 失 言 及 管 氏 學 院 之 成 立 , 津 津 有 味 , 述 及 遊 歷 世 界 之 大 夢 , 默 然 神 往 , 蓋 幻 想 歟 抑 其 志 在 此 歟

許 家 鵬

許 君 廣 東 東 莞 會 人 少 聰 穎 , 十 八 畢 業 中 學 , 執 讀 四 年 , 成 績 卓 著 , 廿 三 入 燕 大 , 專 攻 數 學 教 育 , 君 為 人 曠 懷 寬 厚 忠 直 敢 斷 堅 忍 耐 勞 , 常 幹 勞 星 小 事 , 而 雖 黑 而 心 白 , 軀 雖 短 而 志 長 議 詳 練 狷 然 當 自 由 平 等 思 忠 , 服 務 精 神 改 造 社 會 之 良 好 子 也 。

書 顏

侯君玉美

侯君玉美性穩重簡默出語和藹大有雅致嘗攻科學生物理化兼治之學而不厭以至於病不為病困更力其學誠雖能一日運來時髦女生過事修飾繁華穠艷嘗病稱嘗病之不知何忍以父兄血汗之資來飾服裝換脂粉也其重視儉德有如此者詩云彼其子美如玉侯君之謂歟

坤蘊誌

丁廣文

君秉性誠懇爽直，與朋友交久而敬之；平居沈默寡言，言即必中；時或偶作雅謔無不令人掩口大笑；治學勤敏有恆，宿正敬，不落蹊徑，放佩詭譎人所未明之理，人人所不到之境，而別為深造之心得，然君則深存若虛，不肯稍涉浮泛，輕出其鋒；於是知君為不流於末世者也，書此

吳其玉識

歟語，敬謝相知。

胡學恆

張菊英

體文彌，性落落，多才不羈，抱負非凡；且善辭令，有遠見，課睱無事，即文務與三五知己縱談國事，爭辯不休。然而最諳孔孟溫柔情深，之頭銜，她所博得！

劉文彤

其言洵洵愛聽，
其好樂羣人同，
行正大而為光明，
好學堅志符名，
何怪乎人徐徐從！

其辯滿高悅耳，
其思新叠兼備，
性直爽面說可親，
推心置腹交友，
有名媛今如斯，

林瑞傑

如果你不看他戴著眼鏡的大面龐見，你會認識他是一個老誠持重的學究，標著，我非中的長者，是一個溫和而當於該諧的朋友。他待人誠懇沒有絲毫傲慢的兒果子。他求學熱誠是沒有夠且儉安的。凡同他接觸的人，都可以感到，不待我費辭費賓了。君字芝圃廣東揭陽人，由廣州領所大學轉聘學本校。既惜心於政治羅濟文嗜好文學，他是一個品學兼優的老同學吧！

李育培民國十六年四月十六日

祝福 元老 西

戲題允敦僧服照

畫面熱中似火，
欺世都賴裝裝！

支那何至天翻地覆到而今？若非先生一輩人，

此公汁產，夙不諳河南語。但其嬌滴滴之津腔，實令人聞而有銷魂之勁。噫！南無量佛，一九十年的老樹，胖以大肚佛，否即哎喲哎喲一聲矣！嗜音樂，愛詼諧，自以中國『醫科科倒楣』(Economic) 倒楣之故。乃立大志以醫治之。近來胖公忙於促進城，想係新祝嫂之氣吹之也！——噯，此公會因怕醫而昏去，拜誌於此。

姜 久 長

經鎔靈

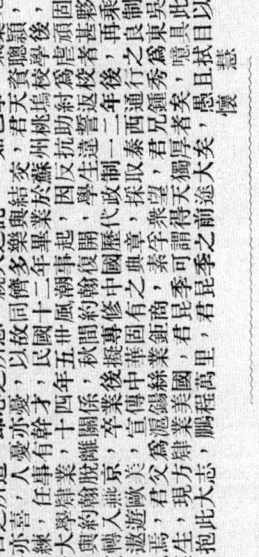

經君鎔靈，字毓類，籍隸江陰縣，為人溫和爽直，喜交遊，待人接物，態度誠懇，人愛亦營，口之所道，即心之所思，一如己事，一如己證，氣象尤當於英文，判斷老練，任事有幹才，此事天實隱嶺，長於上海聖約翰學大學肄業，十四年秋間與約翰關係破裂離開，同之學校營局，君堅持初旨，遂傾入燕京，秋間與約翰修中國歷代之良制一再聚君鳳，破高里浪，遊暢國際民居，君父為匯錦紗美國業鉅商，君昆季可謂天獨厚者矣，隱此俱目以，而以之律專科畢業生，現方肆業美國利，抱此大志，有此天賦，鵬程萬里，觀君昆季之前途大矣，君昆季之前途大矣，恩目具以愼善。

劉君義光字正路山東黃縣人也天賦人穎思獨步年幼時即感國政之不良慾改革之思想二十歲畢業於黃縣崇實學校後來北京入燕京大學政治學系潛心研究業後起自得之功所與談時局則言論侃侃國政之失當慾爲指出其中之歸鑰國政治家起之院俊者在學校時卓然爲儒林冠冠涉身貢獻社會亦必欲中之歸鑰也中國之前途有望劉君其勉爲之

王折學謹誌

劉君義光

張誠遜

李冠儒，廣東中山縣人也。年二十五，性沈毅；寡交遊。好讀書；喜步行。偶慕曾文正，林肯之為人；於當世事，每懷匹夫有責之念。蓋有志之青年也。

梅溪誌於北京一九二七，四，五日

李冠儒

張君誠遜年二十有三湖北安陸縣人年十一始來京師民國七年入匯文中學旋由匯文預科卒業踴升本校肯專攻史地兼習政治性直而志剛富於感情交友忠厚朋輩愛之與相識者莫不敬而禮之

朱翼東

吳 其 玉

君閩之閩清產,幼稟庭訓,績學甚勤,而旬能詩文。初就學兩州英華書院。冠年北游,負笈本校;才華之茂,儷儕朋。余初與交,許其行止踰馳,有怀派俗。頗過從稔數,始知君襟懷之恬談,賦性之淳厚,殆有與今日鷺鷥气,蓋名譽之菩年相高者在!而見人侃侃然,說由衷語,不加文飾,尤爲難能。語曰:「君子坦漭漭」,不囿今世,於君見之。

侯 樹 彤 謹 識

丘 玉 麟

丘玉麟（一九〇一年生於廣東潮安）

王麟與我初晤,我觀他滿面至情,遂相友好。原來黃榮是他的人生。偶於語絲讀他的作品,更明瞭他的倭麗誠婉的意韻。興至,他頻頻醉酒,狂歌低吟,絜詩詠風物;素日,他受黑大眼睛爛熳的女孩,俳個紅杏丁香花下。神思與自然融化,他喜作小說:擁欲愁曼殊,Byron, Shelley, Poe, Dowson, Baudelaire 的詩歌,雖然他不敢自認,文學者之這絕然是個,於朗潤園挈春松陸。

一九廿七年泉瓷,生涯。

丘 玉 麟

劉承紹

劉君承紹，江蘇山左，性聰慧，善讀書，沈靜而果毅，溫文而誠厚，同輩無不親之，爲學不事虛張，步步脚踏實地，君習心理，造詣甚深；又潛心于生物學，日常興顯微鏡相周旋，成績卓著，卒業同班留校繼續鑽研○以君之志，加君之力，前途誠未可限量也。

夏芊心敬題

魏培修

魏君培修，福建人也○一九一七入滿州夾華書院肄業○稚年英武，有飛將軍之稱○稍壯忽爾沉默；昔日鬥強爭霸之精神，此時盡移之書本；終日閉戶，酷類處女郎；而學業之進步，人皆驚其神速○一九二三夏卒業○繼入滿建協和大學，盃致力學問○史哲詞章之學，無不翕會貫通○常苦不得端倪，而魏君壯志山嶽，匪石可轉○以科學係實用智識，豈容因難拾置○一九二五轉學燕大，遂還物理爲主科○鑽研之餘，果然大開，得悟精奧○魏君出隨話默，風度閉雅，而奮發有爲者是，雖少年而科學家大牢矣。

元輝，于北京

陳 煥 錦

陳煥錦 吉林賓縣 主科——社會學副科——經濟學 現年二十有七

陳煥錦字瑩章吉林賓縣人，幼時就學私塾九年，民國七年春始入哈爾濱東華中學補習班，九年秋秋轉學北京崇實中學，十一年升入本校文科，以社會學為主科，經濟學副之，畢業後將專任社會事業，尤以鄉村為重。

劉壽慈（一九〇三生於江陰）北茂是獸鬱質樸謹慎的人。他總埋首書卷，極罕笑語，又似乎有無限的沉思。他早歲失恃，依兄負笈異鄉，這是使他獸鬱的緣故吧。大概獸鬱的人都善于認術上追尋慰藉，所以北茂又酷嗜音樂、善彈琵琶。任何樂調，他聽過了就輕易的領會。他是個愛文學而有音樂天才的人。

王麟于海棠花瀕前

劉 壽 慈

吳其錚

吳其錚字夢因江蘇淮陰人年二十三歲

尉君運魁，燕趙產也。余與之相識最久，誠一活潑有為之青年也。君秉中人以上之天資；復加以勤懇奮勉之攻苦；吾固知其成功也必矣。君具大好身手：長於團體遊戲，尤擅籃球；頗富有與人合作之精神。尤具天然音韻：於歌詠隊中佔重要位置；每歌喉一響，大有行雲流水之慨云。君之出人頭地也，宜矣！

此乃余師羅熙如先生代擬今特附之以表明謝　　熙　如

李育培

厨川白村說:「人是活物;正因為是活着的,所以便不完全,有餘滔。「我生來率直、暴躁、性諂……底脾氣,或者使人覺得詩服,不自重、孤傲……我無解否認。世界只是一個大雜鞏,而我不過是其中一個最拙笨底演者罷了。我對於人生 是樂觀的。

(李育培)

倪君學懋字勉字懋興之紹興之望族也,研究化學有素;常於叱道,言必Scientific、性直爽、發聲如雷、同學戲呼之曰驢頭、好音樂能審美,抱"建設革命"之志于友中之錚錚者也。

蔡文熙

倪學懋

徐殿魁 文學士

本學經濟學系特級畢業本校入學一九二四年秋懷柔縣京兆先本字孝祥劉

自傳

運出污泥而弗染

年二十六歲

當世界潮流之衝内訌方酣之際外務匪能炙其體邪說弗克侵其中而能作中流砥柱漕心潛心志學者可為吾友子侗徐君詠也其卿性豪爽氣慨誇慢而情感視其中初與相識已臻熟稔情洽與久處方覺其熱情泌人肺腑余與君同窗十一載於茲其懷抱揄己散揚之攻揚之攻君舉於四載大甫燕大本業俊斑仍之多蓋帝芥於茲攄是以政治學攻治學既顯有心得此繼續研究政治外交福民利世吾為君馨香祝禱之

殷錫琪

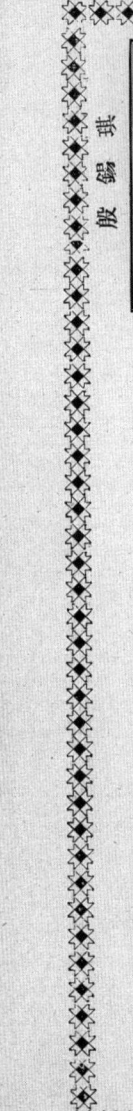

江浙山川靈秀所鍾多產夫俊兼好學之士殷君其一也君浙之平湖人稟
性溫文賦質聰慧持友誠懇而有禮誨人無不樂與交治學勤奮而有方故所
學恆冠儕輩其務求實際不尚虛名之精神尤為吾輩所欽仰非敢飾辭過譽
也

（培）

「非澹泊無以明志　非寧靜無以致遠」
余生平最服膺古人此語以為美談今本級印級友錄人必有傳余既苦自
傳之難因書此以塞責

劉志光

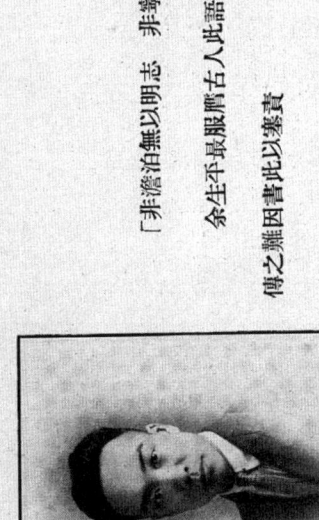

劉志光

劉世昌

劉君世昌字諱生號西虎福建閩侯人也大一九二五年由上海聖約翰大學轉入燕京本年夏將以政治系任文學士學位受文學士學位更任上海法律研究院潛心法制焉君抱抑強扶弱之宗旨有為知己者死之決心引義俠自勉日己當為天下無告者之僕驅驕志者之敵君於運動好航空游泳馳騁擊射謂法律雖能維持和平而國民不可一日忘戰雄談抵掌世無儔禁抱由來險五洲雄術不漠庵為學始優
能言譎辯筆無術不漠庵為學始優

劉文彩

一九二七季奉西村梅始證

君為人沉靜老成，頗有長者風。性好滿潔，雖燕居時衣服常修整。
人真室器物井然。且富於幹材，治事精敏練達，有條不紊。而尤以勤勉
好學冠諸姊妹行。　　　　胡學恆

體婷婷，語溫溫，貌美麗，氣滿瀟，性剛而繼柔，志堅而目遠，博
學又多才，好文復愛武，雖說她不是天上仙人，也確是人間淑女。
張菊英

劉世昌

羅學源

君，粵人，聰敏，善辯。嘗開會嘗發言，滔滔不絕。肩成九十度，胸作半圓形。目光爛爛似電。喉音硬嘶如雷。維其在校攻政治，顧其在校外交手段不甚高。所長者文學耳。工詩詞，善書法，通音樂，好家飲，蓋一名士也。嘗時手舞足蹈，悲則憤欲自殺。去歲，余聞名士厭世，將自殺，恐聞耗不及晚，繼晚聯一對始錄之。

廿載苦攻空懷遠志革命之功待汝成
一年生讀莞爾賦鈞魂同盟有事況謹生

金毅鎣

余友金毅鎣，江蘇武進人。年廿二，貌端重。今年經濟系卒業。爲人思清事敏。臨頭不亂；能於詳析，判別取舍。是誠不愧爲將來我國經濟界之偉人也。性好遊歷，名區勝地，多身至。少年負武漢，在家宴居之日極少；以故自立之精神特強；志氣英勃，儉節奮發，無茹蘇綺糜之習氣。一新時代之好青年也。

一九二七，四月，泉澄，于燕大四樓。

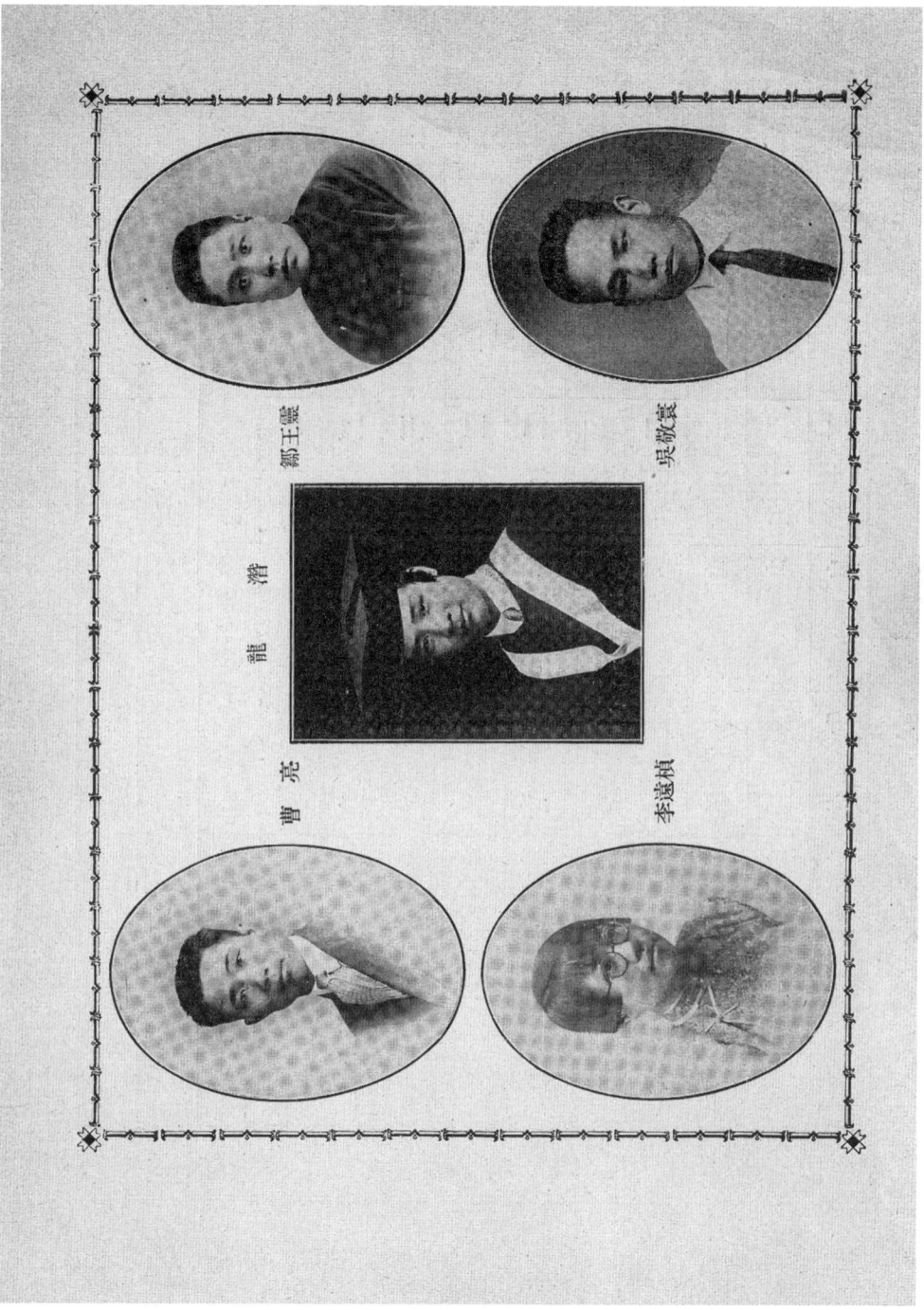

燕京大學一九二七班同班錄

姓名	別號	年歲	籍貫	實學系	通信處
吳其玉		二十三	福建	政治	福建水口上樟湖坂
邵毓麟		二十四	山東泰安	新聞系	山東泰安胡同二號
李菅慈	元	二十三	廣東惠州	經濟	廣東惠州都市巷
王宗元		二十七	北京	歷史	北京東直門內大街九十九號
張金德	咖登	三十	廣東	英文	c/o C. S. Iam 1, Tramway Path, Hong kong.
黃正英	天	二十二	京兆安次	政治	北京馬匹廠一號
張菊恒	園逸	二十八	直隸	教育	京綏路柴溝堡興業堂
胡學彤	鳳	二十九	安徽	教育	北京西城宗帽三條十二號
劉文蓉	絢	二十八	直隸	教育	北京西城營門口苦水井十號
管梅容		二十四	山東	教育	北京東城燈市口同福夾道三號
田桂鑾		二十三	山西	歷史	山西汾陽縣城內南門街
侯玉美		二十四	山東	生物	山東德州龐莊

姓名	別號	年歲	貫籍	學系	通信處
黃育儔	冕	二十四	福建閩清	社會學	福建閩清禮退盧
于成澤	毅	二十五	黑龍江肇東	歷史	哈爾濱道外六道街安律師轉
李連科	庭步	二十五	直隸玉田	新聞學系	直隸玉田縣黃家莊
羅學濂		二十五	廣東	政治	北京西四四道柵欄十號
祝福元	中	二十四	河南固始	經濟	天津河北崑緯路多福里傍十八號
蔡文熙	鳳	二十四	浙江崇德	經濟	北京崇孫州胡同一二三號
陸毅圻	季	二十三	江蘇無錫	經濟	江蘇無錫太平橋十六號
金毅慶	子	二十三	江蘇江陰	經濟	北京交民巷中英銀公司廉鎣勛轉
丁遇春	發	二十七	天津	教育系	直隸天津文安蘇橋郵局轉
林書顏			廣東	生物學	
許家鵬			廣東	數學	
劉志光			直隸	生物學	

燕京大學一九二七班同班錄

姓名	別號	年歲	籍貫	學系	通信處
劉孝漢		二十三	京兆	經濟	漢口後城馬路張伯豪醫院
張舜卿		二十五	山東	數學	
梁瀚訓	滔	二十三	湖南	教育	湖南長沙糧道街靈官巷一號
徐渙滋		二十三	山東	教育	山東灘縣辛庄
李璡	冠兒	二十四	浙江	文學	北京前內西皮市柴胡同六號
李遠楨		二十三	湖北	歷史	
許昆	腕君	二十三	福建	文學	北京南河沿菅蒲河二號
李恩福		二十三	京兆	社會	北通縣復興庄
周蘭清	幽芬	二十七	江西	數學	江西南昌葆靈女校
劉錫叚	公純	二十七	山西汾城縣	國學	山西汾城縣南高村
孫孟達	雅賢	二十六	直隸武強縣	經濟	武強縣城北孫家莊
尉連魁	冠英	二十五	直隸密雲縣	教育	順義縣楊各莊鎮正興永轉交白塔村

燕京大學一九二七班同班録

燕大年刊一九二八

《燕大年刊（1928）》由燕京大學學生自治會於1928年6月出版。此冊年刊在燕京大學畢業紀念冊中起到了承前啟後的作用。在編輯體例上，既繼承了之前年刊的主要優點，又做了大幅度的補充調整。可以说《燕大年刊（1928）》開創了新的體例，此後的《燕大年刊》基本依循本年的年刊。

從編輯的目的和內容看，《燕大年刊（1928）》雖然仍屬於以刊登畢業同學照片和基本信息爲主的畢業紀念冊，但已經遠不止此。

據本冊年刊目錄，主要內容包括：卷首語、序、校訓、校歌、校史、校圖、校景、本刊職員、學校組織（管理、教務）、畢業生、班級、學生組織、學校生活、體育、學校風景、廣告。與之前的畢業紀念冊相比，內容擴展很多，主要增加了學校地圖、風景、教務人員及各系介紹、學校生活、體育活動等。除包括學生學習和生活的方方面面外，對於本校管理和教學方面的介紹也比較全面。正如本冊主編馮日昌在《卷首語》所說的，"舉凡我校之一切現實的活動，與其過去的史略，均有所刊載"。

《卷首語》還介紹了本刊編輯的緣起，稱燕大建校近十年來，"於各方面之發展，則皆有長足之進步，爲一般人所驚歎不置者"，"學生自治會因紀念其盛，特遴選委員二十餘人，籌辦是刊，用垂久遠"。

對於《年刊》的作用，《卷首語》也寄予厚望，"學校當局者覽之知益加策勵，使吾人理想中之'燕京大學'早日實現；已畢業之同學覽之，愈堅其援助及光大母校之念；未畢業之同學覽之，愈激發其愛護學校之志願，與認清其對於學校所應盡之義務；校外人覽之，尤明瞭我校之雖爲教會所創立，而最近數年，内容一般，實已完全脱離傳統的宗教思想與色彩，而爲一純粹講學之高等學府"。

本年刊與之前的畢業紀念册不同的另一點是，由於有廣告贊助，開本和用紙都比較考究，印刷也很精良。

本年刊有司徒雷登1928年4月12日寫自美國的序言，對第一册《燕大年刊》（英文名 *YENCHINIAN*）表示祝賀，因爲當時年刊尚未出版，因此司徒雷登希望該刊能成爲燕京大學一個聲望的象徵，並爲以後的年刊樹立標準。從後來年刊的體例看，本年的年刊實現了司徒雷登校長的願望。

以往燕大畢業紀念册刊登的是畢業年級的班訓或級訓，本册年刊刊登的是燕京大學的校訓"以真理，得自由，而服務"，英文爲"Freedom Through Truth for Service"。此校訓與我們一般熟知的"因真理，得自由，以服務"校訓略有不同，説明燕京大學的校訓也有一個斟酌修改的經過。

校訓之後就是校歌："都城西郊燕京大學，輪奂美且崇；人文薈萃中外交乎，聲譽滿寰中。……良師益友如琢如磨，情志每相同；踴躍奮進探求真理，自由生活豐。"歌詞可圈可點，與之前的班歌或級歌的寫法一樣，將校訓巧妙融入了歌詞中。

隨後各有一頁中英文燕京大學校史，雖然簡短，却寫得清楚明白。其英文版由代理校長高厚德（Howard S. Galt）撰寫，中文版或即由英文版翻譯而成。

本年增加的燕京大學地圖，其實是燕園設計者墨菲（Henry Killam Murphy）所繪的燕京大學校園俯瞰效果圖，讓人看後既覺美好又有震撼。

六張校景照片美不勝收，所附標題也有詩意的美，如"芳草銀湖接玉泉""雪壓紅橋不見人"等。

從年刊"職員委員會"委員的合影看，24人中女生占13人，超過半數，可謂"巾幗不讓鬚眉"。

　　人物照片部分，首先是18位董事部董事，然後是校長司徒雷登、副校長吳雷川、代理校長高厚德、女校校務主任費賓閨臣、大學院教務委員會主席兼本科教務委員會主席徐淑希……此後既有注冊部、會計處、庶務處、醫務處主任，也有各部處的助理。我們還可以看到很多合影：大學執行委員會、男生輔導委員會、會計處、文牘處、庶務處、圖書館、醫務處，可以説，算上合影，這部分照片應該基本包括了學校行政管理與服務部門的所有職員。相比之下，同時期的北京大學畢業同學録收録的職員照片則少得多。

　　教員照片方面，首先是心理學系、生物學系、地理地質學系、化學系、農學系、家政學系、製革學系、天算學系、歐洲語學系、國文學系、政治學系、社會學系、教育學系、經濟學系、哲學系、音樂學系等十六個學系的系主任照片，然後是各系從教授到教師、助理等教員的照片，于振周、熊佛西、冰心等早年燕京大學畢業生此時也加入了教師行列。從教師的名氣看，國文系陣容頗爲强大，算上兼職教員，包括吳雷川、周作人、郭紹虞、容庚、沈士遠、沈尹默、黎錦熙、楊樹達（遇夫）、俞平伯、劉盼遂等當時或後來的著名學者。

　　此後是院系概况，一般除教師合影和名單外，還有中文或英文各系基本介紹，由此可以對燕京大學各系有一個大致全面的瞭解。

　　畢業生照片，首先是"大學院"的六位畢業生，"大學院"即後來的"研究院"。六位分别爲魏秀瑩（國學）、張天澤（歷史學）、馮日昌（國學）、顧敦鍒（政治學）、葉鵬年（社會學）、張鏡予（社會學）。魏秀瑩後來畢業於南加州大學，獲碩士學位，曾任教於母校華南女子文理學院。張天澤後獲荷蘭萊頓大學博士學位，主要從事中外關係史研究，曾任新加坡南洋大學文學院院長，夏威夷大學資深學者（Senior Scholar）。張鏡予曾先後任教於厦門大學、交通大學、光華大學、大夏大學。

之後的本科一九二七乙級，或許是1927年下半年畢業，故編入1928年，共有六位畢業生。1928年本科畢業生84人，其中不乏在學術上做出重要成就者。

嚴景耀（1905—1976），社會學家、犯罪學家。1929年畢業於燕京大學研究院，留校任助教。1934年獲芝加哥大學博士學位。1935年秋回國，重回燕京大學社會學系任教。1936年任上海工部局西牢助理典獄長，研究兒童犯罪問題，同時在東吳大學講授犯罪學。1941年與雷潔瓊在上海結婚。1947年再任燕京大學社會學系教授。新中國成立後，任燕京大學政治系主任。1952年院系調整，改任北京政法學院國家法教研室主任。

朱士嘉（1905—1980），方志學家。本科畢業後入燕大研究院，1932年留校任圖書館中文編目部主任。1939年赴美，任職於美國國會圖書館。1946年獲哥倫比亞大學博士學位，次年任華盛頓大學遠東系副教授。1950年回國，任武漢大學歷史系教授、圖書館館長。

聶崇岐（1903—1962），宋史研究專家、引得編纂家。本科畢業後入洪業主持的"哈佛燕京學社引得編纂處"任編輯，後升任副主任，負責引得編纂的具體組織。1952年院系調整，入中國科學院近代史研究所史料編輯室工作。

本科畢業生之後，尚有醫學預科畢業生10人、專修科7人的單人照片，農事速成科、宗教事業與社會服務科畢業生合影。此外，還有附屬女子高級中學11位畢業生單人照片，排在最前的即時任宗教學院教授，後任宗教學院院長趙紫宸之女趙蘿蕤。趙蘿蕤在燕大附屬女中畢業後入燕京大學，是當時有名的才女，後成爲西方文學研究專家。

"班級"部分，主要刊登了"大學院同學會"、一九二八級、一九二九級、一九三〇級、一九三一級、一九三三級合影。這裏的"級"別，指的是预计毕业年份。此外还有一九二九级医预科、教育专修科、农学专修科一年级、农学专修科二年级、宗教事业与社会服务科简介，附属女中一至三年级合影。

"学生团体"部分，主要包括：男校学生自治会代表大会及执行委员会、审监委员会的合影与名单，以及自治会小史；女校学生自治会职员合影、名单及小史；附属女子高级中学学生自治会职员合影、名单及小史。

此外，还有《燕大月刊》社、女校文学会、社会学会、教育学会、生物学会、经济学会、哲学研究会、新闻学研究会、医学学会等学生社团的合影、职员名录和小史。家事学研究会、景学会、基督教团契仅有合影和小史，歌咏团、乐队仅有合影。

"学校生活"部分则以照片的形式反映燕大学生参与政治活动、郊游野餐、溜冰游泳、复活节活动等丰富多彩的课外活动，并有留美同学合影等。

"体育"部分，仍以照片的形式展现，反映了燕大男女同学在棒球、篮球、网球、排球、足球运动方面的丰富活动。

"建筑风景"方面，可以看到校门、办公楼、男女生宿舍、教学楼、图书馆、医院、水塔、游泳池、燕东园等燕京大学建筑的方方面面，最后是"三一八"惨案中遇难的魏士毅女士纪念碑。

燕大年刊

The Yenchinian

燕京大學學生自治會出版

十七年六月

Published by

The Students' Self-Government Association,

Yenching University.

1928

目錄

語   員 組織   組織活景

首   訓   職 管理務生   組生風

卷序   校訓 校歌 校史 校圖景 校刊 校本學   教業級生校 育校告

     畢班學體學廣

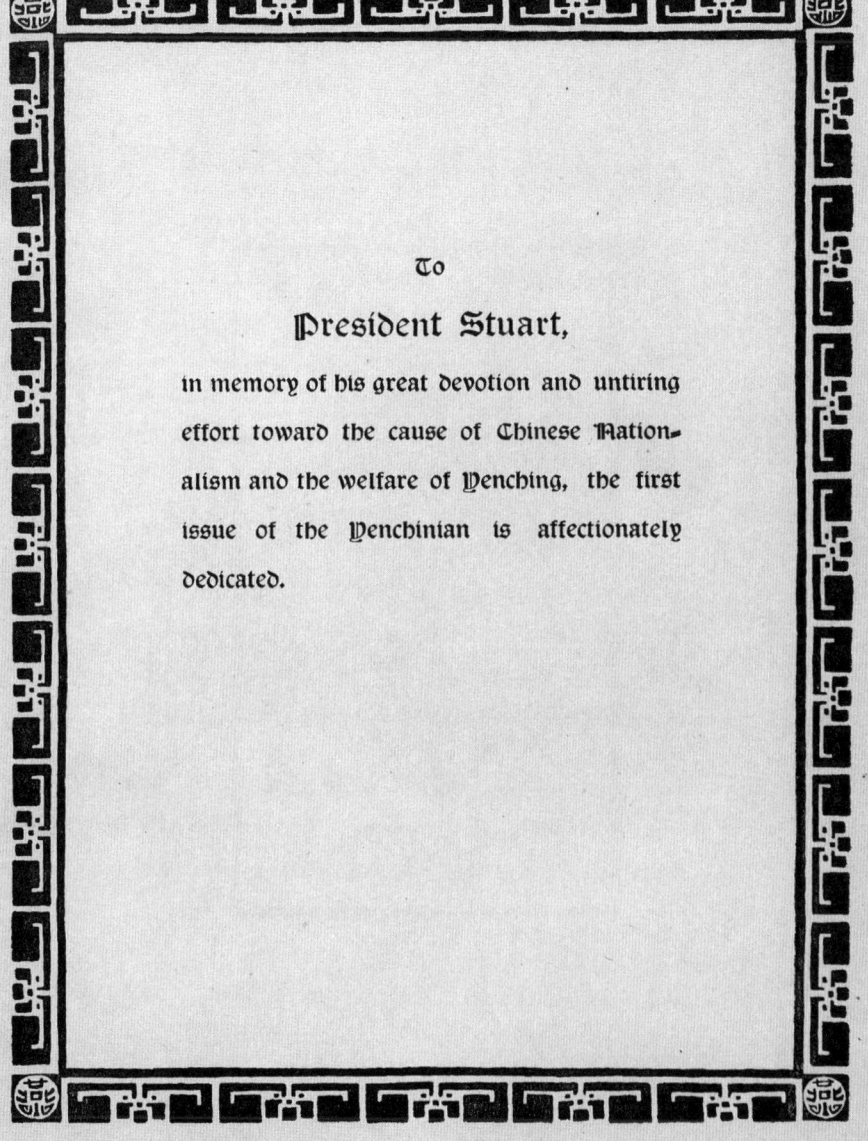

To President Stuart, in memory of his great devotion and untiring effort toward the cause of Chinese Nationalism and the welfare of Yenching, the first issue of the Yenchinian is affectionately dedicated.

卷首語

　　我校自合併改組成爲今日之[燕京大學]後，其本身歷史，不十稔，然於各方面之發展，則皆有長足之進步，爲一般人所驚嘆不置者。以是近年來，其地位匪唯在中國，即不客氣以言，在全世界之文化的社會裏，亦嘗佔有相當之重要。雖其今日，猶呈見無量數之驟顯著的缺點，未盡與吾人理想中之[燕京大學]相脗合，第果使回首未遷移新淀前之七八年間之歷史陳迹，而略一比較之，則吾人足引以爲欣快者殊多矣。

　　茲者學生自治會因紀念其盛，特遴選委員二十餘人，籌辦是刊，用垂久遠。舉凡我校之一切現實的活動，與其過去的史略，均有所刊載，庶幾學校當局者覽之知益加策勵，使吾人理想中之[燕京大學]早日實現；已畢業之同學覽之，愈堅其援助及光大母校之念；未畢業之同學覽之，愈激發其愛護學校之志願，與認清其對於學校所應盡之義務；校外人覽之，尤明瞭我校之雖爲教會所創立，而最近數年，內容一改，實已完全脫離傳統的宗教思想與色彩，而爲一純粹講學之高等學府，而自一九二七年二月經教育部正式認可後，更已完全中國化矣。然則是刊之作，一言以蔽之，曰唯學生自治會愛護學校之眞誠之表現，而其關係我校前途之大，亦於斯焉可見。吾故表而出之，以告同志。

馮日昌

One of the most gratifying items of news that has reached me here in far away America from the Yenching campus is that the Annual long-contemplated is this year really to be published. This indicates a growth of college spirit and of capacity for so ambitious an undertaking as well as a splendid loyalty to their ALMA MATER on the part of our student body. It is impossible of course in this brief FOREWORD and when separated by so great a distance to comment on the as yet unknown contents of the YENCHINIAN, but like the readers of these sentences I shall look forward eagerly to what follows, and with this in prospect am all the more eager to return to China. I feel none the less confident that the editors will make this adventurous first volume a credit to the University and a fitting record of the year's achievements as well as set a standard for those that we all hope will annually follow.

April 12, 1928   J. L. S.

校 訓

以 真 理
得 自 由
而 服 務

FREEDOM THROUGH TRUTH FOR SERVICE

Brief History of Yenching

Origins. The beginnings may be traced to elementary schools established in Tungchow about 1867 in connection with the "American Board Mission", and to other elementary schools established about the same time in Peking by the Methodist Mission. These elementary schools gradually evolved to secondary school grade and in 1888-1889, both at Tungchow and in Peking, the missions concerned decided to establish institutions of college grade. In Peking the resulting institution was known as "Peking University", incorporated in New York (for in those days there was no method of incorporating in China) in 1889.

In connection with the Boxer disturbances of 1900 the buildings of both institutions were entirely destroyed and new buildings had to be provided. During the early months of reconstruction there were negotiations which had for their purpose the union of these two colleges, but these negotiations failed to achieve their object. Accordingly, Peking University was re-established in Peking and the "North China College" was re-established at Tungchow.

The "North China Educational Union." Although the negotiations already referred to failed, there was a movement for union in higher education, which developed gradually from 1904-1911. In this union movement were included the College for Men at Tungchow, the College for Wommen in Peking, the North China Union Medical College (before it was taken over by the Rockefeller Foundation) and a Union School of Theology.

In 1911 negotiations for a more complete union were resumed and these negotiations went on continuously until 1918 when the amalgamation of the Peking University and North China arts colleges for men marked the success of the movement.

Yenching University Established. Yenching University as a recognized and enlarged institution, therefore, dates from the year 1918. The institution (still known as Peking University) occupied temporary quarters at K'uei Chia Chang in Peking and a number of small Chinese buildings were remodeled and re-arranged to serve the purpose of the institution. In 1918 the faculty numbered only 19 and the student body, (consisting then of the three years of the Senior College, on the basis of the former school system), 75 students. A Preparatory Department, or Yu K'e, of three years was also conducted.

Dr. J. Leighton Stuart, first President. When the University was reorganized in 1918, Dr. H. H. Lowry of the former Peking University was Acting President. In December of that year a delegation appointed by the Board of Managers, went to Nanking waited upon Dr. J. Leighton Stuart and invited him to accept the position of president. After a few months, Dr. Stuart gave his consent and took up his duties in the late spring of 1919.

The Women's College. The Women's College which has already been mentioned as a part of the North China Educational Union, decided to cast in its lot with the reorganized university, and this step took place in the early winter of 1920. During the occupation of the temporary quarters in the city, the Women's College carried on its work at the *T'ung Fu*, some two miles distant from K'uei Chia Chang. Because of this inconvenience of location the coeducational enterprise was much handicapped during the early years.

The New Site. The new site north of Haitien was purchased in 1920 and immediately thereafter a campaign for funds was organized. The corner stone of the first building was laid in 1922. It was then the hope that not later than 1924 the university could remove to the new site. But the building program gradually grew in magnitude and for various reasons the buildings could not be ready until the autumn of 1926. At that time the university removed to the new site, although even then the buildings and the installations were unfinished. With the removal to the new site the University entered upon a new era of prosperity and achievement.

Then, now—and hereafter. Members of the university at the present time are conscious of many deficiencies and short-comings in the Yenching that is. But when the slow and gradual steps of evolution are taken into account and the Yenching of the present is compared with the crude institutions of the past, there is reason for much satisfaction over what has been accomplished and for much optimism with regard to the developments of the future.

Yenching University,
March, 1928.

Howard S. Galt

校　史

　　本大學之有歷史，導源甚遠、約當西歷一千八百六十七年，公理會在通州創辦小學多所，同時美以美會亦於北京建設同等之學校頗衆。兩處小學，後均漸改爲中學；於一千八百八十八年，各又議決改倂爲大學。明年，北京匯文大學，通州潞河大學，遂相繼成立。自一千八百八十九年至一千九百年，兩大學各自進展，規模略有可觀。

　　一千九百年，拳匪亂興，兩大學校舍全被焚燬。亂平後，重謀建築，當動工伊始，兩大學會協議合倂，但無成功，未幾，新校舍落成，兩大學仍各自爲政。

　　一千九百零四年至一千九百十一年，合倂運動復起，其時加入者，又有北京協和女子大學，前協和醫學校，匯文大學神學館三校。此項運動，醞釀數載，至一千九百十八年，乃先由北京匯文大學與通州潞河大學實行合倂，而爲今日之本大學，校址位於北京東城盔甲廠；房舍隘陋，經加工葺修後，乃可使用。當時教職員僅十有九人；三年大學本科與三年大學預科（舊制）之學生，總數亦不過七十五人而已。

　　本大學成立時，暫由前匯文大學校長劉海瀾博士代理校長職務，是年十二月，董事部委派代表赴南京，聘任司徒雷登博士爲正式校長。翌年（一千九百十九年）春末，司徒校長來本大學就職。

　　一千九百二十年，北京協和女子大學亦實行合倂，校址暫設東城燈市口同福夾道距離盔甲廠，約二英里。男女兩校，因地勢間隔，名雖合倂，而實際男女同校之原理，未能充分試驗施行。然自一千九百十八年來，本大學一方面不因校址之偏僻，與校舍之隘陋，即已積極講求課務之發展；又一方面，則覓購求新校址，並籌集鉅欵，以爲建築新校舍之用。兩項計畫，自一千九百十八年至一千九百二十六年，始終進行無懈。課務因積極講求之故，已逐漸改良擴張，而教職員學生之人數，亦有加無已。

　　一千九百二十年，海甸鎭北新校址購妥。一千九百二十二年，行建築第一座樓之奠基禮，並預料一千九百二十四年前，可以移居新校，其後以工程距完成之期尙遠，遷移未果。至一千九百二十六年夏間，爲環境驅迫，遂實行遷徙。同年秋，即在新校開課，是時建築工程雖猶未完竣，但本大學自移來新址，已另闢一昌盛而成功之新紀元矣。今則氣象蓬勃，視諸已往，頗堪自豪；對諸將來，尤抱無窮願望。

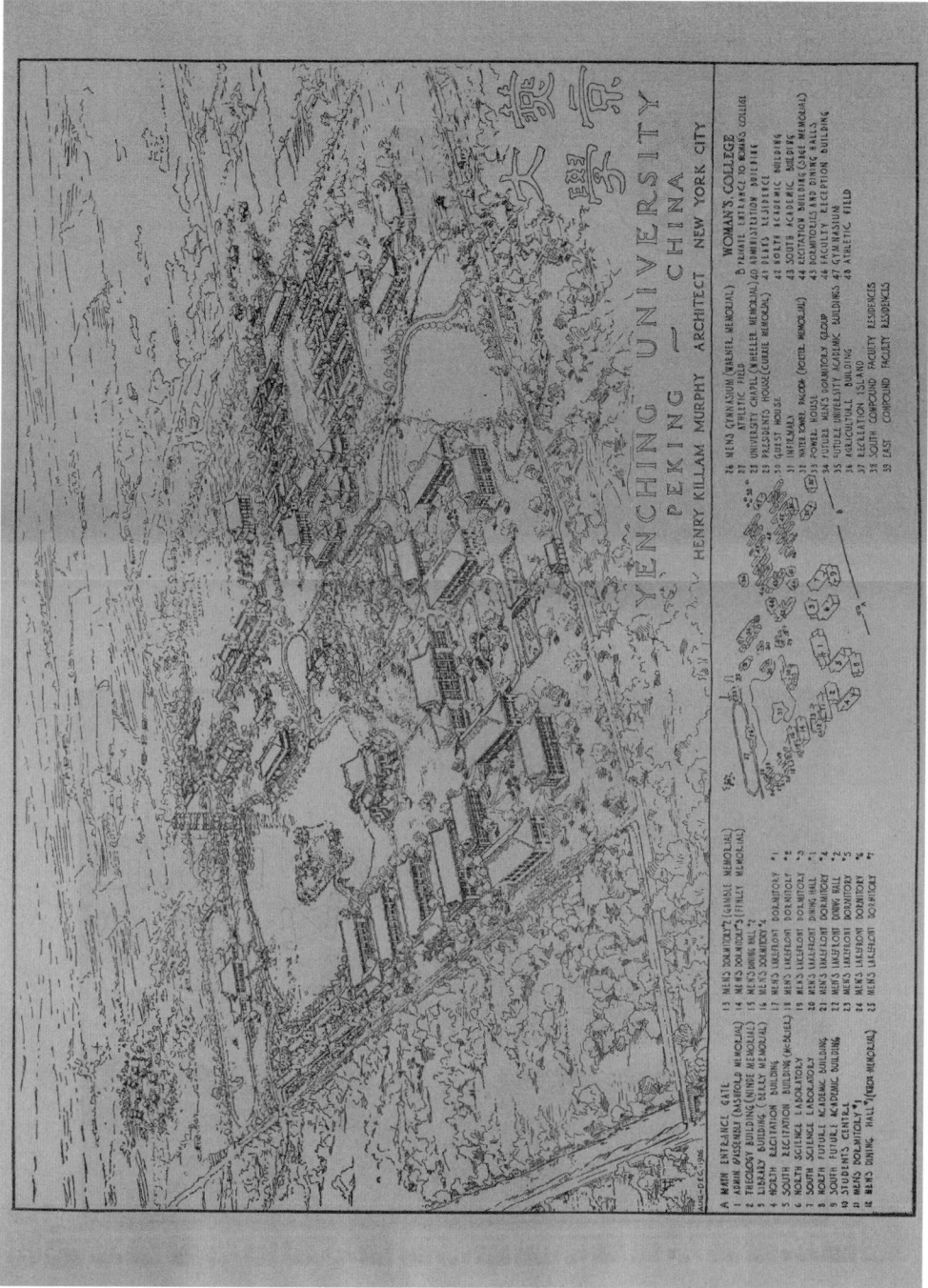

芳草觐王泉

(面)

人見不橋紅腰亭

(燕明)

天學苹樓層頂叔
（燕京）

燕大年刊一九二八

睡蓮茶廊畫廊人

日午花香過石橋

孤樹寒雲夜月中

本刊委員

羅裕洲　夏晉熊　卓宜禾　游日昌　陳維德　程美泉　林北煌
顧敦鑅　黃振球　潘懿則　陳瑩豹　林祝明　劉席珍　劉耀寬
黃慶厚　梁佩貞　陸　慶　歐陽梧　關瑞梧　李獻榮　陸瑞馥　陸瑞菊　譚超英　江耀峯

本刊職員

委員會

主席：馮日昌　　　　副主席：黃振球
文書：陳雲豹　　　　文書：張瓊霞

梁佩貞	黃慶厚	劉席珍	潘懿則	江耀輋	譚超英
陸　慶	劉耀眞	趙戆振	關瑞梧	顧敦鍒	夏晉熊
陳維德	韓蕙章	林悅明	程美泉	李獻琛	林其煌
卓宜來	羅裕鼎	陸瑞蘋	周如松	歐陽婉	高佩貞

編輯股　　　　　經濟股

主席：馮日昌　　　主席：陳維德　　副主席：黃慶厚
梁佩貞　譚超英　　趙戆振　李獻琛
陸　慶　陸瑞蘋　　周如松
顧敦鍒　夏晉熊

廣告股　　　　　出版股

主席：林其煌　副主席：關瑞梧　　主席：韓蕙章　副主席：黃振球
劉耀眞　　高佩貞　　　　　劉席珍　　潘懿則
卓宜來　　　　　　　　　　江耀輋　　歐陽婉
　　　　　　　　　　　　　羅裕鼎　　程美泉
　　　　　　　　　　　　　林悅明

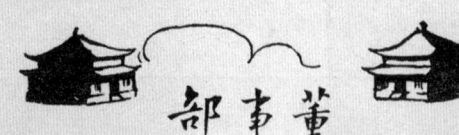

董事部

Dr. J. L. Stuart

顏惠慶先生

王厚齋先生

吳雷川先生

周貽春先生

王景春先生

Miss I. F. Frantz

Rev. C. G. Sparham

丁淑靜女士

Rev. A. P. Cullen

宋發祥夫人

周福全先生

費起鶴先生

孫玉祺先生

Mrs. M. S. Frame

倪逢吉女士

李榮芳先生

洪煨蓮先生

校長司徒雷登博士
President Stuart, D. D.

副校長彙代理校長
吳雷川先生
Mr. Wu Lei-Chuan
Vice-President and Acting-Prsident

代理校長
高厚德博士
H. S. Galt, Ed. D.
Co-acting President

女校校務主任
費賓聞臣博士
Mrs. M. S. Frame, B. D., Litt. D.
Dean, Women's College

大學院教務委員會主席
兼本科教務委員會主席
徐淑希博士
Shuhsi Hsu, Ph. D.
*Chairman, Commission on
Studies & Graduate Studies.*

宗教學院院長李榮芳博士
J. F. Li, M. A., Th. D.
Dean of the School of Religion

校長辦公處總務主任全紹文先生
S. J. Chuan, B. A.
Assistant to the President

註冊部主任陳國梁碩士
K. L. Ch'en, M. A.
Registrar

男生輔導委員會主席陳在新博士
T. H. Ch'en, Ph. D.
Chairman, Commission on
Men Student's Welfare

圖書館代理主任田洪都先生
H. T. T'ien, B. A.
Acting Librarian

會計處副主任蔡一諤先生
S. I. O. Ts'ai, B. A.
Assistant Treasurer

庶務處主任全希賢先生
H. H. Chuan
Business Manager

醫務處主任李術仁大夫
B. L. L. Learmonth, M. D.
University Medical Officer

女附中校監陳克明碩士
Miss K. M. Ch'en, M. A.
Director, Girls Senior
Middle School

女附中主任梁李銘忠夫人
Mrs. Norman Liang, B. A., B. D.
Principal, Girls Senior
Middle School

男校體育主任熊大綸先生
T. L. Hsiung, B. S.
Athletic Director,
Men's College

女校體育主任陳彥融女士
Miss Y. J. Ch'en
Physical Director,
Women's College

女校校務主任辦公處助理李瑾女士
Miss Li Kuan, B. A.
Assistant, Dean's office

教務處書記潘恩施女士
Miss B. P. Barnes, B. A.
Secretary, Dean's office

校長辦公處書記胡永華先生
Y. H. Hu
Secretary, President's office

註冊部助理劉偉民先生
W. M. Liu
Assistant, Registrar's office

會計處助理王漢章先生
H. C. Wang
Assistant, Treasurer's office

男生輔導委員會助理黃麟閣先生
L. K. Huang
Assistant, Comimssion on Men Student's Welfare

General Faculty Executive Committee
大學執行委員會

Commission on Men Student's Welfare
男生輔導委員會

會計處 Staff of the Treasury

文牘處 Secretarial Bureau

Business Staff
庶務處

Library Staff
圖書館

Medical Staff
醫務處

教務

心理學系主任陸志韋博士
C. W. Luh, Ph. D.
Chairman, Department
of Psychology

生物學系主任胡經甫博士
C. F. Wu, M.A., Ph. D.
Chairman, Department
of Biology

地理地質學系主任達偉德碩士
W. W. Davis, M. S.
Chairman, Department
of Geography and Geology.

化學系主任韋爾巽博士
S.D. Wilson. A.B., A.M., Ph.D.
Chairman, Department
of Chemistry.

農學系主任劉和博士
H. H. Lew, Ph. D.
Chairman, Department of
Agriculture

家政學系主任劉何靜安碩士
Mrs. H. H. Lew, M. S.
Chairman, Department of
Home Economics

製革學系主任張銓先生
P. C. Chang, B. S.
Chairman, Department
of Leather Tanning

天算學系主任陳在新博士
T. H. Ch'en, M. A., Ph. D.
Chairman, Department of
Mathematics and Astronomy

歐洲語學系主任吳路義博士
L. E. Wolferz, Ph. D.
Chairman, Department
of European Language

國文學系主任馬鑑碩士
K. Ma, M. A.
Chairman, Department
of Chinese

政治學系主任徐淑希博士
S. Hsu, Ph. D.
Chairman, Department
of Political Science

社會學系主任許仕廉博士
L. S. Hsu, M. A., Ph. D., LL. B.
Chairman, Department
of Sociology.

教育學系主任高厚德博士
H. S. Galt, Ed. D.
Chairman, Department of Education.

經濟學系主任李炳華碩士
B. H. Li, M. A.
Chairman, Department of Economics.

哲學系主任徐寶謙碩士
P. C. Hsu, M. A.
Chairman, Department of Philosophy

音樂學系主任蘇德路女士
Miss R. S. Stahl, B. M.
Chairman, Department of Music

生物學系教授博愛理博士
Miss A.M. Boring, M.A., Ph. D.
Professor, Department
of Biology

生物學系教授李汝祺博士
J. C. Li, Ph. D.
Assistant Prof., Department
of Biology

生物學系教師盧開運先生
P. K. Y. Lu, B. A.
Instructor, Department
of Biology

生物學系教師陳子英碩士
T. Y. Chen, M. A.
Instructor, Department
of Biology

生物學系助理徐蔭祺先生
Y. C. Hsu, B. S.
Graduate Assistant, Department
of Biology

生物學系助理劉承紹先生
C. C. Liu, B. S.
Graduate Assistant, Department
of Biology

生物學系教授倪登博士
J. G. Needham, Ph.D., Litt. D.
Professor, Department
of Biology

心理學系教授劉廷芳博士
T. T. Lew, B.D., Ph.D.
Professor, Department of
Psychology

心理學系教授夏仁德碩士
R. C. Sailor, M. A.
Assistant Prof., Department of
Psychology

化學系教師曹敬盤先生
C. P. Ts'ao, B. A.
Instructor, Department of
Chemistry

化學系助理葛啟麟先生
C. L. Ko, B. S.
Graduate Assistant, Department
of Chemistry

化學系教師王贊卿先生
T. C. Wang, B. S.
Instructor, Department of
Chemistry

物理學系教授謝銘玉博士
Y. M. Hsieh, M. A., Ph. D.
Assistant Prof., Department
of Physics.

化學系助理王譽傅先生
Y. C. Wang, B. S.
Graduate Assistant, Department
of Chemistry

天算學系教授孫榮博士
J. Sun, M. A., M. S., Ph. D.
Associate Prof., Department of
Mathematics and Astronomy

物理學系助理吳敬寰先生
C. H. Wu, B. S.
Graduate Assistant, Department
of Physics

農學系教師于振周先生
C. C. Yü, B. A., B. S.
Instructor, Department
of Agriculture

農學系助理姜嘉長先生
I. C. Chiang, B. S.
Graduate Assistant, Department
of Agriculture

農學系助理沈壽銓先生
S. T. Shen, B. S.
Graduate Assistant, Department of Agriculture

農學系助理范華翌先生
I. H. Fan, B. S.
Graduate Assistant, Department of Agriculture

家政學系教師顧樂瑞女士
Miss L. Gooding, B. S.
Instructor, Department of Home Economics

農學系助理姜允長先生
Y. C. Chiang, B. A.
Graduate Assistant, Department of Agriculture

國文學系教授吳雷川先生
L. C. Wu
Professor, Department of Chinese

製革學系助理韓宗明先生
T. M. Han
Assistant, Department of Leather Tanning.

國文學系教授周作人先生
T. J. Chow
Associate Prof., Department of Chinese

國文學系教授黃子通博士
L. T. Hwang, M. A., Ph. D.
Associate Prof., Department of Chinese

國文學系教授郭紹虞先生
S. Y. Kuo
Assistant Prof., Department of Chinese

國文學系教授容庚先生
K. Jung
Associate Prof., Department of Chinese

國文學系講師蘇民生先生
M. S. Su
Lecturer, Department of Chinese

國文學系教授沈士遠先生
S. Y. Shen
Associate Prof., Department of Chinese

國文學系講師沈尹默先生
Y. M. Shen
Lecturer, Department
of Chinese

國文學系講師熊佛西碩士
F. H. Hsiung M. A.
Lecturer, Department
of Chinese

國文學系教師謝婉瑩碩士
Miss M. W. Y. Hsieh, M. A.
Instructor, Department
of Chinese

國文學系講師黎錦熙先生
Li Jŭn-shi
Lecturer, Department
of Chinese

國文學系講師楊遇夫先生
Y. F. Yang
Lecturer, Department
of Chinese

國文學系講師俞平伯先生
P. P. Yu
Lecturer, Department
of Chinese

英文學系教師劉兆慧碩士
G. R. Loehr, M. A.
Instructor, Department
of English

國文學系講師劉盼遂先生
P. S. Liu
Lecturer, Department
of Chinese

英文學系教師桑美德女士
Miss M. B. Speer, B. A.
Instructor, Department
of English

英文學系教師畢施恩碩士
T. A. Bisson, M. A.
Instructor, Department
of English

社會學系教師倪逢吉碩士
Miss V. K. Nyi, M. A.
Instructor, Department
of Sociology

英文學系教師史威爾碩士
M. S. Stewart, M. A.
Instructor, Department
of English

政治學系講師刁敏謙博士
M. T. Z. Tyau, L.L.D.
Lecturer, Department of
Political Science

政治學系講師潘昌煦先生
C. Y. Pan
Lecturer, Department
of Political Science

政治學系教授郭閎疇先生
M. Y. K. Kuo, L.L.B.
Associate Prof., Department
of Political Science

政治學系講師呂復先生
F. Lü
Lecturer, Department of
Political Science

歷史學系教授王桐齡碩士
T. L. Wang, M.A.
Professor, Department
of History

政治學系助理龍鸄先生
C. Lung, B.A.
Graduate Assistant, Department of Political Science

歷史學系教授陳垣先生
Y. Ch'en.
Associate Prof., Department of History

歷史學系教授費賓閆臣夫人
Mrs. M. S. Frame, B. D., D. L.
Associate Prof., Department of History

歷史學系講師張星烺先生
H. L. Chang, M. S.
Lecturer, Department of History

歷史學系教授洪煨蓮先生
W. Hung, M. A., S. T. B.
Associate Prof., Department of History

歷史學系教師孟世傑先生
S. C. Meng
Instructor, Department of History

歷史學系教師慶美鑫碩士
Miss M. L. Cheney, M. A.
Instructor, Department of History

歷史學系教師李瑞德先生
R. H. Ritter. B. A., B. D.
Instructor, Department of History

歷史學系助理李崇惠先生
C. H. Li, B. A.
Graduate Assistant, Department of History

經濟學系教授王建祖博士
C. T. Wang, Ph. B., Litt. D.
Associate Prof., Department of Economics.

經濟學系助理殷錫祺先生
H. C. Yin, B. A.
Graduate Assistant, Department of Economics.

經濟學系講師宗植心先生
C. H. Tsung,
Lecturer, Department of Economics

物理學系助理魏培修先生
P. H. Wei, B. S.
Graduate Assistant, Department of Physics.

教育學系教授周學章博士
H. H. C. Chow, M. A., Ph. D.
Associate Prof., Department
of Education

教育學系教授王素意博士
Miss S. Wang, M. A., Ph. D.
Assistant Prof., Department
of Education

教育學系教師陳明克女士
Miss K. M. Ch'en, M. A.
Instructor, Department
of Education

教育學系教授博晨光博士
L. C. Porter, M. A., D.D., L.H.D.
Professor, Department
of Philosophy

哲學系教授馮友蘭博士
Y. L. Fung, Ph. D.
Associate Prof., Department
of Philosophy

宗教學院教授趙紫宸博士
T. C. Chao, M.A., B.D., Litt. D.
Professor, School
of Religion

宗教學院教授誠賈怡博士
A.C.Y. Cheng, S.T.M., Ph. D.
Assistant Prof.,
School of Religion

宗教學院教授許地山碩士
T. S. Hsu, M. A., B. D., B. Litt.
Assistant Prof.,
School of Religion

大學教務委員會
Commission on Graduate Studies

本科教務委員會
Commission on Studies

註冊部
Staff of the Registrar Oifce

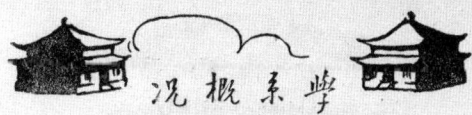

宗教學院
School of Religion

```
J. F. Li 李榮芳, M.A., Th.D.............Dean and Associate Professor
T. C. Chao 趙紫宸, M.A., B.D., D.Litt....Professor
T. T. Lew 劉廷芳, B.D., Ph.D. (休假)....Professor
T. M. Barker 柏基根, M.A................Associate Professor
William Hung 洪煨蓮, M.A., S.T.B.......Associate Professor
Philip de Vargas 王克私, Ph.D...........Associate Professor
A. C. Y. Cheng 誠質怡, S.T.M., Ph.D.....Assistant Professor
T. S. Hsu 許地山, M.A., B.D., B.Litt.....Assistant Professor
   (Oxon.)
B. M. Wiant 范天祥, B.A................Instructor
Miss M. Wood 伍女士....................Instructor
```

本學院建設底目的約有四端

一 為養成國內基督教會底服務者，使具高深學識能勝佈教之任。
二 為造就基督教底文字宣傳人才，使他們具有高尚的思想，在學術界上能有相當的供獻。
三 為培植宗教教育家，使他們能以最新穎的學理實施於教育方面。
四 為訓練社會服務者，使他們能在男女青年會或其他宗教的社會服務團體內堪任一切關於社會公益底事業。

生 物 學 系
Department of Biology.

Chenfu F. Wu 胡經甫, M. A., Ph. D..........Associate Professor & Chairman
Miss Alice M. Boring 博愛理, M. A., Ph. D. ..Professor
J. C. Li 李汝祺, Ph. D....................Assistant Professor
T. Y. Chen 陳子英, M. A. (on leave).........Instructor
Paul K. Y. Lu 盧開漑, B. A................Instructor
Mrs. J. C. Li 李江先聚, B. A..............,.....Instructor
Y. C. Hsu 徐蔭祺, B. S...................Graduate Assistant
C. C. Liu 劉承詔, B. S....................Graduate Assistant
James G. Needham 倪登, Ph. D., Litt. D.....Professor of Entomology,
  Cornell University, Honorary Lecturer 1927-28.

  From 1917 to 1920 courses in Biology were taught by one instructor at Kw'ei Chia Ch'ang and from 1920 to 1925 courses were offered by two to three instructors separately at Kw'ei Chia Ch'ang and T'ung Fu in the City. In 1925 the pre-medical instruction of the Peking Union Medical College was transferred to Yenching University, the Department of Biology was formally organized, and courses in Biology were given in the Lockhart Hall, P. U. M. C. During the next year the University was moved out to its present site at Haitien and the Department has since occupied the whole second floor of the Biology-Physics Building. The following table shows the rapid growth of the Department since it was organized in 1925.

	Annual Budget	Number of staff	Number of courses	Number of students	Number of semester hours
1925-26	$10188.00	4	11	67	266
1926-27	$11778.00	5	17	143	419
1927-28	$14598.00	7	19	181	664

實驗一：有脊椎動物解剖

試驗二：普通生物試驗

試驗三：有脊椎動物解剖

試驗四：刺猬解剖

The functions of the Department are (1) to provide the necessary courses which are fundamental to the professional curricula in Medicine, Nursing, Leather Tanning and Home Economics; (2) to provide a general course and a sequence of courses which will fulfill the University requirements for the Bachelor's degrees in Arts and Science respectively; (3) to train students for teaching Biology science in middle schools; (4) to prepare students for graduate research work in Biology; and (5) to offer graduate work leading to the degree of Master of Arts, in order to train students to become instructors in colleges.

The Department is at present already under-staffed, over-crowded in space, and financially handicapped. It is being planned that in the near future when the Department will have more under-graduate students and when the Department will offer regular graduate work leading to the higher degrees, it will occupy a separate building by itself with a Departmental Museum and will have a larger annual budget for additional members on the staff and for more adequate library and laboratory facilities.

試驗五：有脊椎動物解剖

試驗六：蛙的研究

心理學系
Department of Psychology

C. W. Luh, 陸志韋, Ph. D........Professor and Chairman
R. C. Sailer, 夏仁德, M. A........Assistant professor

Early in the year 1927 Dr. Luh Chih Wei came to Yenching from The National Southeastern University of Nanking, where he had been Head of the Department of Psychology and widely known for his writings and translations. Very many people feel that he is the leading psychologist in China today, and his coming means that Yenching will be known for its work ia Psychology. Beginning next Fall, the Department will be housed in the east wing, upstairs, of the new recitation building. For its permanent quarters it will have a large laboratory, an office, a stock room and five small rooms for library, dark room, and place for individual experiment. At that time, Dr. T. T. Lew will return to Yenching as a member of the Department, though other duties will undoubtedly claim a share of his time.

Plans for the development of the Department have been printed, with schedule of courses, requirements and suggested curricula leading to the degree either of B. A. or B. S. It is neither expected nor desired that a large number of major students will be attracted to the Department, but the courses in General, Experimental and Social Psychology are proving popular for students whose main interest is along other lines. The elementary course in Experiment- a Psychology ranks as one of the required sciences, and laboratory equipment is being steadily collected. Books and Magazines are also growing in number, and it is hoped that before long they will be adequate to our needs.

試驗：視覺的第三度空間試驗

地理地質學系
Department of Geography & Geology

W. W. Davis, 達偉德, M. S.......Associate Professor, Chairman
G. B. Barbour, 巴爾博, M. A.....Associate Professor

地 質 試 驗

化學系
Department of Chemistry

Stanley D. Wilson, 韋爾遜, A. B., A. M., Ph. D. ..Professor and Chairman
E. O. Wilson, 衛爾通, A. B., B. S., S. M............Associate Professor
C. P. Ts'ao, 曹敬盤, B. A.........................Instructor
T. C. Wang 王贊卿, B. S..........................Instructor
C. Y. Hsueh, B. S., M. S.........................Instructor
C. L. Ko, 葛啓麟, B. S............................Graduate Assistant
L. S. Ts'ai, 蔡韶生 B. S..........................Graduate Assistant
Y. C. Wang, 王譽侔, B. S.........................Graduate Assistant
S. H. Jung, 戎志浩, B. S.........................Graduate Assistant

The Chemistry Department was organized when the University was founded by the union of its constituent institutions. While the University was located in Peking the department was housed in very inadequate quarters and had inadequate supplies and equipment. Even under these conditions the enrollment in the department was large. Upon removal to the new campus the department occupied beautiful new quarters provided especially for its needs. It was thought that room had been provided for all expansion which would take place for many years to come. But there has been such a demand for the courses offered that already our space is crowded.

The department gives a series of courses adapted to the needs of the students who wish to learn something of the science and its contribution to the problems of China. Other courses are planned for the student who intends to major in Chemistry. Still another program of courses in the department is intended for students who are majoring in Home Economics, Pre-nursing, Premedicine or Leather. In addition to the above undergraduate work the department offers several courses for which graduate credit is allowed. It is hoped to extend the amount of graduate work as rapidly as there is need for it. Already some students are doing research for the master's degree. At present the Department is in position to offer research work in Organic and Physical Chemistry and also in a variety of fields in Applied Chemistry. It is planned that the work in Applied Chemistry shall be on problems connected with industries here in China.

試驗一：有機化學試驗

試驗二：無機化學試驗

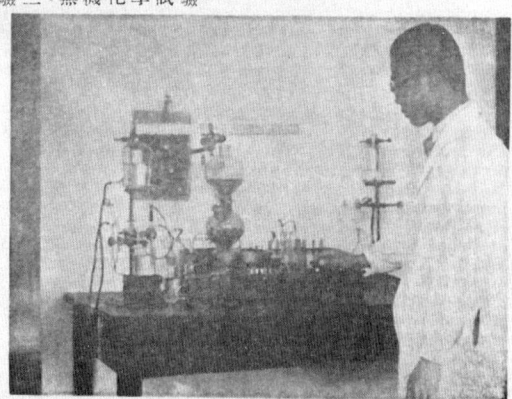
試驗三：電氣化學試驗

物理學系
Department of Physics

Paul A. Anderson 安德生, Ph. D.............Assistant Professor, Chairman.
Y. M. Hsieh 謝玉銘, M. A., Ph. D............Assistant Professor.
D. K. Yang 楊蓋卿, B. S., M.S...............Assistant Professor.
P. H. Wei 魏培俢, B. S......................Graduate Assistant.
C. H. Wu 吳敬襄, B. S......................Graduate Assistant.
C. Y. Meng, B.S...........................Graduate Assistant.
C. T. Wu, B. S............................Graduate Assistant.

After the amalgamation of the constituent college in 1917 to form the present University, the Department of Physics was organized and courses were given by two instructors separately at K'wei Chia Ch'ang and Tung Fu in Peking. Pending the removal of the University to the new site, the Department was housed in one of the temporary buildings with very inadequate supplies and equipment. In accordance with the agreement between Yenching University and the Peking Union Medical College the physics departments of these two institutions were united at the beginning of the academic year 1923 and Professor C. H. Corbett served as head of the department. From that time on courses in College Physics were conducted in Lockhart Hall of the Peking Union Medical College until the end of the year 1925-1926. Upon the removal to the new site, the department occupied half of the north science building equipped especially for its needs.

The instructional work in physics is directed toward the following ends: (1) the training of premedical and pre-engineering students for professional work; (2) the training of general students in scientific methods of work and in the understanding of the place of physical science in the modern world; (3) the training of teachers of physics; (4) the training of research workers in physics.

The plans of the Department for the future are directed toward the development of advanced work and graduate research. A definite beginning has been already made in this direction.

試驗一：光學試驗

試驗二　電學試驗

試驗三　高等物理試驗

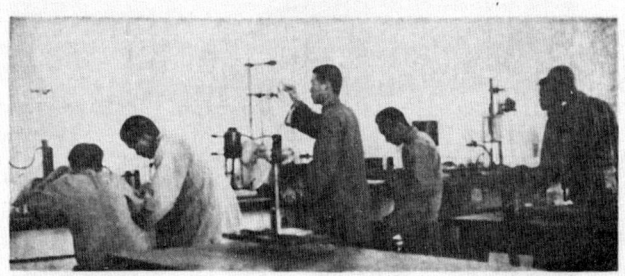

試驗四　熱學試驗

農學系
Department of Agriculture

```
Homer H. Lew, 劉 和, Ph. D.............Assistant Professor & Chairman
C. C. Yü 于振周, B.A., B.S.............Instructor
I. C. Chiang 姜蠡長, B.S..............Graduate Student Assistant
Y. C. Chiang 姜允長, B.A..............Graduate Student Assistant
I. H. Fan 范頤驊, B.S................Graduate Student Assistant
S. T. Shen 沈壽銓, B.S...............Graduate Student Assistant
C. F. Chou 周景福, M.S...............Honorary Lecturer
```

1. 組織：—
   (a) 大學部—造就農業專門人才，學生五人。
   (b) 專修科—造就農村領袖，學生二十五人。

2. 工作：分六部進行，如下：—
   (a) 田藝部—選擇土產品，介紹西洋種籽。
   (b) 園藝部—罐頭製造，養蜂，選擇與介紹蔬菜，花果品種
   (c) 畜牧部—交配試驗，飼養試驗。
   (d) 推廣部—贈送種籽，刊行燕大農訊，舉行農產展覽會，答覆農事之詢問。
   (e) 教務部—管理專修科之一切教務事宜。
   (f) 售品部—售賣本學系農場各種農產品。

3. 設備及經濟：本學系各種產業，約值洋十萬元。試驗場共八十畝，旱地共一千七百三十畝，水地共十二畝，房屋共百餘間，現時尚須大宗款項，以便從事發展。

家 政 學 系
Department of Home Economics

Mrs. H. H. Lew 劉何靜安, M. S. .... Instructor and Chairman
Miss L. Gooding 顧樂恩, B. S. .... Instructor
Miss C. Mills 宓樂施, B. S. (休假) .... Instructor

  美國歐瑞岡農業大學家政科科長梅蘭女士，于一九二二年，偕其高足宓樂施女士來華遊歷，並調查中國家庭狀況。據女士觀察，中國家庭有必須改良之點甚多，而着手改良，尤須先培養有相當家政學識之人才，故乃殫思竭力，在本校創辦本學系。迨後女士返國，留宓女士繼主其事。是時學生主修本學系課程者，凡十有餘人。

  中國家庭制度與一切習俗，均與美邦相異；若以適宜於美邦之家政學識，盡量施諸中國，則又未免違反國情。因是本學系于一九二六年秋，聘何靜安女士（劉和夫人）來校講授。女士為本校理科畢業生，又曾留學美國，專研究家政學。其所講授，一方採用美國家政學之原理，一方注重現代中國家庭狀況之考察，使兩者能互相調和，而建成一切合中國實用之家政學。故近年來，本學系之發展殊速，不唯女生選讀家政學者日見加增，而本年第二學期，男生選讀食物學者亦有十四人之多。

食物學班實習情形

本學系課程，分家庭管理，家庭科學，家庭美術三部。主修家庭科學者，在大學第一二年，須多讀自然科學；畢業時領受理學士學位。主修家庭美術或家庭管理者，在大學第一二年，須多讀社會科學；畢業時領受文學士學位。

關于家庭管理，本學系爲使學生得有實習之機會起見，特建築家事見習室一所。凡學生以家政學爲主修或副修者，於大學第四年級時，可在該見習室居住一學期，輪流分任主婦，傭僕，廚師，幫廚等職務，以資練習

本學系又以爲草木花卉之栽植，家禽家畜蜜蜂等之豢養，亦爲有管理家庭之責者所不可缺少之常識。因特商諸本大學農學系，於本年第二學期，開授農業一課。

家庭農業班接種洋蘋菓情形

本學系因限于教員之不敷支配，未能盡量擴充。下學年汝女士由美返校，而本校前畢業生陳意女士（現留美專習家政學）亦應本學系之請，將來校教授，則本學系在最近之將來，或有新的發展也。

本學系又擬於課程方面，增設關於製帽及大規模之飯廳管理法等課目。推廣事業，亦將着手進行。在本校附近之婦女工作，亦由本學系導助。至如京中各種婦女工作，本學系正謀與北京女青年會協商進行。

製革學系
Department of Leather Tanning

P. C. Chang 張銓 B. S. ....Instructor and Chairman
T. M. Han 韓宗明..................Instructor

據最近海關報告，我國每年出口之生皮，價值不下二千四百萬元；而入口之熟皮，則為一千五百萬元。年來人事遞進，恐猶不止此數。國人所用之皮革物品，如靴鞋手囊提袋衣箱等等，皆仿效西式，用革之數，日多一日。國中製革工廠，多拘守舊法，不知研究改良。其用新法製革之工廠已設立者，又為數無幾；以致出口之皮，皆係生料，而入口之皮，則盡熟貨。利益外溢，漏卮不少。本大學有鑒於此，又以國內各大學尚無製革專科之設，爰於民國十年創設本學系，聘請溫森德博士主持一切。於課程有專門製革學之教授担任，於實習則設備工廠及儀器，並與美國之著名革廠約定，不時派遣精明工師來校指導。慘淡經營，七載於玆，所造就製革人材，凡數十人；其出校後從事開設工廠經營皮革工業者，亦已有二十餘人。本學系今後更將努力，使國中此項人材之數目，有加無已，則於國家漏卮，或不無少補。

國文學系
Department of Chinese

Ma Kiam 馬鑑, M.A.		Associate Professor & Chairman
L. C. Wu 吳雷川		Professor
T. J. Chou 周作人		Associate Professor
L. T. Hwang 黃子通, M.A., Ph.D.	"	"
Jung Keng 容庚	"	"
S. Y. Shen 沈士遠	"	"
S. Y. Kuo 郭紹虞		Assistant Professor
F. H. Hsiung 熊佛西, M.A.		Lecturer
T. T. Hsu 徐祖正		"
Ku Ming 顧名		"
Li Jiin-shi 黎錦熙		"
P. S. Liu 劉盼遂		"
Y. M. Shen 沈尹默		"
M. S. Su 蕯民生		"
Y. F. Yang 楊遇夫		"
P. P. Yu 平俞伯		"
Miss M. W. Y. Hsieh 謝婉瑩, M.A.		Instructor

課程 本學系課程共分三類：(一)文學類；(二)文字學類；(三)學術思想類。共設課目三十二種；內有本科共同必修者四種；選修者二十四種；預科必修者三種。共分四十三班。每星期授課九十一小時。

學員 研究生一人，本科主修生十四人；內有將在本學年畢業者七人。本科一二年必修生二百六十人，二三四年選修生二百十五人，短期專修生八人，預科三十人，共五百二十八人。

教員 教授七人，講師九人（以授課時間平均計之，可比教授二人），助教一人，他系兼任教授二人。

將來之計畫 為畢業生多設高級專門課程，以資研究。本科共同必修課程，亦按文理科分別種類，以應各人之需要。其選修課程，則注重有系統之選習，以為專門研究之預備。並應推廣短期專修生學額，俾教會各中學現任國文教員得來校講習，以資深造。

天算學系
Department of Mathematics & Astronomy

T. H. Ch'en 陳在新, M.A., Ph. D. .... Professor & Chairman
Miss E. L. Konantz 寇恩慈, M. A .... (休假) Professor
Miss E. M. Hancock 韓懿德, B. S. .... Associate Professor
J. Sun 孫榮, M. A., M. S., Ph. D. ....   ,,   ,,

音樂學系
Department of Music

Miss R. S. Ttahl 蘇路德, B.M. .... Assistant Professor and Chairman
B. M. Wiant 范天祥, B. A .... Instructor

英文學系
Department of English

T. E. Breece 布多馬, M. A., B. S .... Associate Professor, Chairman
Miss G. M. Boynton 包貴思, M. A .... Associate Professor
L. W. Faucett 傅希德, M. A., Ph. D .... ,,   ,,
Edgar Bentley 卡齰嘉, M. A .... Assistant Professor
T. A. Bisson 畢範恩, M. A .... Instructor
Miss A. Cochran 柯密喜, M. A .... ,,
G. R. Loehr 劉兆慧, M. A .... ,,
Miss M. B. Speer 戅美德, B. A .... ,,
M. S. Stewart 史威爾, M. A .... ,,

During a discussion early in 1919 concerning electives for students of English, a temporary teacher said, "I think we ought to have one course in prose and one in poetry". Although the suggestion was not adopted, it represented almost the entire ability of the English Department to offer electives. At that time there was only one permanent teacher of English.

In those days the infant department had to be cared for by whatever nurses could be cajoled into service. Some of these were faculty wives, who generously, though often unwillingly, gave their time. Others were wives of foreign business men, impecunious travelers who wished to stay in Peking a little longer, hirelings whose own the infant was not. Some of these Anglo-Saxon lovers of liberty felt perfectly free to leave at a moment's notice. In such cases more of their kind had to be found to complete the work of the year.

But circumstances have changed. The University authorities are now able to support the Department in practice as well as in theory. During the present year twelve trained, full or part-time teachers have taught over two hundred semester hours of English. Moreover, in order to improve the kind and quality of the work, several members of the Department have been collaborating in the writing of textbooks for the Freshman and Sophomore classes.

The present is satisfying, and prospects for the future are bright. Courses offered and planned cover training in the understanding, speaking, and writing of English; the fields of English, American, and European literatures; the various types of literary writings; phonetics; and the training of teachers of English. Furthermore, courses leading to higher degrees have been outlined, and only await financial support that they may be offered for graduate students.

歐洲語學系
Department of European Languages

L. E. Wolferz 吳路義, Ph. D.............Associate Professor & Chairman
Ed. H. de Tscharner 常安爾, M. A........Instructor
Mrs. P. de Vargas 王克私夫人, Bacc. Lit...Honorary Assistant Professor

    The Department of European Languages was begun about the year 1917. From the beginning it has always ranked about midway in the list of departments arranged according to number of students. The prevailing interest has been for the study of French above that of German. The average number or students in any one year has been about seventy five. Most of our students are interested in French or German as an aid for further reading in their chosen subjects. Owing to the fact that as yet very little instruction in French of German is being offered in middle schools, very few of our students offer any credits in French or German at entrance. However, the time will come when most middle schools will offer courses in these languages. Then we will receive students prepared to do advanced work and we will also be in a position to train teachers of these languages for middle schools. We are encouraged at the growing number of those who are studying one or the other of these languages for their own sake and not merely as an aid to advanced reading in some other major subject.

    The staff of the Department has consisted of three members. We are very fortunate in an arrangement with a Swiss Committee who for some time have been sending us representatives on a three year term to help us. The present representative of the Swiss Committee is Mr. Ed. H. de Tscharner, whose term is drawing to a close and whom we regret very much to see leaving us. Mrs. Ph. de Vargas, herself a native French-Swiss, has offered her time as an honorary member of the Department for these many years. From these two sources our students have had close contact with French culture and the French people and have derived much added benefit from their class-room study of French.

    With the expansion of Yenching's various departments, especially in graduate study, we are finding an increased service requested of us in helping advanced students in these departments in their preparation for research reading. We look forward to an ever growing opportunity of contributing our share to the successful expansion and increased value of academic studies at Yenching.

社會學系
Deptartment of Sociology

L. S. Hsu 許仕廉, M.A., Ph. D., L. L. B. Associate Professor & Chairman
J. S. Burgess, 步濟時, M. A. .... Associate Professor
Miss J. Dickinson, 狄與恩, M. A. .... Assistant Professor
G. C. Ch'en, M. A. .... Lecturer
Miss V. K. Nyies 倪逢与, M. A. .... Instructor
T. C. Y. Chang, 張鏡予, B. A. .... Graduate Student Assistant

The Department of Sociology and Social Work, in coöperation with other social science departments in the University, has been trying to emphasize scientific studies of Chinese social conditions and social philosophy, to collect materials on Chinese sociology and to promote scientific study of social work. At the same time, efforts are being made to introduce systematically what the West can offer in the science of sociology and social ethics. We believe that a constructive social outlook, a thorough understanding of our own conditions and a sharpened technique of social study and social work will help fulfilling some fundamental needs in the present process of social reconstruction in China.

At present the Department has four full-time teachers and a number of part-time lecturers. The courses offered in the Department are divided into six groups, namely; I. Introductory Courses, II. Social Anthropology and Race Relations, III. Social Theory, IV. Social Problems, V. Social Work and Social Survey, and VI. Field Work. The work covers both undergraduate and graduate grade leading to (1) B. A. in sociology, (2) B. A. and Vocational Certificate in Social Work, (3) M. A. in sociology, (4) M. A. and Vocational Certificate in Social Work, and (5) Vocational Certificate in Social Work. In addition, there is a coöperative course with the School of Religion leading to B. D. and Vocational Certificate in Christian Social Work. There are also a Correspondence Reading Course leading to a certificate (in coöperation with the Women's College) and a One-year Short Course for Social and Religious Workers leading to a certificate (coöperating with the School of Religion).

Among the research projects under the direction and supervision of the Department, we may mention the population survey of Chengfu village (nearby the University), the crime survey in Peking, a sampling study of sex ratio in Chinese population, a church survey in Peking, a cost of living study of University-employees, an illiteracy survey in Ting-hsien (helping the Mass Education Association), a study of rural credit coöperation in China, a survey of charitable institutions in Peking, a diagnoses of 3000 medical social cases in P.U.M.C., social thought of Sun Yat-sen, social thought of Hsun Tzu, social thought of Han Fei-tzu, etc.

In addition, several foreign sociology books are being translated under the direction of the Department. Our field work this year covers industrial welfare work in Shanghai, social medical service with P.U.M.C., and correction work with the Government in Peking.

In regard to faculty research, Prof. Burgess is working on the *Chinese Guilds*. Dr. Newell is preparing jointly with Prof. E. A. Ross of Wisconsin on a book on *Sex Sociology*. Dr. Leonard Hsu has just completed his study of *Social and Political Philosophy of the Confucian School*, and the book will be published in London. His monograph on the *Population Problem in China* will be published by the Commercial Press. Prof. Hsu Ti-shan is organizing an anthropological expedition to Fukien to study the social condition of the Min aborigines there.

The second volume of the *Sociological World* has gone to the press. The *Sociological World*, an annual journal in Chinese, devoted to Chinese social thought and social problems, is at present the only scientific journal in sociology published in China.

With reference to the future program of the Department, as soon as financially possible, the Department will try (1) to develop a stronger graduate course both in theoretical sociology and in social work, (2) to launch a program in rural sociology, and (3) to build up a research library in sociology.

政治學系
Department of Political Science

Shuhsi Hsü 徐淑希 Ph.D............Associate Professor & Chairman
M. Y. K. Kuo, 郭関暘, L. L. B.....Associate Professor
F. K. Chen 陳復光.................Assistant Professor
M. T. Z. Tyau 刁敏謙, L. L. D......Lecturer
C. Y. Pan 潘昌煦...................   ,,
F. Lü 呂復........................   ,,
J. C. Ch'ing 痛汝楳, B. A.........Graduate Student Assistant
Lung Chien 龍驤.................. ,,   ,,   ,,

The Department of Political Science is the youngest of the University Departments, being just in its third year of existence. It is the second largest department in point of major undergraduates and the largest in point of postgraduates. Since its establishment it has been financed mainly by an organization of the alumni of Princeton University.

It has at present on its staff Doctor Shuhsi Hsü, Judge Y. K. Kuo, Mr. Lü Fu, Judge Pan Chang hsü, Mr. L. R. O. Bevan and Doctor M. T. Z. Tyau, some as full-time professors and some as part-time lecturers. It is hoped that Professor E. S. Corwin, Chairman of the Department of Political Science, Princeton University, will join the Department as Visiting Professor next fall.

The object of the Department is three-fold:
1. To train citizens.
2. To train government experts in various lines—civil, diplomatic and judicial.
3. To train leaders in both the national and international spheres.

Just now it offers courses leading to the degrees of B. A. and M. A., and emphasizes three subjects: Chinese Government, International Law and Diplomacy, and Chinese Civil Law.

歷 史 學 系
Department of History

H. E. Shadick, 謝迪克, B. A. .... Instructor and Acting Chairman
T. L. Wang 王桐齡, M. A. .... Professor
Ch'en Yuan 陳垣 .... Associate Professor
Mrs. M. S. Frame 費賓閏臣, B. D., D. Litt..   ,,   ,,
William Hung, 洪煨蓮, M. A., S. T. B.....   ,,   ,,
H. L. Chang 張星烺, M. S. .... Lecturer
Miss M. L Cheney 慶美麗, M. A. .... Instructor
S. C. Meng 孟世傑 ....   ,,
R. H. Ritter 李瑞德, B. A., B. D. ....   ,,
C. H. Li 李榮芳, B. A .... Graduate Student Assistant
T. T. Chang 張天澤, B. A ....   ,,   ,,   ,,

The Department of History aims to provide courses which will give students of all departments an opportunity of obtaining a general introduction to History, Western and Chinese. Beyond this the Department offers major courses such that undergraduates may specialize either in Chinese History or Western History. Since many students who major in History become teachers emphasis is laid on methods of teaching History.

Advanced work for graduates includes training in the methods of historical research. The field of Chinese History is peculiarly rich and virgin soil for research and Yenching University should take its share in the work of applying modern critical methods to the vast store of available material.

Some considerable amount of work has already been done in a study of the historical remains on the university campus. Excavations have been made and some of the discoveries are mounted and on view in the university library. Members of the Department are serving on the advisory committee of the Peking National Historical Museum.

An important feature of the Department is the international character of the staff. At present it includes Chinese, Americans, one Swiss, and one Englishman. It is hoped that in the future representatives of other nations may be added, and contribute to a broad, sympathetic, and impartial spirit.

經濟學系
Department of Economics

B. H. Li 李炳華, M. A............Assistant Professor & Chairman
J. B. Tayer 戴樂仁, M. S.........Professor
C. T. Wang 王建祖, Ph. B., Litt D...Associate Professor
C. H. Tsung 宗植心 ....Lecturer
Mrs. H. E. Shadick 謝迪克夫人 ....Instructor
H. T. Ti 邸昕庭 ....Instructor
Miss A. Wagner, 文國鸞 B. A. ....Instructor
H. C. Yin, 殷錫祺, B. A. ....Graduate Student Assistant

Economics did not receive a great deal of attention in the Colleges which united to form Yenching. When the university was constituted, the department began with only one teacher. This was Mr. J. B. Tayler, and when he left on furlough after one session's teaching, no one was appointed to act as a substitute! Fortunately, however, the popularity of the subject with Chinese students, and its importance in the training of citizens, has led to steady expansion. Mr. B. H. Li, the present chairman, joined in 1922 and has rendered continuous service ever since except for the session 1925-6 which was devoted to advanced study in America and England. Since Mr. Li's coming we have been fortunate in receiving help from many quarters and during the present session there are three whole time and six part time teachers.

The growth of the department was slow at first. In 1922-3 there were only four seniors majoring in economics. Two years later this number had doubled, but in the present session it has jumped to 22. The total number of majors last session was 62 against 72 this. This is the largest number of majors in any department in the university. A similar expansion is seen in the number of credits offered which has risen from 50 last year to 73 this.

The department was one of the first to admit graduate students and plans are now being made for research and advanced study that will greatly increase the value of the department for students going on to higher studies.

For the last three years the Business Training course which started as an independent unit has been an integral part of the department. It is hoped to further staff this branch to provide for economic history as two of the next steps in development.

教育學系
Department of Education

H. S. Galt 高厚德, Ed. D. ....Professor & Chairman
H. H. C. Chou 周學章, M. A., Ph. D..........Associate Professor
Miss Sui Wang 王素意, M. A., Ph. D..........Associate Professor
Miss K. M. Chen 陳克明, M. A................Instructor

The Department of Education has, for its purpose, the professional training of students in Yenching who expect to undertake educational work.

Like other departments in Yenching, the Department of Education has grown from a small beginning. In 1918 there was only one member of the department and he gave some of his time to teaching in mathematics and sociology.

Gradually other teachers were added to the department so that in 1925 there were six members—four men and two women.

Since that year, through absence or withdrawal of members, the staff has been reduced until at the present, it has only four members of whom two are men and two are women. It is the expectation that new members will soon be added to the staff and that it will become numerically stronger than at any time heretofore.

兒童學校

幼 稚 園

The members of the department recognize that their work is much weakened by the absence of training schools for the practice and observations of students in the department. From the beginning it has been the purpose of the department to provide these schools, but in the nature of the case it was impossible to establish these on the temporary premises in Peking. When the University moved to the present site there were contingencies which interfered with the establishment of these training schools and the department is conscious of this serious lack, but efforts are being made to supply the need as soon as possible.

Recent statistics show that about 40% of the graduates of Yenching enter some form of educational work. Education is not only a difficult art but has become a very involved science and the members of the department believe that all students who expect to enter educational work should seek some form of professional training. Just as lawyers and physicians do not enter upon their tasks without professional training so the department of education maintains that educators should seek special preparation. This preparation the department hopes to provide more and more efficiently.

Howard S. Galt,
Chairman.

哲 學 系
Department of Philosophy

P. C. Hsu 徐寶謙, M. A..................Associate Professor & Chairman
L. C. Porter 博晨光, M. A., D.D., L H. D.....Professor
Y. L. Fung 馮友蘭, Ph. D..................Associate Professor

    In 1918-19 the first year of the reorganized Peking University, which is now named Yenching University, the studies in philosophy were linked with those in psychology as a department of Psychology and Philosophy. There was one teacher only, Mr. Lucius C. Porter, and but few courses could be given. However, one course in the department, "The Philosopher's Compass", an introduction to the problems of philosophy, was required of every student in the sophomore year. Thus the department came in touch with all the students in the university. The other courses offered were general and advanced psychology, history of western philosophy, ethics and logic. In 1920 Dr. Timothy Lew joined the department and took over the work in psychology. Dr. Lew added to the courses in psychology, especially in the field of educational psychology. Some of the best students in the university in the years from 1920-22 were in the courses of the joint department. The department assisted in the inaugurating of postgraduate studies. The first M. A. degree of Yenching University was given to Mr. Ch'u Shih-ying 1922 for work in philosophy. In 1922 Dr. Lew became head of the joint department. Mr. Porter left for two years in America. Provision for the courses in philosophy was made by securing help from Rev. J. C. Keyte, while Mr. T. C. Van assisted in psychology. Rev. T. M. Barker joined the university at this time and took over work in philosophy in addition to other teaching. In 1924 the university council decided to establish psychology as an independent department, with Dr. Lew as its head. Mr. Porter was appointed head of the department of philosophy. By cooperation with the School of Religion a wider variety of courses was offered, especially in the field of the philosophies of oriental peoples. The required course in philosophy had been discontinued, and the number of students in philosophy was not large. In the year 1925-26 Mr. P. C. Hsü, who had been takng classes in the school of religion, took over two classes in the department of philosophy. Mr. Barker took courses in ethics and in intensive study of phases of Greek philosophy. Mr. R. M. Bartlett taught a course in contemporary western philosophers. Mr. T. C. Van took a course in logic. Dr. Y. L. Fung joined the university staff at this time and offered courses in Chinese philosophy and in comparative philosophy. In 1926-27 Mr. P. C. Hsü became secretary of the department and the next year was appointed chairman. Dr. Fung and Mr. Porter are the other full-time members of the department. Mr. Barker continues to give courses in philosophy as his other work permits. Dr. L. T. Huang also gives courses in the department. The department is particularly fortunate in having this generous assistance from the members of other departments. By their help a wider variety of courses can be offered while the work of the department is related to that of other phases of the university work. Members of the department also assist in taking classes to help out other departments and other sections of the university intellectual life.

While the department has not had, in recent years, any large number of students there has been a group of earnest students constantly at work, and a regular succession of major and graduate students. The staff of the department works on in confidence that it fills a useful function in the university and that eventually a larger number of the thoughtful students will realize the necessity for that intensive and comprehensive study of human problems which philosophy offers.

顧敦鍒　江蘇
杭州之江大學文學士
政治學

葉鵬年　廣東
蘇州東吳大學文學士
社會學

張鋑予　浙江
上海滬江大學文學士
社會學

李炎玲　廣東
國學

何琦　浙江
生物學

葉新　江西
教育學

秦振興 直隷
經濟學

房福安 湖北
社會學

方兆檀 直隷
數學

醫學預科

魏淑貞　江蘇

徐星鑾　江蘇　　司徒展　廣東

范日新 河南

黄克維 江西   周壽愷 福建

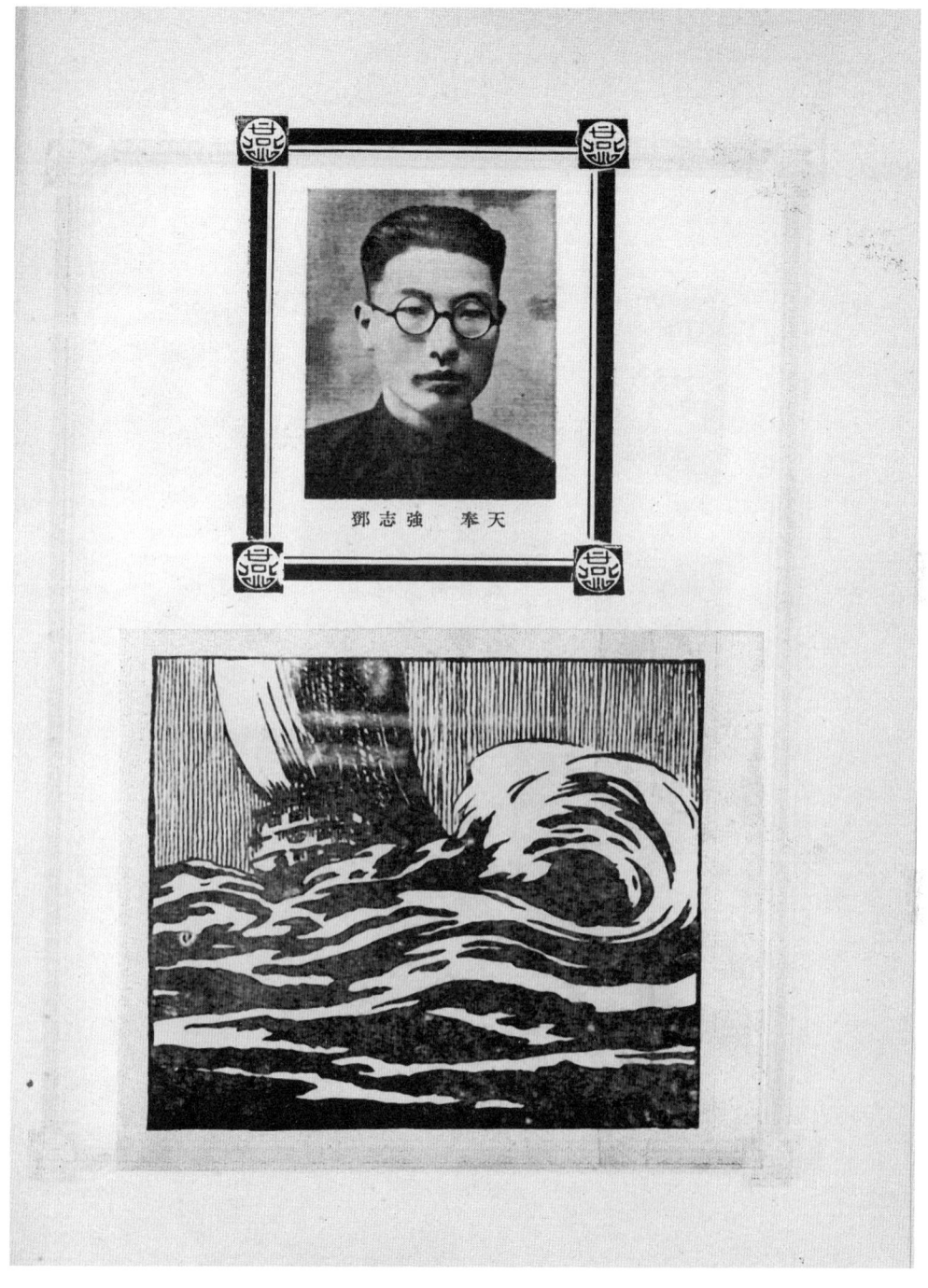

鄧志強 奉天

燕大年刊一九二八

專修科

高尙仁 京兆
敎育

陳雅信 奉天
敎育

王世儒 奉天
敎育

徐廷麟 直隸
敎育

張起潭 福建
敎育

萬嗣康 福建
敎育

李天庭 山東
製革

農學速成科

宗教事業與社會服務科

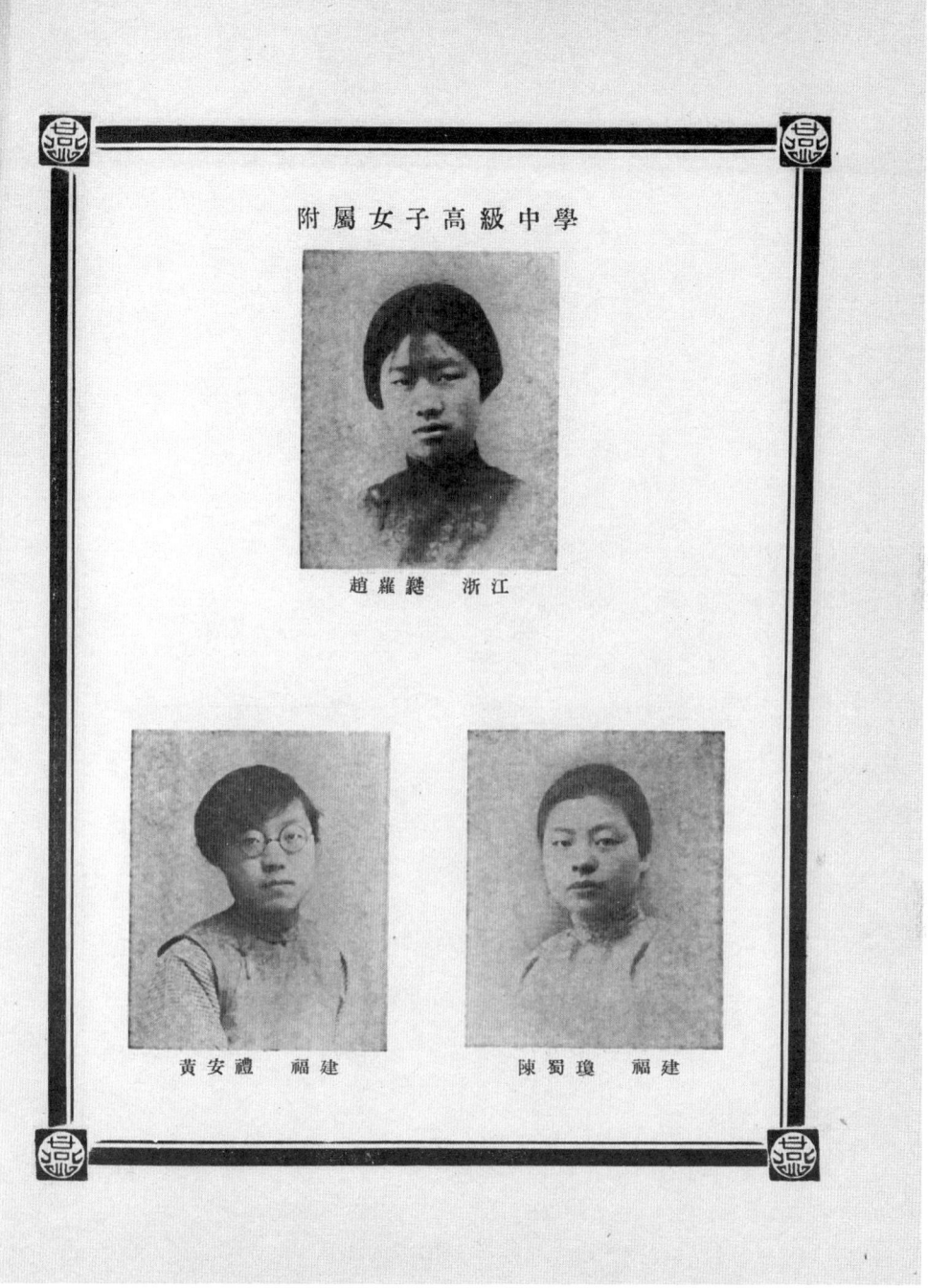

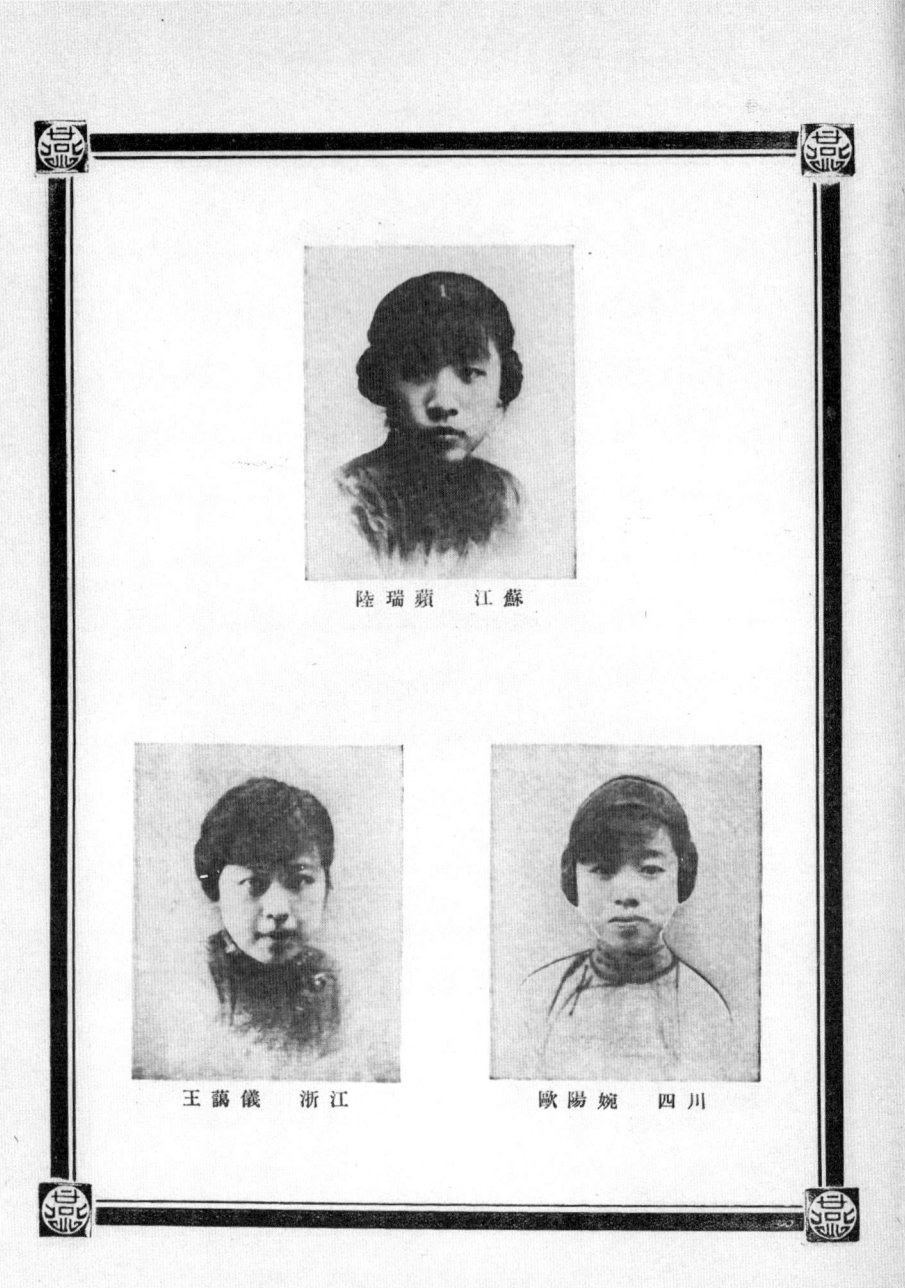

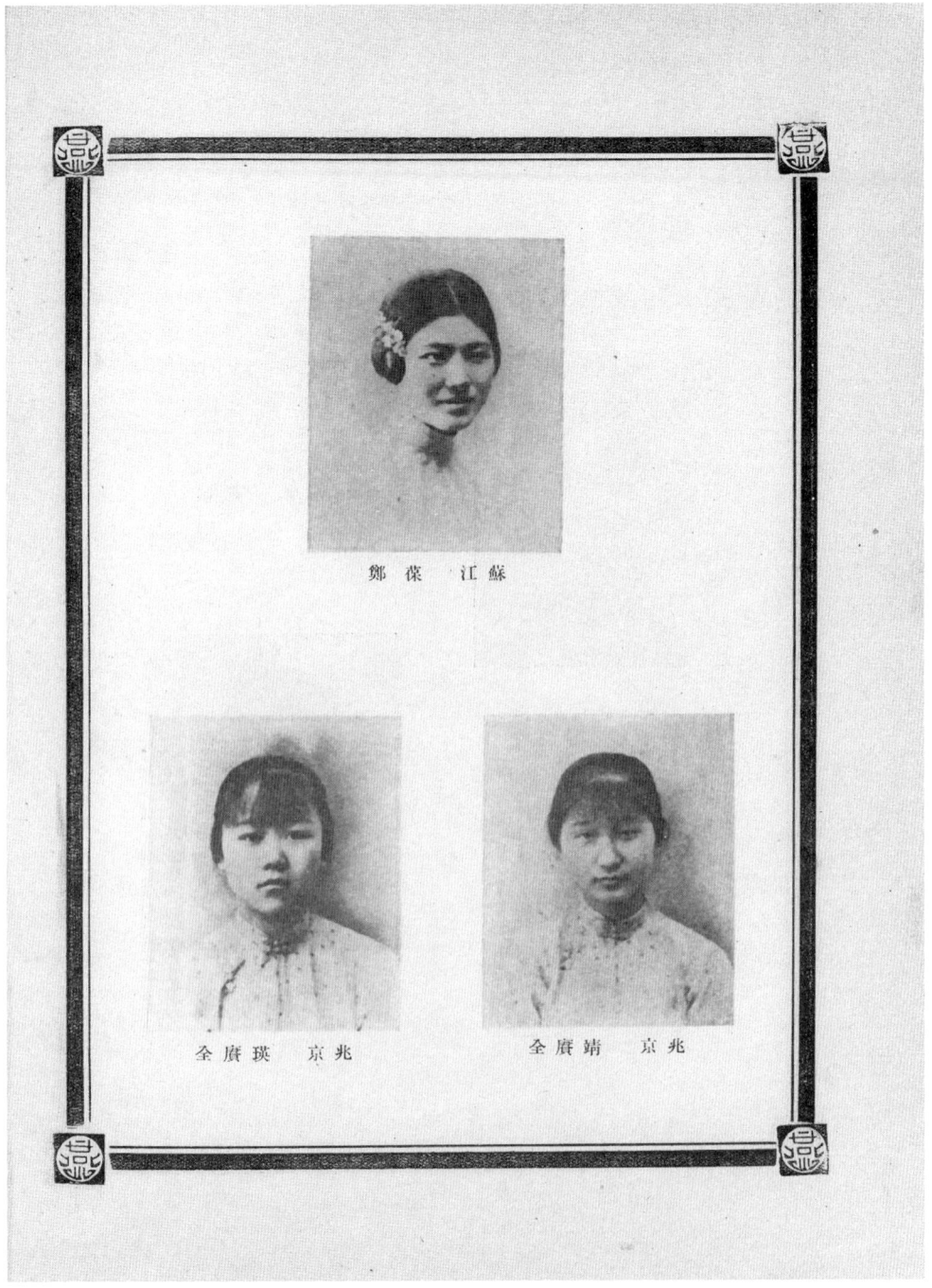

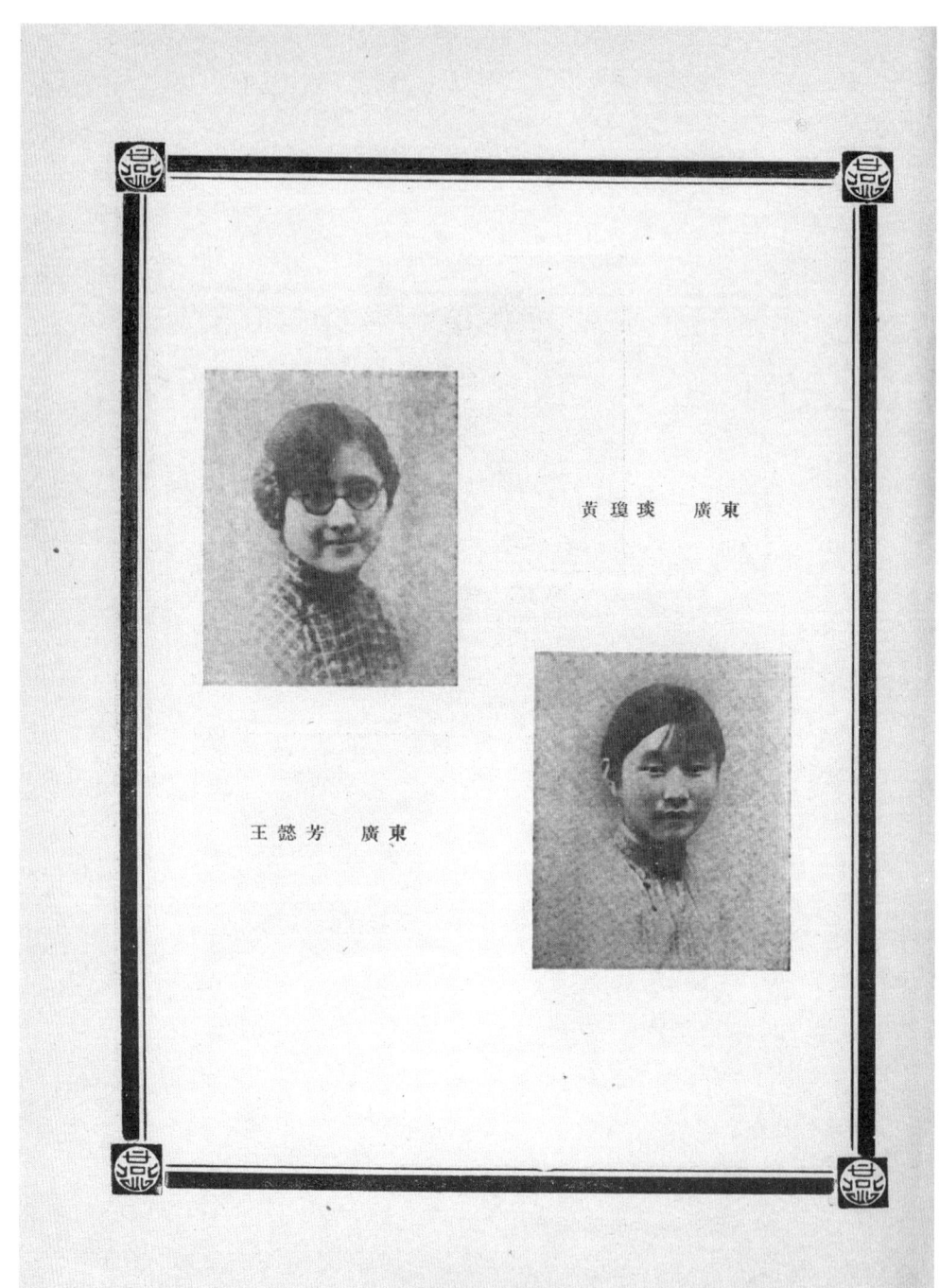

大學院同學會

本同學會於十六年秋成立。蓋欲參加全校同學之團體活動,及促請學校正式組織大學院而設也。現有會員四十公八人,今年面待碩士學位者七人。

一九二八級

級訓：敬業樂群

我校男女同學合作，實自本級始。今日必修科目逐漸減少，本級於十四年畢業時，稍似舊年當年熱血也。力爭最先。三一八，我級魏士毅女士殉於難，碧草豐碑，至今悲思！

一九二九級

級訓： 努力

本級於十四年秋季誕生。聚凡校內一切活動,同人等無不踴躍參加;欲益養成合作精神,留作他年服務社會之資也。

一九三零級　級訓：創造與奮鬥

本級之有歷史，自十五年秋季始十六年全年全級同學通過新班憲法依選委員
則組織共同級會，開本校男女同學級會合組之先河。

一九三一級級訓：前進

去年秋本級本級護生,級會亦同時成立。北宗旨宗旨在聯絡友誼,砥礪學行,發揚吾人合作與團結之精神。本學期曾開化裝交誼大會,本校來之前有也。

一九三三級

一九二九級醫預科

協和醫學預科歸併本大學辦理之議,醞釀已久,且漸有實現;惟本大學正式接收,則自本班始. 考協和醫學預科,成立十餘載,成績斐然;嗣以培植醫學人才,須並重自然科學與社會科學,而該校素無社會科學之設,因是乃有本大學醫預科之產生。

本班男女人數凡十,黃河,長江,珠江三流域,兼而有之 班友多融洽:男女無閒隔, 上課前,談笑風生,一羣野鴨也;聽講期,鴉雀無聲,一堆木偶也;試驗時,心目手足,不稍暇息,則復為有智慧之機械也, 試驗室之工作,幾將全部生活佔去,為苦為樂,本班同學亦莫能答

本班之秉賦,為屬空前,故將來對於社會之貢獻,自當更大;此本班同學所以於今日尤不敢不競競互相勉勵,以無負厚我儕者焉。

教育專修科
小 史

我班男女同學各居其半,雖只十人,而來自五省;揆之實情,恰如兩手十指之相關。籍貫不同,方言各異。南腔北調,興趣時生。

到校甫兩週,即組織班會。於學業則切磋磨琢,以相互砥礪。於感情則盡事聯絡,以敦厚友誼。熙熙焉,攘攘焉,終朝聚首,[不知老之將至]云爾!

我班班旗,取黃白二色,含[熱心教育,潔身自守]之意。以[研究與啟發]作班訓,為我等在教育上之目標。

溯自來校,瞬息修業滿期;時勢所迫,行將各自東西 期年同窗,一旦分袂;依依之情,是所同具。惟願各秉所學,以啟迪中國少年為已任,庶不負當日襟懷,與師友之厚望焉. 萬里鵬程,前途須各珍重!

農學專修科一年級

雲高氣爽，林間蟬鳴，幾頃桑麻，一片禾黍，在此秋實垂垂，秋光蕩漾之中，我們農學專修科一年級，遂於一九二七年九月十八日，誕生于燕京大學了。彼時同學十八人，後因事中途歸家者一人，寒假後輟學者三人，遂餘十四人矣。但今春開學以來，來吾級選讀者，又有**五人**，其中且有女士二人。這是吾校女同學注意農學之始，是一個很好的現像，也是吾級無上的光榮。

吾同學遠自江南，近在燕北，濟濟蹌蹌，薈萃一堂，可謂盛矣！在課室爲書生，寓農事於學問；在農場爲田夫，變書本爲實習；既格物以致知，復犂雲而耕雨。值此國運多艱，民生凋敝之時，吾們之所以獨致力于農業者，並非圖田園之自然娛樂，亦正欲忍苦耐勞，努力工作，冀來日献身社會，輔導農民，改良鄉村，促進中國農業之發展，農產之增加，忠實地盡一份子國民之責任而已。這是吾們唯一的希望，也是我們共同的目標.

農學專修科二年級

吾校農學系之設專修科有年矣，然以中文敎授，則實自吾一九二八年級始，此可爲特書者也。吾儕皆志在求取實用之農業知識，深以中文敎授，爲得益更多，故欣然來學，蓋亦二年於玆矣。此二年中之經過，雖如白駒過隙，然學識之增進 則殊非淺尠；且敎員皆循循善誘，尤使吾儕有學而不厭之趣。

本級同學，初爲二十八。感情融洽，親愛如昆仲 中途十人因故輟學，今夏得以卒業者僅及半數，此可爲嘅惜也已 夫以中國幅員之大，可犂可牧之地正多，而學者對於此學已爲數寥寥，今本級方幸有二十同志，可以同心竭力，啟導富源，而終又去其半數，抑何可嘆耶?!雖然，吾儕因知所負責任之重而自勉矣。今後惟各就性之所近，各盡力之所能，分工合作，以求農業改良之實現。此於一方面，或尚有裨於國家又一方面，則庶無負來學本大學之夙願也。

宗教事業與社會服務科

　　中國在這世界急進的潮流中，社會的情形，變化得很快，需要服務的人才，也格外的迫切。各地男女青年會等社會服務團體，有鑒于此，乃商請本大學添設本科，以為訓練此等領袖人才之地。本大學當局認這個要求確為重要，幾經籌劃，就定于一九二七年起，由宗教學院與社會學系合辦本科。請 Miss Jane Ward 董其事。這一科雖是短期科，但課程却很實質。大概都由"基督教與中國"這個大題目出發。誠以要使基督教有貢獻於中國社會，不可不對于基督教與中國這兩方面有相當的了解與認識。其他課目，也都照同學多數的需要而設，很能引起深長的興味。

　　我們同班的人數雖不多，而各人所從來的地域，却也不少：可以代表廣東，福建，江蘇，浙江，山東，安徽，湖北，四川，山西，直隸，奉天，等省，眞是南北東西，薈萃一堂。我們志同道合，共宗一主。在課室中，就各地不同之情形與問題，比較討論，輒覺興趣橫生。課餘交際，感情亦極融洽。學校等於家庭，讀書不忘服務。這便是本班經過的小史，也是我們生活的斷片。

附屬女子高級中學三年級

本級於十五年開始當時僅得九人，級會仍未設也。十六年秋季，人數倍增，級會始行成立。

附屬女子高級中學二年級

本級歷史，已有兩年。級會去年始立本級同學，課餘有暇，輒從事運動。此次北球類比賽，我校得佔優勝，同人與有勞焉。

附屬女子高級中學一年級

本級之有歷史，於今一歲。同人到校月餘，即組織級會，互相切磋，去冬更成立文學會，藉習辯才。今年華北球類比賽，同人參加，至形踴躍，錦標之係，不無微勞也。

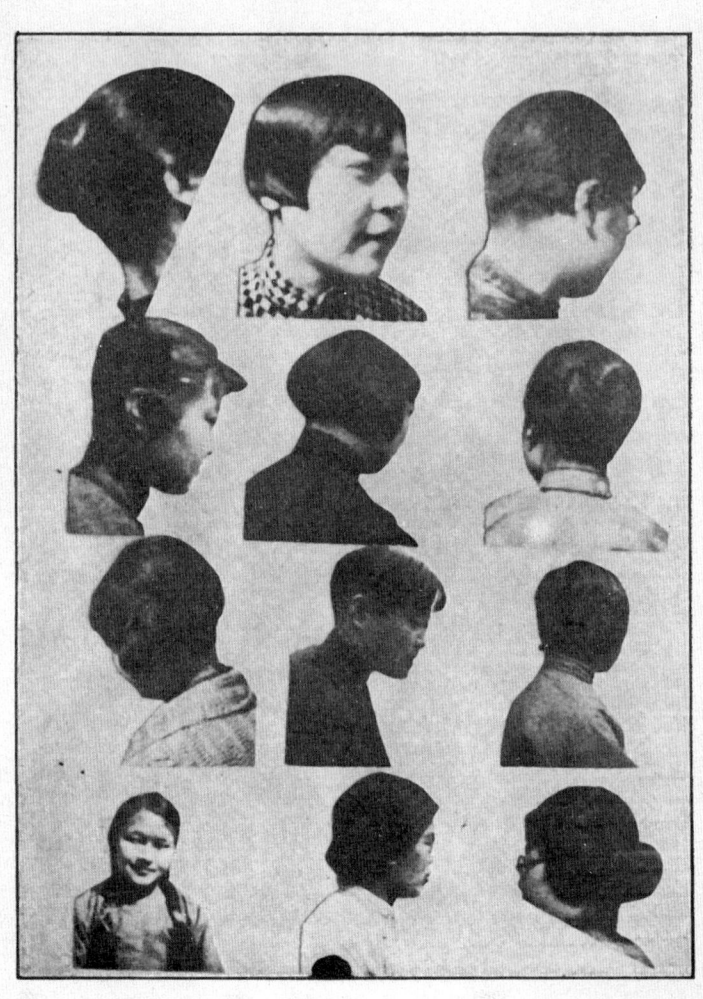

男校學生自治會

代表大會

主　席：王成瑚　　　副主席：熊之孚
漢文文書：吳之淵　英文文書：周天沂

大學院同學會代表：馮日昌　黃　正　龍　瀛　張鏡予

第四年級代表：張文理　韓慶廉　李蔭棠　焦承志　李獻琛　丁順富
　　　　　　　于振清　宋思明　邊愛清　田繼綜

第三年級代表：李錫周　吳廣鈞　任守訓　唐炳亮　宋以信　于惠亭
　　　　　　　熊之孚　吳之淵　胡慶育　趙恩源　崔玉瓚

第二年級代表：王成瑚　周天沂　賈純儒　張嵩山　周崇慶　張國棟
　　　　　　　潘景煌

第一年級代表：韓叔信　吳夢蘭　杜宏修　楊治詳　賈庭訓　蔡詠怡
　　　　　　　張克丞

預科代表：劉　震　姚　潘　王玉振　聶家榮　張　挹　譚書俊

執行委員會

主　席：張文理　　　　　　副主席：李錫周
文書部：于振清　沈　揚　　交察部：宋以信　胡慶青
財政部：徐　嵐　宋思明　　膳務部：劉厚德　丁順富
舍務部：張文理　韓叔信　　出版部：劉長寧　吳高梓
服務部：張嵩山　李安宅　　娛樂部：戴天右　張信德
衞生部：余秉常　陳雲章　　交通部：徐琚清　吳夢蘭
體育部：白　端　雷鎮邦　　應務部：李錫周　周崇慶

審監委員會

黃　正（主　席）　　　梁傳琴
黃文澧（副主席）　　　紀維綱
邊燮清（文　書）　　　趙泉澄

小 史

一九一八年，當本大學成立伊始，教職員會對於男校學生，便發給一張特許狀，說：

〔本大學男校文理科教職員會爲增加學校福利，使學生有社會組織之練習，並發展自治之能力起見，予該科學生特別機會；希望藉此種機會，可以達到成人教育之效果。並可使學員在校時，因實地之經驗，養成有共和國民之資格。緣此，准許學生組織學生議會，擔負所託付之責任，享受應有之利益，辦理第陸項內所列之事項。〕

因爲這種特許，本會也就在那年組織完成；並根據特許狀所開列的各項，草成憲法。一九二一年，經憲法修改委員會修改一次。兩次憲法所定，都是會長制。一九二四年，又再修改，採用評議，幹事，審理，纂記，四部平行制。這種制度，有幾方面是比較從前進步些，但自合作方面說，每覺四部間精神不能聯絡。本大學移來新淀址後，因環境變遷，尤感辦事棘手，因又於一九二七年冬，組織委員會，負責再將憲法修改，而成爲現在通行的新憲法。

本會依據新憲法，將組織分爲代表大會，執行委員會，審監委員會，三大機關。總括自從新憲法施行以來所進行的工作及所收的成效，簡單陳述如下：（一）食堂的改良；（二）便利交通：(a)規定官價洋車；(b)辦理校內郵政；(c)增設校內公用電話；(d)更換汽車行；（三）收回宿舍管理權；（四）提倡平民式的體育及收回辦理權；（五）注重公衆衛生；（六）預備發行刊物；（七）創設義務學校：(a)海甸平民日學；(b)海甸平民夜學；(c)海甸軍人夜學；(d)本大學車夫學校；(e)本大學工人學校；（八）公衆娛樂：(a)特別遊藝；(b)電影。

女校學生自治會

職　員

會長：劉席珍	宿舍股股長：高君哲　吳楡珍
會副：王秀英	服務股股長：印文郁
書記：麥倩曾　陸慶	交通股股長：謝蘊華
會計：潘合華	體育股股長：李滿桂
庶務：王秀英	娛樂股股長：盧淑藩
交際股股長：張品蕙	噓噓股股長：關瑞梧

小　史

　　本大學女校就是從前的協和女子大學。在那個時代，並沒有什麼對外的學生組織與活動。直至五四運動發生，同學們感覺到外界新思潮的澎湃，與自身責任的迫切，才開始有學生會的組織。這個應運而生的嬰孩，便在充滿了生機的環境裏活潑潑地發展起來。牠一方面參加婦女聯合會與實際婦女運動；又一方面參加學生聯合會，共謀改良當時政治，擁護國家權利。不過牠的工作，只限於對外；至於對內，則另組有自治會，負責辦理一切。

　　本大學正式成立後，這種內外分治，兩權並立的制度，依然存在。當時的工作，如五卅，三一八等運動的參加，都有過很顯著的成績；而於自治方面，又曾極力謀同學生活的改善，與鼓勵後來者的前進。一九二六年秋，本大學移來海甸，始由全體同學通過，將學生會自治會合併而成為現在的本會。自此後，本會便為女校學生全體的對外對內的一個最高機關。

　　本會向取會長制度，當過會長的，有印文翠，錢忠會，杜聯喆，王敏儀，黃巧雲，管梅璐，梁佩貞諸女士。

附屬女子高級中學學生自治會

職　員

評　議　部

部長：江兆艾　　　副部長：馬　彤

幹　事　部

部長：高佩貞

文牘股：楊光華　黃安禮　　會計股：施國華　張振義
庶務股：朱寶第　陳　琦　　糾察股：郝蔚文
交際部部長：楊月英　體育部部長：黃淑慎　娛樂部部長：江尊羣

小　史

本校為本大學教育學系所創辦，目的在提倡我國女子教育，造就優秀人才，而為女子中學之模範者也。本會根據此目的，又為發展個性起見，乃於一九二六年秋學校開辦之時，在教職員指導之下，正式成立。會內組織，最初分評議，幹事，體育，交際四部。評議部設正副部長各一人，其餘三部，各設部長一人。幹事部又自分文牘，會計，庶務，糾察四股　總計本會職員，全體二十五人，任期一學期為滿。

本會會章，於成立時，即已擬定。一九二七年，增設娛樂一部。

燕大月刊社

職　員
總　務　部
部長：于惠亨　副部長：張光錄　文書：熊之孚　司庫：宋以信　黃芹厚
編　輯　部
部長：趙泉澄　副部長：麥倩曾　書記：于瑞人
副鐫總編輯：劉長寧
經　理　部
部長：邊雯清　副部長：劉席珍　交換贈閱：紀維綱　廣告：張世文
國內：許昶　國外：賀繩方

小　史

　　本社原名週刊社，在一九二二年的冬天成立。第一期出版，是在一九二三年二月二十六日。發起的原因，不過因爲幾個同學，覺得一個大學最少應該有一種出版物，便糾集三十多個同志，組織本社，這三十多個同志，就是那時的社員。他們多數對於文藝是有興趣的，所以週刊上的作品，也多數屬於文藝方面。社中經費，由社員擔負，或向教職員勸捐

　　社內組織，最初分編輯經理兩部，後來因爲週刊銷路加廣，又增了一總務部一方面負徵求社員的責任，又一方面負籌募欵項的責任。社員在一九二四年增加到三百餘人；籌欵的方法，除向社員徵收社費外，有時演劇募捐，計演劇已有三四次，極博得社會一般人的賞譽　　這時本社的基集，已逐漸鞏固；而週刊的內容，也不專注重文藝了。正刊外，又增設副鐫，專紀載關於學校同學的論評及新聞等稿件。

　　本社最初雖然爲幾個人所創立，但他們的目的，是在擴充成爲全校同學的組織。後來繼續辦理的人，都是依着他們的計畫進行。在城裏時候，這種計畫沒有完全成功，不過社員却一天多似一天。一九二六年秋天，本大學移來新校址，本社的發展，就迥然不同，前人的計畫，是終於成功了。一九二七年，經全體同學議決，將週刊改爲月刊，副鐫仍每星期單獨出版，而本社亦遂改用今名。

女校文學會

委　員
林培志　藍馥清　黃振眛

小　史

本會歷史，由來已久。其始組織，凡本大學女浚司學均須參加爲會員。當時職員，有正副會長各一人，總管本會一切事務；書記一人，司理本會一切記錄，報告，及文件。又聘請教員中之對於文學有研究或發生興趣者一人，爲本會顧問。

本會開會，例有定期。開會時，同學聚首一堂，各抒己見，互相切磋，藉以引起研究文學之興趣，發展個人之藝術天才，而期達到美的人生之表現。惟人之興趣，未必一致，故每當聚會，亦恆有意態索然者。因之本會精神，漸有解怠散漫之傾向。

一九二四年，乃另行改組，任同學自由加入；並規定每學期每會員納費四角，以爲本會經常費之用。是時會員人數，雖較以前爲少，但精神則反見團結。

一九二五年，取消會費之規定。遇會中用欵時，臨時向會員捐集。曾排演文藝多次，凡選擇劇本，扮演，導演，以及售票之責，均由會員自行擔負。演劇目的，一則爲表見藝術的美，一則亦可將售票所得，購置關於文學類之書籍，或備爲本會基金。

自本大學遷來新址，本會以浚內有湖，可以蕩舟，乃移用基金，製一小艇，以助會員吟詠之樂。每當春秋佳夕，朗月懸空，會員等泛舟湖中，領略自然界之美景。有時對月吟詠，迎風高歌，飄飄乎眞有「遺世獨立羽化登仙」之慨。

本會自一九二七年改用委員制，至今已一年。

社會學會

職員

執行委員會： 總務：楊景循　　各股股長：研究：趙承信
　　　　　　文書：吳高梓　　　　　　　交際：潘懿則
　　　　　　經濟：黃振球　　　　　　　出版：張鏡予
　　　　　　庶務：房福安　　　　　　　服務：徐錫齡
師生聯會代表： 嚴景耀　張光祿　于恩德

小史

本會成立於一九二二年冬，會員四十六人；工作分討論演講兩項。一九二四年，會員增至五十餘人。一九二五年，會務偏重於各項問題之討論。校外名人參加討論者，有 Dr. A. J. Todd, 陳翰笙教授，余天休博士等。一九二六年，本大學遷移海甸；會務日益發展，同學加入者亦日衆。

本會每兩星期舉行公開演講一次。又在黑山扈，掛甲屯，海甸，成府一帶作實地之社會調查，並創立公共衛生所；協助本大學附近村鎮辦理一切公共衛生事宜。於海甸附近，亦曾作大規模之平教運動。本會又與本大學社會學系共同刊行社會學界及其他刊物；藉爲交換國內研究社會學者對於社會各種問題之意見 本年會員增至七十餘人，工作仍照上述之計畫，繼續進行。

教育學會

職員

執行委員： 主席：汪祥慶　書記：溫金銘　司庫：謝球　盛建才　梁季芳
特別委員： 平教委員：榮仁芳　高尚仁　吳廣鈞　姚菁英
　　　　　　問題討論委員：溫金銘　程美泉　王世宜　林培志
　　　　　　圖書委員：徐錫齡　胡肇椿　李福鼇　劉持坤
　　　　　　參觀委員：佟文錦　李蔭棠　蔭毓蘭　司徒姝　牟貴蘭
　　　　　　演講委員：汪祥慶　李炎玲　馬慶選　李佩光
　　　　　　交際委員：謝球　黃芹厚　盛建才　梁季芳

小史

本會以聯絡對於教育有興趣之人員，共同研究教育上之各種問題為宗旨。自一九二二年秋成立後，每年之組織與工作如下：

一九二二年組織為委員制，工作分演講與參觀兩項。一九二三年至一九二四年，改用會長制，而工作則注重個人考察與個人研究，若會員中有欲研究關於教育上之某種問題，得由本會介紹於顧問，得其指導，但須將研究結果，報告會衆。一九二五年至一九二六年，仍為會長制，工作則更分隊調查海甸一帶之居民生活狀況與其需要，備作本大學教育學系將來舉辦初級中學之參考。

一九二七年，取消會長制，另行改組。以全體會員大會為最高機關，其下為執行委員會，又其下為特別委員會。特別委員會共分交際，平教，參觀，圖書，演講，與問題討論六股，六股各有專責，故一年來，工作尤進行順利。

演講股除請教育總長及馮銳博士各演講一次外，另有二次演講會之籌備。問題討論股舉行討論會三次，其題目為（一）燕大教育之得失；（二）公共學校教員與行政人員專業之準備；（三）關於智力測驗或社會教育之問題。平教股則與基督教團契工人部合辦本大學工人夜學。此本會之大概情形也。

生物學會

職員

導師：胡經甫　博愛理　李汝祺　盧開運
主席：李建藩　　　　庶務：何琦
書記：劉廷蔚　　　　採集股股長：劉承詔
會計：陳國鈞　　　　研究股股長：陳國傑
交際：崔毓林　　　　儲製股股長：韓憲章

小史

怎麼起的：在十六年夏，生物學系的幾個學生，都想做一點實地的工作，而且都需要合作與指導，因此聯合起來。已經畢業的同學，侯玉美，劉志光，林書顏，徐蘇恩，都是當時的發起人，胡經甫主任尤其熱心贊助，本會的宗旨，是利用課餘的時間，補助在課本以外的生物學上的知識。

過去的工作：胡經甫主任曾講授生物標本採集儲製法，是依系統學上的順序講下來，聽的人很踴躍，國內生物學家來本大學講演的，有胡先驌先生，秉農山先生，李順卿先生。

去夏曾全體出發，實地採集，胡主任作導率，在臥佛寺水泉得到新種。

現在的狀況：繼續敦請生物學家來本大學講演。
胡主任的採集儲製法的講義在印刷中。
計畫全體動員，作大規模的採集。

經濟學會

委員會

李獻琛（主席）

文書股：司徒壯（英文） 楊士珍（漢文） 討論股：王應晞 李獻琛
出版股：陳作櫟 賀繩方　　　　　　會計股：林冽撒 田寄生
交際股：李繼先

小史

數年前，本大學原有經濟學會之設，後以故中輟。迨至客歲，有經濟學系同學數人，鑒於此會之重要，不容任其消滅；因之開始計畫恢復，並進行徵求會員。不數日間，同學踴躍加入者，實繁有徒。遂於民國十六年三月三十日開成立大會。

本會宗旨，係以互助之精神，研究一切經濟原理及關於經濟學上之種種問題會中組織，採取委員制，內分討論，出版，文書，會計，交際，五股。一年來，雖所有施設，未克按照預定計畫實行，但會員對於經濟學之興趣，與維護本會之精神，則殊有足多者。所幸重選在即，繼起有人，本會前途發展，未可限量也。

哲學研究會

委員會

于振清（主席）

施友忠　　黃毅仁

小史

本會的歷史，快到兩年了。自前年的秋杪，在玄學班上，楊枝嶸君和黃毅仁君曾對徐寶謙先生談起研究學問的問題來，那時我們覺得在學校裏研究哲學，沒有一個較大的團體，能使師生聚在一塊，共同討論，深以為憾。於是由徐先生招集一會，當時赴會的人數十餘，師生參半。徐先生被選為會長，定名為哲學研究會，由師生合組之。每月開會一次，由教授或同學主領演講及討論。

到去年返學的時候，我們從事改組，採委員制。于振清君，施友忠君，黃毅仁君，當選為委員。這次會員人數略增；開會次數，每月改為兩次，專請本大學外之名流演講。會務進行，與前略同。

本會的目的，是研究學問。在這草創的期間，牠的工作，很難給我們十分的滿意。然而我們對牠的前途，實在抱着無窮的希望。

新聞學研究會

職　員

顧問：黃子通博士　　　　　會計：丁孝良
主席：古志安　　　　　　　交際：章　進
文書：郭燦然　　　　　　　庶務：王成瑚

小　史

本大學新聞學系自前年停辦後，同學中有志於研究新聞學者，咸感不便。故於去年秋間，特發起組織本會，徵求對於新聞學有興趣之同學，於課餘之暇，共同討論研究。然本會目的，尤在促請學校當局，從早恢復原有之新聞學系，使吾儕更得有系統之新聞學識

本會現有會員二十餘人，服務於燕大月刊之副鐫部者凡半。

醫學學會

職　員

會　　正：周壽愷　　　　衞生部主席：吳士鐸
副會正：黃家駟　　　　　副主席：余伯廉
書　　記：魏淑貞　　　　智力部主席：汪凱熙
會　　計：程青和　　　　副主席：戴翰琛
社交部主席：吳萍瑞

小　史

本學會是在一九二五年本大學接辦北京協和醫學校預科的時候,由一九二八班同學所發起組織的。會員多數由前協和醫預轉學而來。這種組織的宗旨,不外增進醫學預科同學的感情,練習服務,及討論醫學上的智識。因此,本學會內部的組織,分社交,衛生,智力,三部。社交部主聯絡師生及男女同學間的感情;衛生部主改良學校衛生,提倡公共清潔事宜;智力部主聘請醫界名人或科學專家來本大學作公開的演講。

本學會成立已將兩載。因爲首任會正郭秉寬君的熱誠服務,與其他職員的努力,會員的贊助,所以本學會的精神,能充分發揚;本學會的宗旨,能盡量光大。現任會正周壽愷君,與其他現任職員,仍繼續前進,以期本學會能達到光明燦爛之境。

家事學研究會

本會為讀家政學諸同學所組織，成立于一九二七年十一月，以研究及討論關於家庭一切問題與實習家庭工作為宗旨。現有會員十九人。

本會暫行簡章，業已擬妥，並經全體會員通過。本屆職員即于一九二八年三月時選出。

會內工作，幸得諸會員十分關懷，又承家政學系諸教授多方指導，故將來本會之進展，定有厚望。然改善家庭，吾會員尤不可不於今日講求此種準備，是又須吾會員本合作之精神，以互相勸勉而已。

景 學 會

小 史

本會是在民國十三年春,由宗教學院教職員與學生共同發起而組成的 換句話說本會會員,就是宗教學院的教職員與學生全體。牠的宗旨,是(1)討論中國教會問題;(2)促進教職員學生之精神團契;(3)研究經解上或其他學術上的難題;(4)解決其他關于公共生活或私人生活的各種問題。

本會每月舉行例會一次。例會中所討論之題目,以關於實際方面的佔多數,例如「中國本色教會問題」,「英美基督教最近之趨勢」等是。關於理論方面的,也有討論,如「理想的宗教學說」,「神學生與政治」,「基督教與中國文化」等是。

本會成立,雖然爲時不久,但會中充滿自由空氣,使團體精神與宗教思想,都能得到很好的進展。將來如果能由中國學者擔任翻譯經本,用中國文化闡明基督教義,又或研究福音,如何可以使其實現于現代的中國,則本會的設立,便不算徒有其表。

歌詠團

樂隊

基督教團契

小史

本團契乃由本大學往年之四大團體：男青年會，女青年會，學生立志佈道團與團契，合併組成。以表彰耶穌基督之精神，共同練習團體服務為宗旨。凡贊成而願加入本團契者，無論為教員，為學生，為工人，皆得被認為契友。

現年組織，以執行委員會為最高機關，由教員，學生，工人，共同負責。團契內之學生組，又自有學生部，凡關於學生對校內校外各項事宜，均由此部負責辦理。此部更又分總務庶務兩股，積極進行工作。

本團契工作，分三大部：宗教部，服務部，交際部。宗教部又分宗教事業與証道團。宗教事業設有主日學六處，男女兩校晨會，討論班，詩歌翻譯與公共禮拜等。服務部為工人設備者，有千字課班，演說會，娛樂會；為鄉村服務設備者，有婦女工讀學校，貧民賑濟及公共衛生事業。交際部則設法使教員，生，工人，常有聯絡之機會。故每屆聖誕，復活等節，均舉行特別慶祝會以資聯絡。

編 輯 餘 談

1. 本刊第一次徵稿函發出之後,曾經連續的催過好幾次,直至快放暑假,足足四個整月,稿件才勉強的收到我們所希望的四分之三,其他四分之一,因為沒有時候,不能再等了。但這樣也就已經將原定的出版日期耽誤了不少,這是應該聲明並要請閱者諸君原諒的

2. 許多團體交來牠們的文稿時,即聲明不願有所刪改,因此我們便不敢違命。但遇着有[必須]斟酌的地方,我們還是壯着胆子,替牠[斧削]一下。尤其是各級級史,因為篇幅不夠,一律刪短,仍希原諒。

3. 本刊原來還有[特別紀事],[教職員錄],[同學錄],[畢業生錄],以及各種統計,可惜所籌到的經費,不足我們所希望的三分之二,不得已只好[割愛]了。

4. 本刊稿件大概收齊時,暑假也放了。許多職員先生們,畢業離校的畢業離校,放假回家的放假回家,於是一切責任,都落在三四個留校的職員身上。自然,人數少,責任大,那能有好的成績做出來?關於這層,我們也誠懇的希望閱者諸君原諒。

5. 本刊各項圖案,因原來負責人未曾辦妥,即已離校,承同學賈希彥君以個人資格幫忙,我們特別在此道謝。

燕大年刊一九二八

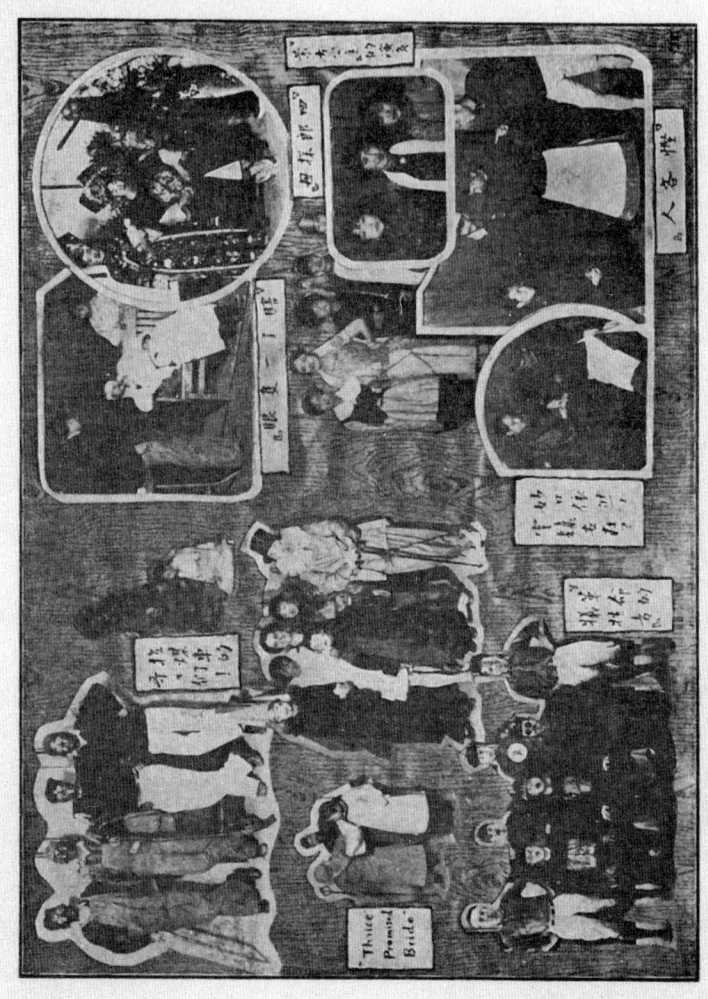

燕大年刊一九二八

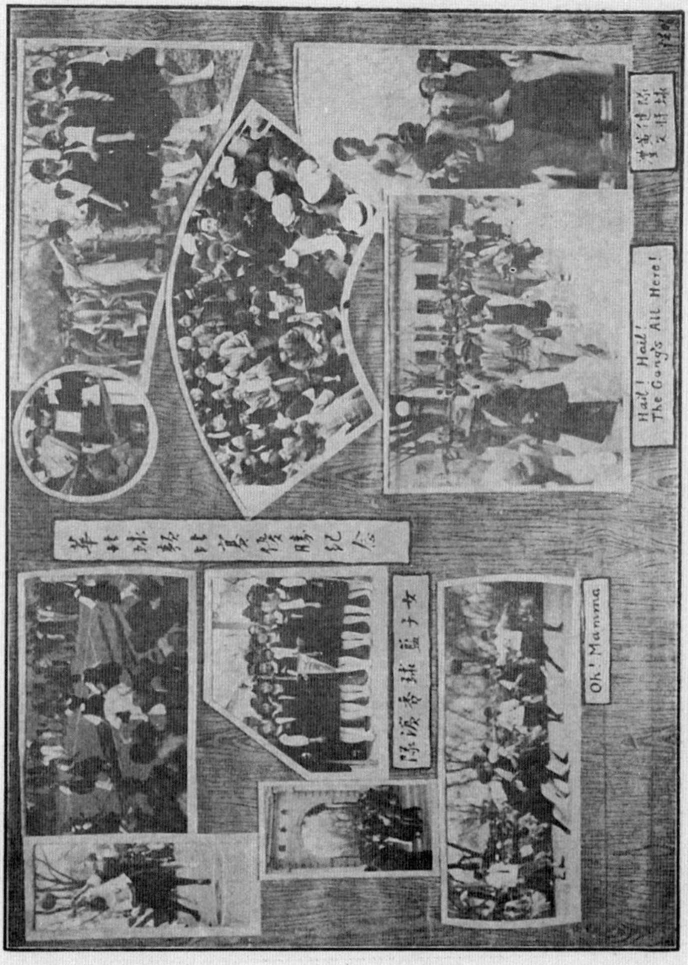
Hail! Hail!
The Gang's All Here!
Oh! Mamma

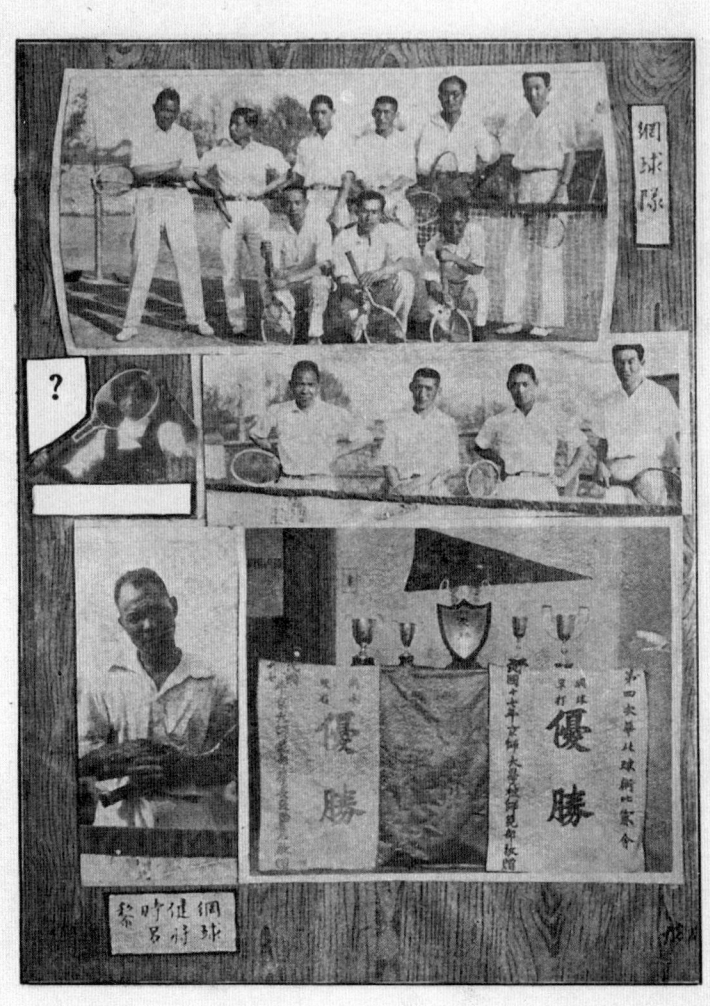

燕大年刊一九二八

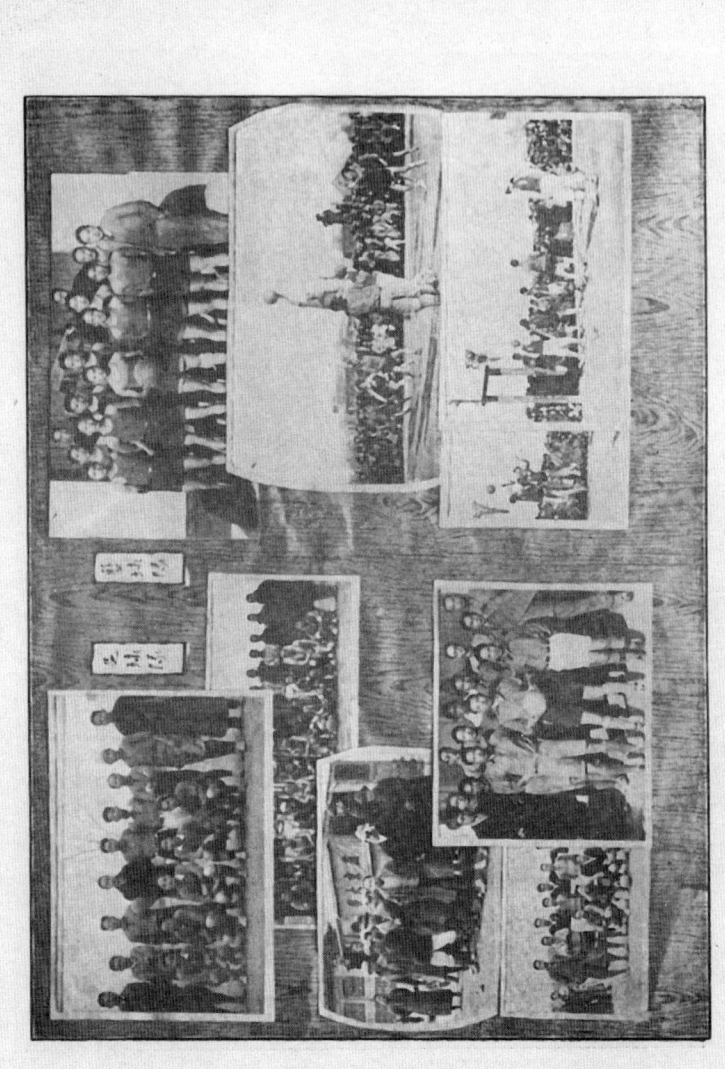

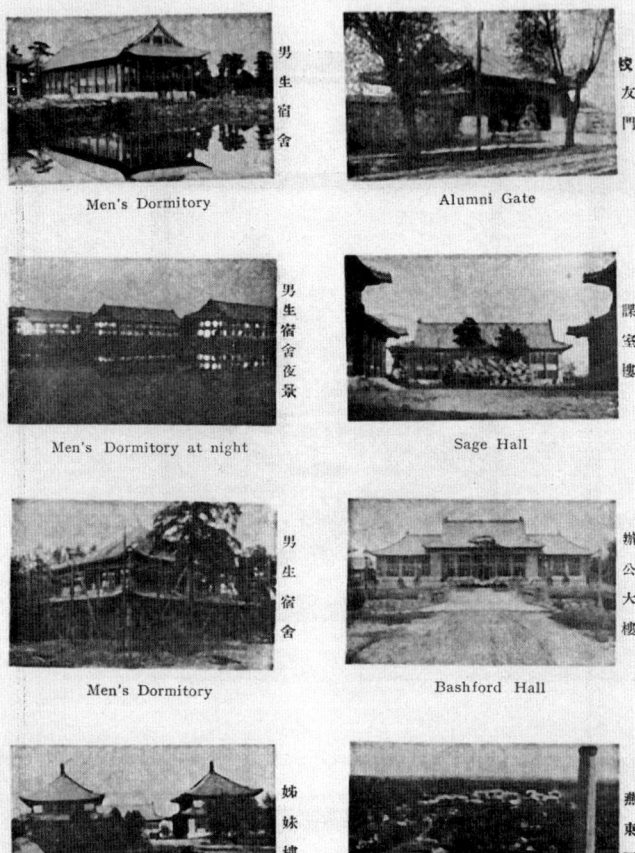

 圖書館 Library

 水塔 Water Tower

 畜牧場 Dairy

 燕大風景 A Scene at Yenching

 辦公大樓遠景 Administration Hall in Clouds

 科學南樓（甲樓） Chemistry and Geology Building

 游泳池 Swimming Pool

 宗教學院 Ninde Hall

Peking Leader Press

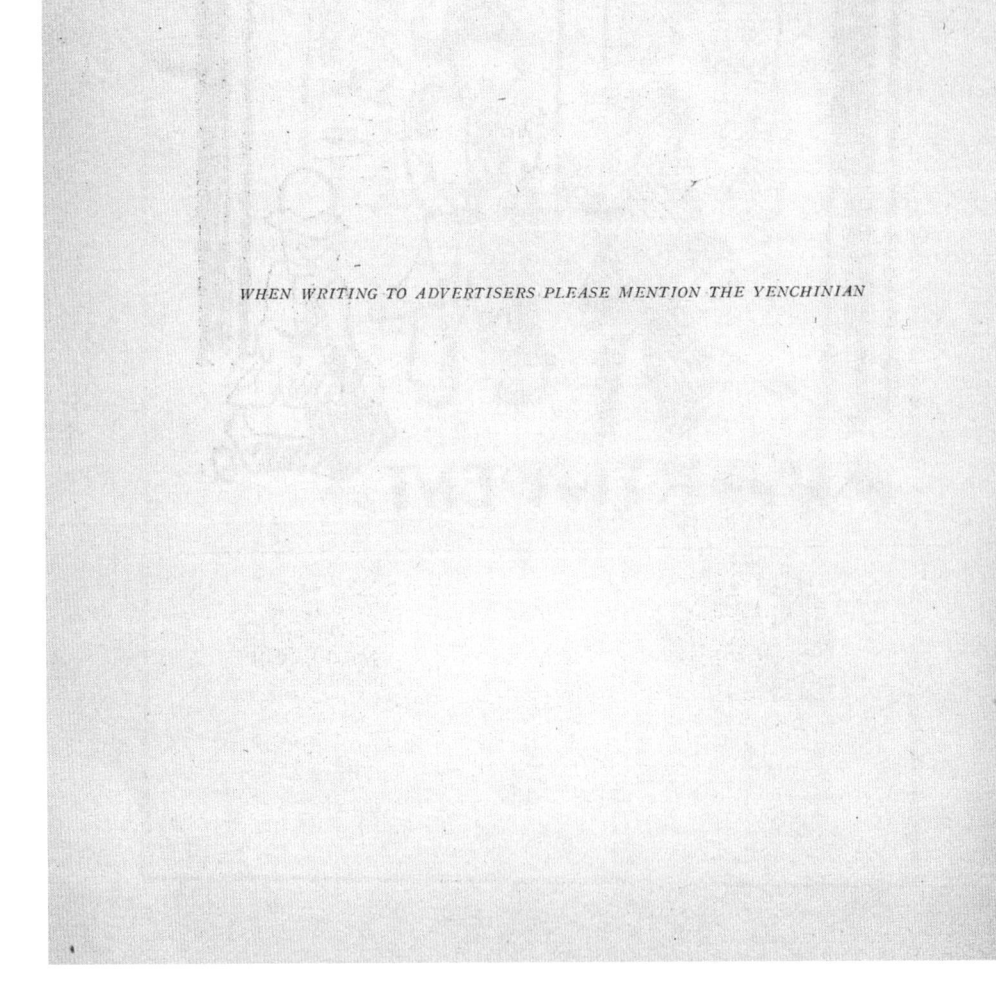

WHEN WRITING TO ADVERTISERS PLEASE MENTION THE YENCHINIAN

一兩之防止較勝於一磅之治療

觀此為著名之西諺也疾病當亦作如是看一旦臥病其所費無幾苟士護生智能使內腑清潔則精神專醫紅色患者相聘耶韋廉及然爽健矣 服用清導丸以治頭痛 大生洋藥三同郵費在內收用郵票 來信誠記念乎其神暢舒食加增痛苦導丸頭暈字頓減服用大便之神效卓著是以凡經售西藥紅色韋廉士敬書

上海山東路商聯會書記崔滌川先生

搽用如意膏
治愈閣下皮膚疾病

浙江塘杏先生聲稱面小色而部赤瘡癢如意膏用日間退止癢告完愈

中西藥膏搽擦毫不見效又之三天赤部面目數日又完全退止癢感激無無報膏緣之雅囑以鳴謝忱 草一函寄至上海江西路原醫士六號如意膏票郵寄藥局十角可即寄買 浙江塘沈鄙生忽云杏面小色赤出來函年冬家杏洪灘用瘡泡去購用如

在上海之快樂家庭

韋廉士大醫生紅色補丸治愈李見滄先生之夫人

嬰孩自己藥片使彼之小孩輩疾病全愈肥胖活潑

李見滄先生係上海法界呂班路齊魯公學英文教員以上所刊之照片乃是彼之家庭也下列之證書乃是李君於民國十七年五月壹號寄至上海韋廉士醫生藥局現下得其同意刊登於左其來函云敬啟者小兒世蜜時患胃不消化及腹瀉風感冒等症不免煩燥難得甜蜜之安睡日間嬉戲亦精神不振即以貴局所出之嬰孩自己藥片投之乃屢試屢驗前症盡消今竟不再煩燥難睡肥胖活潑次兒世蝶亦投以嬰孩自己藥片因亦強健可愛貴局之嬰孩自己藥片確為小兒聖藥家有兒女者幸常備之再內人患血枯消瘦之症現以服用貴局之韋廉士大醫生紅色補丸乃是強健鄙人家庭康健之幸福皆貴局良藥所賜也玆奉上照片一張以表謝忱韋廉士大醫生紅色補丸凡經售西藥者均有出售或直向上海江西路六十號韋廉士醫生藥局函購每一瓶大洋壹元之墨藥凡經售西藥者均有出售或直向上海江西路六十號韋廉士醫生藥局函購每一瓶大洋壹元五角每六餅大洋八元郵力在內嬰孩自己藥片每一餅大洋六角每六餅大洋三元郵力在內

韋廉士大醫生紅色補丸
嬰孩自己藥片

燕京大學農系畜牧組現有純種白色來航雞（White Leghorn），美國紅雞（Rhode Island Red），美國裴茂斯岩雞（Plymouth-Rock），純種中波豬（Poland-China），布克沙爾豬（Berkshire），混合種紅黑花豬（Tamworth-Poland-China Cross），及純種肉用牛今為推廣起見故特廉價出讓海內同志欲購者請先 惠函預定是荷

燕京大學農系畜牧組謹啟

北京西直門外海甸北成府橫街
德盛復蔴刀舖本號發賣各種藍磚瓦及紅磚等種類繁多不及載並青白石灰本繩長短蔴刀及清本繩山貨繩蔴紙張等一概廉價發售

德盛復

THE VISION OF SUCCESS

Juse remember that your eyes must serve you all through life. We help to care for them.

CHINESE OPTICAL Co.

中國精益眼鏡公司

Up-to-date Optometrist and Optician.

PEKING BRANCH,
48 Kwan Yin Szu Chieh,
Chien Men Wai, Peking.

"Kodak"

工商業欲表現其製造之精與出品之美非用柯
達鏡箱與軟片爲之攝影宣傳不可因柯達鏡箱
使用簡易人人會拍柯達軟片拍出之照精美絕
倫無異專家所攝工商業如採用攝影宣傳營業
必能蒸蒸日上可見柯達鏡箱裨益于工商二界
亦深而大矣

（五三二）

上圖爲第二類第一號A號柯達袖
珍鏡箱輕便堅固攜帶便利鏡皆有
自寫機關以誌拍照時日事物此種
特色祇柯達鏡箱有之、

美商 柯達公司

上海江西路六十四號

DOLLAR STEAMSHIP LINE
and
AMERICAN MAIL LINE

Joint Service
A Sailing Every Week Across the Pacific
TRAVEL IN COMFORT ON THE PRESIDENT LINERS
TO SAN FRANCISCO via HONOLULU
"THE SUNSHINE ROUTE"
TO SEATTIE via VICTORIA "THE FAST SHORT ROUTE"
TO EUROPE and NEW YORK
Via Suez, Alexandria and the Mediterranean
"THE NEW ROUTE TO AMERICA"
Fortnightly sailings
For Bookings and Information Apply to

THE ROBERT DOLLAR CO.,

3 Canton Road
Shanghai

General Agents
**Robert Dollar Building
Tientsin.**

CHEN SHEN TAI.
TAILOR
FASHIONABLE GENERAL OUTFITTER
LATEST STYLES AT MODERATE PRICES
Importer of the World's Moderate Wools
SANITARY CLEANING, PRESSING, DYEING AND ALTERING
No. 274 Hatamen Street North of Y. M. C. A.
Telephone No. E. O. 3597

陳森泰呢絨西服莊
電話東局三五九七號

開設崇內米市大街青年會北路西門牌二百七十四號

| 自運各國 | 絨呢嘩嘰 | 羽紗洋貨 | 承做海陸 | 軍裝專做 | 各式禮服 | 時裝便應 | 需另星各 | 件一應俱 | 全承 | 蒙賜顧定 | 價格外克 | 己 |

正牌老元牌瓶牛肉汁
開胃提神養血補身

TAYLOR & COMPANY
DEPOT
For Peking and Tientsin
FOR
Valentine's Meat-Juice
"A DELICATE FOOD FOR THE SICK
WILL NOURISH AND SUSTAIN WHEN
OTHER FOODS FAIL"
MANUFACTURED BY
VALENTINE'S MEAT-JUICE COMPANY
RICHMOND, VA., U. S. A.

天津 大昌和經理

天津英租界海大道
北京崇文門大街

時一塗糊

王君肄業於北平Ａ大學，見同學中所用浴衣，被單，帳子，手帕等物，均非常新穎美觀，知係上海三友實業社出品，頗欲來滬同樣購之，苦一時未便離校，躊躇徬徨，會告之同學陳君，陳君曰：君誠聰明一世，糊塗一時，何勿郵購，該公司設有郵售部，君豈不知耶？王君啞然失笑．

◀ 男女學生用品人人歡迎 ▶

| 小床被單 | 浴衣浴用具， | 面巾浴用手帕， | 中山裝 | 自由紗自由布 | 自由領帶自由領結，領衫襯褲，學生裝 | 枕套枕芯，自由襪，毛巾被 |

（郵售辦法詳載出品價目冊，函索即寄）

上海三友實業社

門市部　南京路浙江路東
郵售部

中國實業銀行

資本；總額二千萬元現收資本三百十萬零七千四百元
公積金；七十六萬九千餘元
業務；存欵放欵匯兌儲蓄不動產抵押放欵彙辦永寫水火保險行（發行鈔票隨時兌現）

總行　天津英界領事道四號路
分行　北京　天津　濟南　上海　漢口　揚州　唐山
其他各埠均有代理機關

北京分行設在西交民巷

中國旅行社
CHINA TRAVEL SERVICE

上海四川路一一四號
電話六八七四一　電報掛號二四六四

本社經售中外火車票輪船票預定臥舖艙位發行中外旅行支票對於出洋留學諸君特別招待代辦出發各項手續極為週到如蒙垂詢一切當即詳細奉答

忠利號
C. L. CHANG,
SHOE-MAKER

316, Mi Shih Ta Chieh
(opposite to Wai Chiao Pu Street)
Peking.

米市大街路西門牌三百一十六號

Telephone No. 4781.

電話東局四七八一

CHUNG YUEN AUTO-TRADING COMPANY

YENCHING UNIVERSITY GARAGE
Bus Services
Car Repairing and Services at moderate rate

Apply to No. 20 Tung-an-men Ta Chieh   *Phone 3732 E. O.*

本商行代理燕京大學汽車處兼營各處長途出賃新式蓬轎汽車並聘專門機師代為修理及配置零件定價克已如蒙賜顧無任歡迎

電話東局三七三二號
東安門內大街二十號
中原商行謹啓

董寶臣杜廷榮建築營造廠

承包土木工程
測繪中外建築
修造橋梁道路
專作新式木器

本廠承辦歷有數年頗蒙中外各界所贊許倘蒙惠顧無任歡迎

地址 燕京大學工程處
電話 借用工程處六號

獨家經理

美國無綫電業公司
　收音器　　眞空管
美國永備電廠　各種電池
美國克勞斯來　各種收音器
美國無綫電　　各種零件

中國無綫電業有限公司
總公司：天津馬家口
分公司：北京王府井大街八面槽

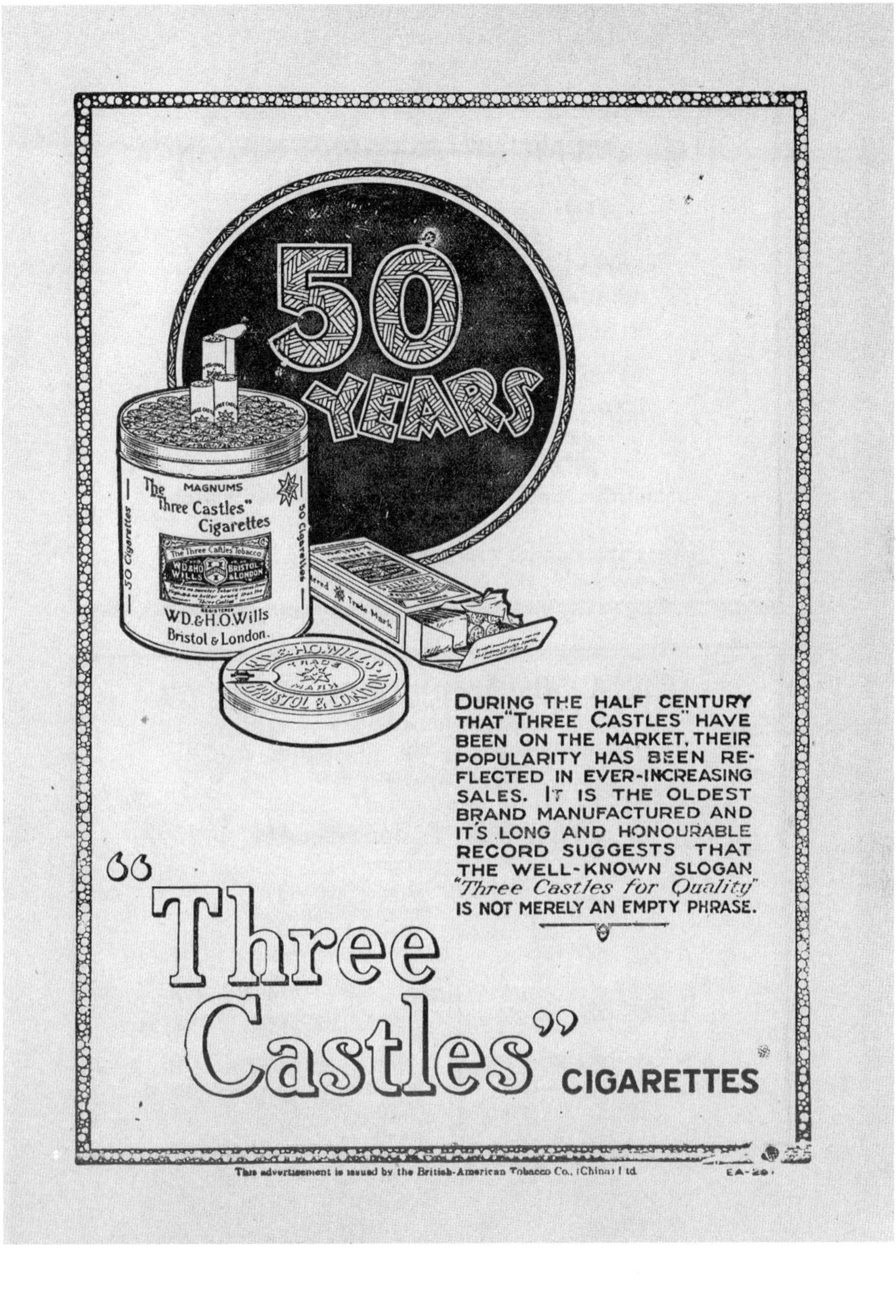
50 YEARS
The "Three Castles" Cigarettes
MAGNUMS
50 Cigarettes
W.D.&H.O.Wills
Bristol & London.
DURING THE HALF CENTURY THAT "THREE CASTLES" HAVE BEEN ON THE MARKET, THEIR POPULARITY HAS BEEN REFLECTED IN EVER-INCREASING SALES. IT IS THE OLDEST BRAND MANUFACTURED AND IT'S LONG AND HONOURABLE RECORD SUGGESTS THAT THE WELL-KNOWN SLOGAN "Three Castles for Quality" IS NOT MERELY AN EMPTY PHRASE.
"Three Castles" CIGARETTES
This advertisement is issued by the British-American Tobacco Co. (China) Ltd.

THE AMERICAN EXPRESS CO., INC.

STEAMSHIP AND RAILROAD TICKETS
RESERVATIONS SECURED TRANS-SIBERIA
AT REGULAR TARIFF RATES

**TRAVELERS CHEQUES—LETTERS OF CREDIT
BAGGAGE AND ACCIDENT INSURANCE**

WE BUY AND SELL

Travelers Cheques, Drafts, Money Orders
and Drafts on Letters of Credit.
At Current Rates of Exchange.
Shipments Forwarded to any Part of the World

OFFICE IN
GRAND HOTEL DES WAGON-LITS.
Telephone E. 1213.

CHINA BOOKSELLERS LIMITED
(Incorporated in Hongkong)

Peking: 7 Rue Marco Polo. Telephone 1832 E.
Tientsin: 181 Victoria Road

PUBLISHERS & BOOKSELLERS

LARGE ASSORTED STOCK OF ENGLISH
AMERICAN—FRENCH & GERMAN PUBLICATIONS
Science—Philosophy, Psychology & Religion
History—Geography—Russian & French Literature
in English Translations—Business, Economics,
Sociology, Law—Language & Dictionaries—Orientalia—Travel—Biographies—
Juvenils—English Literature—Arts—Greek & Latin—Reference Books
Periodicals

Subscriptions taken for Foreign & Local magazines
Books not in stock ordered   Prices and lists of books sent on request.
Engravers and Copper-plate printers.

China Electric Company
LIMITED

Head Office:
3 Hsi Tang Tze Hutung,
East City,
Peking

TELEGRAPH ADDRESS:
MICROPHONE

Codes Used
Lieber's (Standard)
A. B. C. 5th edition
Bentley's Phrase Code, Improved

Branch Offices:
Shanghai, Canton, Tientsin, Mukden, Hankow

Manufacturers of and Agents for various
Telephone, Telegraph Equipment, Power plant, Radio
and Electrical Apparatus of all kinds

SOLE AGENTS IN CHINA FOR:—

International Standard Electric Corporation
New York

Western Electric Company
New York

Nippon Electric Company, Limited
Tokyo

Standard Telephones & Cables, Limited
London

Bates Expanded Steel Truss Company
Chicago, Ill.

Templeton, Kenley Company
Chicago

The Gamewell Company
Newton, Upper Falls,
Mass.

United Incandescent Lamp & Electrical Company
Ujpest

Weston Electrical Instrument Corporation,
Newark, N. J.

商務印書館

經售各國各名廠出品

自來水筆 — 本館經售德國頎德禮老鶴牌鉛筆,美國派克及華德門等名廠自來水筆活動鉛筆各式禮筆種類繁備價格低廉

照相器具 — 德國伊卡照相器製造精良冠絕一時欲求攝影之滿意藝術之進步常以購用伊卡為唯一途徑現由本館經理

運動器械 — 美國造生公司精製高等運動用品種類繁多久享盛行銷之廣莫與倫比各國運動健將皆用造生出品

顯微鏡 — 美國斯寶塞顯微鏡及光學用品均經多數專家慎密檢驗認為最合應用出品繁多聽名選邇現由本館獨家經理

編譯

- 學校課本
- 中西圖書
- 教育用品
- 紙張紙飾

華英辭典 小說雜誌 印刷用品 畫片畫冊

發售

- 中西文具
- 婦女用書
- 兒童讀物
- 幻燈影片

精製

- 筆墨邊簿
- 各種圖版
- 標本模型
- 理化器械
- 五彩圖畫
- 蠶礦戲章
- 兒童玩具
- 屏聯堂幅

承印

- 學校年刊
- 服務章程
- 中西書報
- 名片儀劄

本館發售

原版西書 — 本館發售原版西書自兒童讀物以至大學課本皆考用書各科專籍無不應備充足售價低廉

各式風琴 — 本館自製"孔雀牌""樂府牌"各式風琴簧鍵鏘鏘木料乾燥漆色歷久如新每座自二十五元至二百六十元

本館監製

留聲機片 — 本館監製國語留聲機片二套由趙元任博士發音零售每張三元五角英語留聲機片一套零售每張二元五角

打字機器 — 本館創製新式華文打字機每座定價二百四十元經售各式四文打字機四文打字機手提打字機價格比衆低廉

本行經理之德國天德大藥廠規模極宏舉世無匹其出品之優美發明之精深早巳震爍環宇廠中聘有高等富有經驗之醫學化學藥學等各專家數千百人以及世界著名六○六發明者醫學博士艾利氏等共同工作之結果是以時有驚人新藥之發明其精選良藥行銷各國者不下數百種如新洒爾佛散 Neosalvarsan 拜耳阿司匹靈 Aspirin Bayer 奴佛客因 Novocain 霹藍密籨 Pyramidon 握姆納丁 Omnadin 普泰哥等 Protargol 等久爲環球各國醫藥界尊爲惟一良藥惟邇來贋戲僞造之品紛然並起充斥市塲購者失察誤服劣品危害非常茲將本廠商標列后以資識別而免受欺醫界諸公更希注意是幸

上海
天津 德商謙信洋行謹啟

總代理
北京雅利洋行

STANDARD OIL COMPANY OF NEW YORK
26 BROADWAY   NEW YORK

The Mark of Quality
SOCONY PRODUCTS

Illuminating Oils   Lubricating Oils and Greases
Gasoline and Motor Spirits   Fuel Oils
Asphaltums, Binders and Road Oils   Paraffine Wax and Candles
Lamps, Stoves and Heaters

Branch Offices in the Principal Cities of

Japan   Philippine Islands   Turkey   Indo-China   Netherlands India   Bulgaria
China   Straits Settlements   Syria   Siam   South Africa   Greece
India   Australasia   Jugoslavia

戴鏡諸君！

您所配的眼鏡對光嗎？有半空而來的疲乏和頭暈嗎？這樣的毛病全是因為鏡片的造法不完美的緣故。鏡面的灣度和目力不相稱。如果牠就沒有完全的能力來供給目力所需要的輔助。牠的缺點是：全鏡片的屈光力不同。僅鏡片的中心一小部份與目力相和，週邊的屈光力能使目光暈花。愈近邊處愈甚。從此處視物亦能引起頭轉的習慣。

近來市上所售的鏡片製造法是不精美的。牠的灣度的計算法是錯誤的。所以常有頭暈，目眩，及覺有不自然的想像在神經上。要憑脫離這幾種的痛苦。請用柴氏鏡片廠所製的「朋克得」鏡片。完全用科學的方法造成的據眼球的灣度。牠的灣度計算法是根經過各國醫士認爲輔助目力的利器。牠的優點是鏡片的中心的屈光力和週邊的屈光力完全相同。既有這樣大的益處。所以本院備有此種鏡片特介紹與世人。致使目力不佳的諸君得到牠的益處

北京崇文門內美國同仁醫院

眼科他們能解

你的目力視物不清嗎？
讀書的時候有頭痛嗎？
如有這樣的毛病。請駕臨

除這類的痛苦。

鴻泰箱廠
ORIENTAL LUGGAGE FACTORY
17 HATAMEM STREET, PEKING
TELEPHONE E. 4352

THE
LUGGAGE
OF
STYLE
AND
QUALITY

SHANGHAI OFFICE: 71 Broadway
TIENTSIN OFFICE: 288 Victoria Road

Peking Chung Hua Press, Ltd.

北京中華印字館廣告

承印清史稿各國証書及各銀行簿記精製銅版照相鉛石各種印刷貨眞價廉現屆三年紀念特別克己請賜光顧始知不謬也

本館開設在宣武門外達智橋

| 北京青年會 少年部刊行 | 少年畫報 | 主編 舒又謙先生 |

◀ 六大特色 ▶

（一）內容豐富全載年城課閱讀等圖畫書圖案為光明圖畫重用男女為少字體所少年專報以能歐美重智故本富趣味感或禮字

（二）印者圖畫為印磅紙印北曼印精美圖書京畫廉為定適年低部合的只出版印刷比承負洋本報無在外業之本報印盛彩精清名用百之明精

（三）會訂華由彩刷分少价廉發其少發合一般書收之在出版書次印外全事廉城業為本報三少之

（四）地方擇圖發揮材料請搜集育新心般照精妙分面訂多定別除不之六清一份適目年

（五）一字刊美少年報其畫味時濃文多面訂除不定別文執筆郁種般於照專選少外人從材職本報版印圖ロ亦君製圖執並文向赴文藝

（六）此優待等凡會亦少為亦郁極力對聯審白年主名諧尤補本報名ロ從文士君亦裟文ロ登優懃小文取之雜ロ說字材自以分享會員登可會二

燕大年刊一九二八

397

天豐煤棧售煤廣告

本棧開設清華園車站分號海甸車庫胡
同（敝棧）向由山西陽泉採辦大宗鏡面紅
煤並由京綏路大同府口泉採辦最高大
同塊煤大同末煤以及門頭溝塊煤末煤
大小煤球炸子無不應備倘蒙
賜顧價值從廉

天豐煤棧謹啓

電話西二分局八十號

The Chinese American Bank of Commerce

Authorized Capital	$ 10,000,000.00
Paid-up Capital	$ 7,500,000.00
Reserve Funds	$ 1,425,000.00

HEAD OFFICE:
Hsi Chiao Min Hsiang, Peking.

Mr. Shen Chi-fu, President
Mr. C. L. L. Williams, Vice President

BRANCHES:
Peking, Tientsin, Hankow,
Harbin, Shanghai, Tsinan.

All Banking & Exchange Business Transacted And Savings Accounts Opened.

Correspondents throughout the World including the Interior of China

PEKING BRANCH:
Telegraphic Address: "SINAMBANK"
Mr Pan Chen-yeh, Manager
Mr. Tsui Lu-hua, Asst. Manager
Mr. Ni Pao-tien, Asst. Manager

中美合辦 北京中華懋業銀行

額定資本　銀元壹千萬元
實收資本　銀元柒百伍拾萬元
公積金　　銀元壹百肆拾貳萬五千餘元
總行　　　北京西交民巷
分行（國內）北京　天津　漢口　哈爾濱　上海　濟南
通匯地點（國外）各省通都大邑　美英德法日等國及各大商埠

本行本財政部特准發行兌換券辦理銀行一切業務及各種儲蓄存欵

總協理　沈衞家立榮
京行副經理　崔呈璋
京行副理　倪寶田　潘承業

同森泰公記男女西服莊
（同森泰 ※ 同森泰）

TUNG TAI & WARY JELLY BELLY

Hsi Tan South Street　PEKING　Phone 1513 & 2274 S.O.

Naval and Military Tailors
GENERAL OUTFITTER FOR LADIES AND GENTLEMEN

SHANGHAI & PEKING

電話南局二一五七四號

北京西單牌樓南路東

自運各國呢絨嗶嘰
承辦海陸軍裝製服
特聘著名工師監製
維新西服
禮服大氅
便服及西
裝物品全如一
應俱
蒙顧無任
惠迎價值
格外克已

The End

本刊正誤補漏表

類別	第幾行	第幾字	誤或漏	正或補
燕語音	第二行	第二十三字	不十稔	不過十稔
校史	第七行	第五字	會	會
仝上	第九行	第二十五字	醴	醴
仝上	第二十行	第二十字	據	擴
吳路義先生相片註			Language	Languages
黎錦熙先生相片註			國文學	國文學系
仝上			Jün	Jiin
傅晨光先生相片註			教育學系	哲學系
教務委員會			大學教務委員會	大學院教務委員會
概況心理學系	第五行	第十五字	ia	in
仝上	第十八行	第十二字	Experimenta	Experimental
歐州語學系概況	第七行	第十四字	of	or
馮日昌相片註			文學土	文學士
劉志廣相片註			歷史數	歷史學
于振清相片註			于振興	于振清
房兆楹相片註			方兆楹	房兆楹
男校會治小學生自史	第十行	第十九字	郡	部

附註：標點符號錯誤及遺漏者甚多，不便一一補正，特此聲明。

5020.3
J(1928)

燕大年刊一九二九

此册爲燕京大學畢業紀念册更名爲《燕大年刊》、確定新的編輯體例後的第二册，由燕京大學學生自治會出版委員會於1929年8月出版。在内容方面，大致延續1928年年刊的體例，略有增删，主要增加了本學年"大事輯要"和學生的文學作品，還有關於教職員和學生的統計圖表，本年未刊登校訓和學校全圖。與上一年相比，本年年刊的内容更加豐富活潑，增加了不少漫畫和諧謔文字。

在簡短的英文前言和獻詞之後，是以《朝西山》爲題名的四首五言絶句，作者不詳。

仔細對比可以發現，本年刊登的燕京大學校歌首句已改爲"雄哉壯哉燕京大學"，而1928年年刊所載校歌的首句爲"都城西郊燕京大學"。修改之後的首句更具豪邁和自信。

新增的學年大事記"燕京大學一九二八至二九年大事輯要"爲我們提供了這一學年的一些重要事件，如農學系購置燕農園，吳雷川任燕大校長、司徒雷登改任校務長，陳垣出任燕大國學研究所所長，在美募得百萬捐款，大學本科改分文學、應用社會科學、自然科學三院，舉行校舍落成典禮等。

六張校景之後，是司徒雷登撰寫的學校簡史（Historical Sketch）。司徒雷登稱從使用"燕京大學"校名開始，燕京大學已有十年的歷史。他介紹了燕大人建設新校園的夢想及實現過程，從中可知，用於購地和建築的經費爲

400萬美元，而目前燕大每年的經費是7萬美元，爲十年前建校之初的十倍。司徒雷登說，自己爲在國際形勢緊張的情況下燕大中國人和外國人能夠和諧互助地生活在一起感到驕傲。他還很高興看到燕大在中國化方面的進步，並自豪地介紹，在56位職業教師中，有36位是中國人，其中20位擁有博士學位。

從1929年《燕大年刊》委員會的職員名單中，我們可以瞭解到，部長爲梁珮貞，副部長爲羅裕鼎，下設文藝股、美術股、財務股、廣告股、印刷股和銷行股，堪稱完備。

梁珮貞（1905—？），文學翻譯家，原名清源，山西清徐人，1930年畢業於燕京大學歷史系。1935年赴法國留學，1949年獲巴黎大學博士學位。1952任教於法國國立東方語言專門學校。

對比1928年的年刊，可以發現校董事的變動情況。僅中國人方面，吳雷川、王景春、丁淑靜、周福全、李榮芳、洪業六人不再擔任董事，新增孔祥熙、王治平、劉廷芳、郭閔疇四人。

各部主任也有變動。本年燕京大學本科改分三院，"大事輯要"稱1929年初設三院時，陸志韋爲文學院院長，許仕廉爲應用社會科學院院長，胡經甫爲自然科學院院長。而在本年刊"各部主任"的内容下，應用社會科學院院長由研究院委員會主席徐淑希兼任，自然科學院院長改爲韋爾巽（S. D. Wilson）。此外，宗教學院院長由趙紫宸替代李榮芳，女部主任由蘇路德替代費賓閨臣，註册部主任由梅貽寶（梅貽琦之弟）替代陳國樑等。

各部合影之後，是"Who's Who in Yenching"，即"燕大名人錄"，繪有燕京大學十二位管理者和教職員的漫畫。可以辨認出的有吳雷川、蘇路德（R. S. Stahl，音樂系主任）、徐淑希、司徒雷登、許地山、沈士遠、冰心。有幾位畫像所附文字頗有調侃意味，可看出學生與教師之間關係和諧融洽。如吳雷川所附文字爲："孔子曾說：'……'"是對吳氏愛引經據典，證明古已有之的戲謔。蘇路德所附文字爲"Sing Slowly"，可能是她指導學生唱歌時的口頭禪。許地山畫像下是調侃他的鬍子的文字："據說他的鬍子已經送給倫敦博物館了。"沈士遠畫像左側寫有"沈天下"，此稱呼來自沈氏在北大預科教學期間，曾將《莊子·天下篇》闡發講述了一個學期的典故。

與1928年的年刊一樣，本年的年刊也刊登了各系教員的中英文名字和照片，只是編排方式有所不同。此後附有頗具參考價值的圖表兩幅，"全校教職員人數分類圖"和"各系教員人數比較圖"。從中可知，當時燕京大學總計有教職員203人，其中教員136人，行政管理人員67人。教員136人中，中國人93人，外籍43人，中國人占68%。但是在44位教授中，中國人23人，外籍21人，中國人所占比例剛過一半。各系教員情況，教授最多者5人，爲國文學系、史學系和政治學系。年刊還附有"未交相片各教授"名單，從中可知，燕大國文學系聘請的教授還有徐祖正、許之衡、錢玄同、馬裕藻、黎錦熙（字劭西，年刊作"黎韶熙"）等人，多爲兼職。

本年年刊的畢業生部分，恢復1923年同級錄照片加小傳或評語的形式。研究生院的名稱由1928年的"大學院"改爲"研究院"，共有九人畢業，其中嚴景耀爲上年燕大社會學系本科畢業。同學的評語有"君性和煦，待人有禮，研究犯罪學，至所用心"等語。同樣研究社會學的盧季卿，嶺南大學本科畢業，後與農工黨籌建人之一祝世康結婚，曾任宋慶齡英文秘書。值得一提的是研修化學的馮志東（1886—1983），其時已43歲，以發明麻黃素新的製取方法而聞名。生物學系研究生徐蔭祺，畢業後留學美國康奈爾大學，獲博士學位。回國後主要任教於東吳大學，1935年曾回燕大任教兩年。

年刊收錄一九二八班乙級畢業生八人。一九二九班畢業生有77人，其中歷史學系李書春、經濟學系馬錫用畢業後入"哈佛燕京學社引得編纂處"編纂引得。經濟系陳鴻舜（1905—1986）畢業後任燕京大學圖書館秘書，1941年赴美國哈佛大學漢和圖書館工作，次年入哥倫比亞大學圖書館學院學習，

1947年回國後任燕京大學圖書館主任，1952年院系調整後任教於北京大學圖書館學系。社會學系畢業的李安宅（1900—1985），是社會學家，民族學家。1934年赴美留學，先後就讀於加利福尼亞大學和耶魯大學，研究人類學。1936年回國，任教於燕京大學社會學系。抗戰期間任華西大學社會學系教授。新中國成立後，先後任教於西南民族學院、四川師範學院。"一九二九協和醫科"畢業10人，其中司徒展、范日新、汪紹訓、吳瑞萍、周壽愷、黃克維等後來都成為醫學界的著名專家。

後面所附"全校男女學生人數分類圖""各科主修人數比較圖""學生年齡比較圖"和"學生籍貫分配圖"，對瞭解當時燕大學生各方面基本情況很有參考價值。如從圖表中可知，文科學生中讀經濟學的最多，有70人；其次是政治學，48人；再次是國文，40人；讀歷史的只有18人。各系人數比例與1925年北京大學文科畢業生趨勢類似，當年北大的畢業生中，前三位分別為：經濟系、法律系、政治系。

比較有趣的是，本年的年刊還提供了男女生的"理想伴侶標準次第表""理想家庭組織表"和"理想結婚年齡表"，從中可以瞭解當年燕大人對於婚姻家庭的一些觀念。

之後是研究院和本科各級及專修班合影，有的附有小史。

第104頁的漫畫頗有些幽默味道，最上是燕大女生各種髮型，最下是男生各種髮型，男生的還有名稱，如：汽燈式、一塊油板式、亂草式、阿彌式。中間是燕大學生生活的漫畫，如"春夏天午飯後圖書館有半寢室化之口號"等。

年刊第五部分為"學生組織"，主要是學生自治會和學生社團的合影與小史。所附漫畫一頁也比較有趣，名曰"湖上之熱與忙"，包括：主席熱、電影熱、進城熱、溜冰熱、捧角熱、祈禱熱，開會忙、捐款忙、告假忙、公事忙，頗能反映當時學生生活的一些現象。

第六部分是"體育活動",反映燕大學生豐富的體育活動,男生比上年增加了冰球隊,除了合影,還有各種運動場景照片,軍訓照片也收入此部分。需要說明的是,所謂"隊球",即我們現在説的排球。

第七部分爲"校園生活",全部用照片展現,既有已經全部建成的校園建築與三年前初遷西郊時的對比,也有附上調侃標題的學生居住、戀愛、旅行、戲劇表演、做實驗、餐飲等方面的豐富多彩的照片。

第八部分爲"文學",選登了學生的一些文學作品,如"楓湖叢話""圖書館之花花絮絮""一院瑣記""環湖勝蹟小誌"等,反映燕大學生的讀書和校園生活、校園古蹟等。也有關於"愛好趨向"的調查問卷,白話創作詩和譯詩,以及英文散文與詩歌等,可謂從内容到形式都豐富多彩。

THE COMMERCIAL PRESS, Ltd.

PEPING BRANCH WORKS

Hu Fang Chiao, Peping

商務印書館北平分廠

京 華 印 書 局

北 平 虎 坊 橋 大 街

承印一切印件

與上海商務印書館總廠無異

We offer our Clients the Latest Type Faces from the Commercial Press Foundry and Modern Methods of Illustrations at **Moderate Prices**.

We specialise in the Printing of Scientific Journals, Text books and Pamphlets.

莫律蘭工程司

燕京大學校建築
工程師

北海圖書館建築
工程師

北平西總布胡同
二十三號

電話東局三千三
百十九號

V. Leth-Moller & Co.
Consulting Engineers

23 Hsi Tsung Pu Hutung
PEPING

Phone: 3319 East	Architests and Engineers
Cable Address: Leth Peking	for
Codes: Bentleys	Yenching University
Universal Trade Code.	Metropolitan Library

復新建築公司

設計監理
承築鐵路
土木工程
如橋樑山
峒河道水
利測量市
政及各式
樓房工程

總公司
電報掛號一七八八號
天津法界三十五號路公北
電話南局一九六八號司

分公司
電報掛號一七八八號 奉天
電話第一二二二號 大西邊門外大街路南

分公司
電報掛號四六三九號 北平
電話西局二三九一號 西京畿道三十一號

分公司
電報掛號六六七八號 哈爾濱
自動電話三五四〇號 道裡中國十五道街

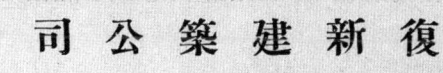

FU HSIN ENGINEERING & CONSTRUCTION CO., LTD.
Designing, Contracting, Supervising
Railroad, Bridges, Tunnel, River-Improvement, Water-Works,
Surveying, City Developments and Buildings of different types.

BRANCH OFFICE, PEIPING.	HEAD OFFICE, TIENTSIN.	BRANCH OFFICE, MUKDEN.	BRANCH OFFICE, HARBIN.
31, Si-kin Chi Dao West City Peiping, China.	Ngan-kui-li, Rue Sarbourand, French Concession Tientsin, China.	South Side, Main Street, Outside big west gate Mukden, China.	China, Street No. 15 Dao Li, Harbin, China.
Telegraphic Address 4639 Telephone W. O. 2391	Telegraphic Address 1788 Telephone 1968	Telegraphic Address 1788 Telephone 1122	Telegraphic Address 6678 Automatic Telephone 3540

四個問題

- 要擴張具體輔助國家之經濟組織
- 要挽回利權輔助國家
- 要鼓勵節儉勤勉合作
- 要保障家庭子女及自身

答案

速向中國華安合羣保壽有限股份公司投保壽險

因為是的保壽公司

- 華商組織 專家管理
- 資本雄厚 公積鉅大
- 資產豐旺 營業進步
- 賠欠迅速 手續靈敏

☯ 總公司　上海靜安寺路
總經理　吳澤湘
副經理　金憶初

☯ 分公司　國內外百餘處

☯ 北京公司　王府井大街二十號
電話東局九零四號

仝啓

（承索章程即寄）

金城銀行
Kincheng Banking
Corporation

Head Office: **TIENTSIN**

CHOW TSO-MIN, President

BRANCHES & SUB-BRANCHES:

PEPING, SHANGHAI, HANKOW AND DAIREN

Authorized Capital ....M. $. 10,000,000,00
Paid-up Capital........................ ....M. $. 7,000,000,00
Reserve..M. $. 2,050,000,00

     All Banking and Exchange Business transacted.

Peping Office: Hsi Chiao Ming Hsiang
Saving Department: Hsi Ho Yen
Seng Sung-yuen, Manager of Peping Office
Ying Feng-chiao, Sub-Manager of Peping Office

TELEPHONE Nos:—

President's Office   S. 4334 & 432
Manager's Office   S. 432 & 3762
Business Dept.   S. 2360, 3226, 3691, & 1782

Code Used: **Cable Add:**
"KINCHEN"   Bentley's Complete Phrase Code

開灤礦務局

經理耀華機製玻璃公司出品

煤　火磚——焦煤——火土

耀華玻璃　房屋外面磚塊

耀華玻璃，聞名遠東，光明潔淨，堅固耐用，價廉物美，歡迎主顧

如欲詳細接洽請向天津總局詢問可也

THE NATIONAL CITY BANK OF NEW YORK

花　旗　銀　行

總行—紐約

資本　盈餘　公積金
美金貳萬壹仟壹佰萬元　U. S. $211,000,000.00

經理全球各項銀行事務
經售世界通用之花旗旅行支票
每百元只收佣金伍角

北　平　分　行

東交民巷

要得到……式樣新奇和準確的鐘表
　●可以向史惟記去買
　●他們是直接瑞士的

要定配……光線合度和養目的眼鏡
　●可以向史惟記去配
　●他們是專家驗光的

要修整……鐘表機件和損毀的機械
　●可以向史惟記去修
　●他們是留學技師修的

史惟記
●地址　北平前門外觀音寺街
●電話　南局五三四
●總行
●分行　上海南京路
　　　　大連浪速町

表鐘眼鏡行

金城銀行

額定資本	$10,000,000.00
實收資本	$7,000,000.00
公積金	$1,890,000.00

辦理銀行一切業務兼收
各種儲蓄存欵

總分行地點：
天津 北平 上海 漢口 大連

KINCHENG BANKING CORPORATION

Authorised Capital	$10,000,000.00
Paid-Up Capital	$7,000,000.00
Surplus	$1,890,000.00

Every Branch of Banking Business Transacted
Saving Deposits Received

Head Office: Tientsin
Branches:
Peping, Shanghai, Hankow, Dairen

GRAND HOTEL
Des Wagons-Lits, Ltd.
Peking

TELEGRAPHIC ADDRESS: "WAGONLITS"
CODES: BENTLEY'S

ENTIRELY RENOVATED AND
UP TO DATE

The only Hotel situated
in the Legation
Quarter

WITH TWO MINUTES' WALK OF
THE PEKING-MUKDEN
RAILWAY

Guides for trips to the Great Wall,
the Ming Tombs, and sights of the
City can be obtained in the Hotel

保安保險有限公司
UNION INSURANCE SOCIETY OF CANTON, LTD.

Established 1835.
(Incorporated in Hong Kong)

With which is affiliated.

BRITISH TRADERS' INSURANCE CO., LTD.
THE CHINA FIRE INSURANCE CO., LTD.
(all Incorporated in Hong Kong)
NORTH CHINA INSURANCE CO., LTD.
THE FAR EASTERN INSURANCE CO., LTD.
THE YANG-TSZE INSURANCE CO., LTD.
(all incorporated in China under the Companies'
Ordinances of Hong Kong)

Control Branch
Nos. 1 & 2, Rue Marco Polo,
Legation Quarter,
Peking.

R. W. PAULDEN
Branch Manager.

Telephone 990 E. O.

ABC

【留美之準備】

燕京大學生

請先問上一級的留美學生

ABC 的西裝 內衣 衫 褲 襯衫 聯

是否拿在美國穿用

是否較美國貨價廉

ABC 內衣襯衫鋪行全國十餘年

承蒙每次留學生採用贊為物美價廉

中國內衣公司
上海南京路郵局隔壁

SOCIETE ANONYME DES ANCIENS ETABLISSEMENTS
ARNOULT
Teng Shi Kou 81-82 Peiping

Telephone No. { 952 East Sales
1860 East Engineering
1753 East Engineering

Code: Bentley's

Cable: "ARNOULT" Peiping.

Branches: Tientsin—Tsingtao

Building Contractors, Stock-Heating & Sanitary Fixtures.
Heating & Sanitary Engineers, Agents for Berliet and Citroen Motorcars,
Works Shop & Foundry, Agents for General Accident Fire Assurance Corporation Ltd.

本　廠

發賣四季
鮮花包種
樹木承做
文明花球
花把花藍
花圈各種
松活專紮
松彩牌樓
一應俱全
定期不悮

永和馨花廠謹啓

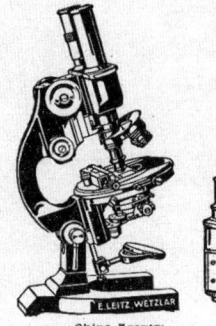

China Agents:
E. Leitz, Optical Works
Wetzlar (Germany)

Scientific and Educational Supplies.

Biology.
Leitz Microscopes and Microtomes.
Reagents and Microscopical Stains.
Micro Slides and Coverglasses. Incubators.
Glass ware. Laboratory Supplies.

Chemistry.
Chemicals and chemical apparatus.
Analytical Balances and weights.
Glass ware. Porcelain Ware.

Physics.
Physical Apparatus.
Mechanics—Accoustics—Optics—Heat—
Magnetism—Electricity.

SCHMIDT & CO.
PEKING EAST-CITY
1, Hsi-tang-tze Hutung.

SHANGHAI
1, Nanking Road.

TIENTSIN
52, Taku Road.

燕大年刊一九二九

北平私立燕京大學
學生自治會出版委員會出版
民國十八年八月

Published
by
The Publication Committee
of the
Students' Self-Government
Association,
Yenching University.
1929

FOREWORD

To all who are interested in the cause of higher education in China, and in the development of an international spirit through the establishment of a new academic tradition, the Yenchinian herewith makes her bow.

DEDICATION

To the Western Hills

Hills of the west — that breathe the morning breeze and feed on the evening mist — that smile in the genial sunshine and frown in the fresh moon-light — that are made purer by the Summer showers and brighter by the Winter flakes — you shall live for ever.

Palaces lie beneath your feet desolate and ruined. Is that where once emperors met?

Though Glory, Art, and Pomp are all tarnished with decay, you stand still young, noble, and fair.

朝西山

（一）

生合心園
霧霞無肉
碧朱本白
山山氣氛
晨暮雲嵐

（二）

分碧城宅
濁苔皇女
清競闕神
儀岱兀鳥
二千突無

（三）

恨亡興少多
中影夕吹樵
意限無峯數
紅青帶一一

（四）

老好浩浩
不娟皇浩
長猶東風
山歲問關
青百借故

校歌
College Song

雄哉壯哉燕京大學；輪奐美且崇；
真師益友如琢如磨，情志每相同；
Lift we high united voices, joyfully we sing;

人文薈萃中外交孚，聲譽滿寰中
踴躍奮進探求真理，自由生活豐
Loud in praise of Alma Mater, Glorious Yen-Ching.

燕京燕京事業浩瀚，規模更恢宏
Lured from ev'ery part of China, Here's to old Peking,

人才輩出服務同羣，爲國效盡忠
We as one our College honor, Hail O Hail Yen-Ching

燕京大學一九二八至二九年大事輯要

一九二八年

七月　農學系購妥燕農園

九月　開學式

十一月　吳副校長雷川就任教部次長

十二月　(一)校董會推舉吳次長為本校校長司徒雷登為校務長副校長一職取消

　　　　(二)吳次長函覆允就校長之職並聘任本校教授劉廷芳為秘書長

　　　　(三)哈弗燕京國學研究所臨時委員會議決聘請陳援菴先生為國學研究所所長

　　　　(四)美國百萬募款成功

一九二九年

一月　(一)哈弗燕京國學研究所北平董事會正式成立

　　　(二)女部與大學財政統一

二月　大學本科改分三學院並舉陸志韋為文學院院長許仕廉為應用社會科學院院長胡經甫為自然科學院院長

四月　(一)平津中國各界捐助男生宿舍建築費洋五萬元

　　　(二)工程處取消合併總務處

　　　(三)立案公事由北平大學區轉送到部

六月　(一)校長就職典禮

　　　(二)第十一屆畢業式

八月　科學社年會

九月　校舍落成典禮

　　　羅氏捐助應用社會科學院紀念基金(自一九二九年付起)

晚塔

燕大年刊一九二九

校友門

飾綺樓

朗潤園

楓湖南岸

外望

HISTORICAL SKETCH

Ten years ago Yenching University came into existence under its present name and administration, although its roots go far back into the past. It was formed from the union of the North China Union College of Tungchow and *Hui Wen University* in Peking, both of which were founded in 1889. The North China Union Women's College was affiliated with Yenching one year later. Ten years ago Yenching had as its heritage the fine record of the pioneering colleges out of which it was created, a nucleus of teachers chiefly western, a student body of less than a hundred, the old property at K'uei Chia Ch'ang—these and a vision of the potentialities of a Christian University broadly conceived, located in the ancient city that for centuries had been even more the educational and cultural than the political capital of China. It thrilled to imagination to dream of the service such an institution might render as a concrete and practically helpful demonstration of Christian ideals in application, as a generating centre of international goodwill, and as a medium for aiding some of the young men and women of China to equip themselves for their part in the arduous struggle for national reconstruction. It was part of the dream that some where not far outside the city-wall a suitable site might be found, and that on it could be erected buildings that combined the beauty of Chinese architecture with the utilitarian efficiency of western invention, being thus a symbol of the education which aims to preserve the values of China's rich cultural heritage blended with whatever in western knowledge is needed in this country. After much searching we secured what was once the summer garden of a Manchu prince near the famous Western Hills on the slopes of which cluster the palaces and temples of China's great past. In this historic environment, with money raised by constant effort in America year by year, buildings have been erected which reproduce the graceful curves and gorgeous coloring of the slowly decaying palaces and temples around them, but are also adapted to modern educational requirements. Expressed in financial terms, the present investment in grounds and buildings is about four million dollars. In this respect we need especially more men's dormitories, larger library facilities, a women's infirmary and several faculty residences. Our annual income is over seven hundred thousand dollars, or ten times what it was ten years ago, but even when planned with the utmost economy, is scarcely sufficient for the work as now conducted, and allows no reserve for expansion, emergencies or increasing costs. In current expenses our most urgent needs are permanent provision for the Natural Science Departments, purchase of English books, physical welfare especially of men students etc. However, these as yet unattained features may also serve to remind us of how much material progress has been achieved during these ten years, thus encouraging the hope that these and other needs can gradually be cared for as have those of the past.

This history of financial and physical growth is only of interest as supplying the basis for human and spiritual values. In these also there were ardent dreams which to some extent at least have been realized. Speaking personally I am much more proud of Yenching as demonstrating certain ideals of personal and social life, and in the personnel of its faculty and students, than in its material assets. One of these distinctive ideals has been the ability of Chinese and Western people to live together in happy harmony and mutual helpfulness during these past years of tense international issues. Another one, scarcely less difficult under present conditions, has been the readiness of teachers and students to work together in a spirit of cooperation and goodwill, according to constitutional procedure and the higher law of love, thinking alike of what is best for the University that belongs to all of us. In these and other ways we have been trying to express the principles of Truth, Fellowship, Service and Love, taught and lived most perfectly by Jesus Christ. How worthily this dream has been realized thus far each reader must judge for himself, but we can also hope that growth in numbers and in academic reputation will be steadily accompanied by growth in ethical and spiritual endeavor.

The first decade of our history has registered no slight advance in the range of scholastic activity, and in the improvement of our standards. The limitations of this article do not permit any comment in detail, but there are many gratifying evidences of this. There has also been a significant tendency toward the more thoroughly Chinese character of the University in which no one rejoices more than the present writer. Out of 56 teachers of professorial rank 36 are Chinese, of whom 20 hold the degree of Ph. D. from an American University, and the others have either a Master's degree or a high one under the old imperial examination system. The Harvard-Yenching Institute is enabling us to have a collection of Chinese books, to offer courses Chinese subjects and to do research work in this field that would not have been possible otherwise. When our registration under the Nanking Government has been effected we shall become truly a private institution with its established place in Chinese life.

With the beginning of the new decade that will begin as this volume of *The Yenchinnian* makes its appearance there will be new problems and new potentialities for which we can hope that the decade now coming to a close will have prepared us to deal with in a further effort to furnish China with the highest type of youthful educated manhood and womanhood.

J. L. Stuart.

THE 1929 YENCHINIAN BOARD
一九二九燕大年刊部

Editors-in-Chief 部長 副部長	Liang P'ei Chen 梁佩貞 Lo Yü Ting 羅裕鼎
Secretaries 文書	Lu Ch'ing 陸慶 Han Pen Hsiu 韓本修

Chief Literary Editor 文藝股主任　　　　　Weng Ch'u Pai 翁初白
Editors 股員

T'an Jen Chiu 譚紉就	Cheng Ch'ien 鄭憲
Lin P'ei Chih 林培志	Cheng Chen 鄭溱
Liang P'ei Chen 梁佩貞	Su Ju Mei 蘇汝梅
Shih Yiu Hsing 史悠霱	Hsieh Wen T'ung 謝文通
T'ien Ts'ung 田聰	

Chief Art Editor 美術股主任　　　　　Mai Ch'ien Tseng 麥倩曾
Editors 股員
(Drawing 圖繪)

Chia Hsi Yen 賈希彥	Cho I Lai 卓宜來
Kwan Jui Wu 關瑞梧	Lu Shou Ch'ung 盧淑群
Liu Yao Chen 劉曜眞	Chang Ming Ch'i 張鳴琦

(Photograph 攝影)

Nieh Kwang Ti 聶光地	Ling Yueh Ming 林悅明
Chao Ch'eng 趙澄	Chou Chen Yung 周振勇
T'an Jen Chiu 譚紉就	Li Yin Hsing 李蔭鑫

Chief Treasurer 財務股主任　　　　　Wen Chin Ming 溫金銘
Treasurers 股員

| Hwang Ch'ing Hou 黃慶厚 | Lin Ch'i Wu 林啓武 |
| Yen Chu Sheng 嚴菊生 | |

Chief Advertising Manager 廣告股主任　　　Ch'eng Chia Hwa 程家驊
Managers 股員

Chang Hsun Ta 張訓達	Fu Mei 傅眉
Sung I Hsing 宋以信	Jen Ling Hsun 任玲遜
Lin P'ei Chih 林培志	

Chief Publication Manager 印刷股主任　　　Lo Yu Ting 羅裕鼎
Managers 股員

| Yun Szu 惲思 | P'u Yao Ch'iung 蒲耀瓊 |

Chief Circulation Manager 銷行股主任　　　T'an Jen Chiu 譚紉就
Managers 股員

| Ho Ch'i Chieh 何其傑 | Chao Yu Yieh 趙玉葉 |
| Han Pen Hsiu 韓本修 | Chao Ch'eng Hsing 趙承信 |

16

董事

顏惠慶先生 　孔祥熙先生 　王厚齋先生 　周詒春先生

宋陳慧卿女士 　Mr. D. W. Edwards 　Rev. C. G. Sparham 　Rev. A. P. Cullen

費起鶴先生	王治平先生	Dr. J. L. Stuart	劉廷芳先生

郭閔疇先生	Miss Ruth L. Stahl	倪逢吉女士

校長　吳雷川　先生
CHANCELLOR WU LEI CHUAN

校務長　司徒雷登　博士
PRESIDENT J. LEIGHTON STUART, D.D.

研究院委員會主席策
應用社會科學院院長
徐淑希博士
SHUHSI HSU, PH. D.
Chairman, Graduate Division & Dean, College of Applied Social Sciences.

國學研究所所長
陳垣先生
MR. CHEN YUAN
Chairman, Harvard Yenching Institute.

文學院院長
陸志韋博士
LUH CHIH-WEI, PH. D.
Dean, College of Arts & Letters.

自然科學院院長
韋爾巽博士
S.D. WILSON, M.A,PH.D.
Dean, College of Natural Sciences.

宗教學院院長
趙紫宸博士
CHAO TSU-CHEN, M.A., B.D., D. LITT.
Dean, School of Religion.

女部主任
蘇路德女士
MISS. R.L. STAHL, B.M.
Acting Dean, College for Women.

校長室秘書長
劉廷芳博士
LIU TING-FANG T., D.D.,
PH. D., S. T. D.
Assistant to the Chancellor.

男部訓育主任策
輔導委員會主席
馬鑑先生
MA KIAM, M. A.
Director of Men Students' Welfare.

總務主任
全紹文先生
CHUAN SHAO-WEN J., B.A.
Comptroller.

代理會計主任
高厚德博士
HOWARD S. GALT, ED. D.
Acting Treasurer.

註冊主任
梅貽寶博士
MEI I-PAO, PH. D.
Registrar.

代理圖書館主任
田洪都先生
TIEN HUNG-TU, B. A.
Acting Librarian.

女部訓育主任
陳意女士
MISS CHEN I, B.A., M.A.
Director of Women Students' Welfare.

校醫
李術仁博士
B. L. L. LEARMONTH,
Medical Officer.

女部校醫
黃愛麗博士
MRS. A. B. BROWN, M.D.
Physican, College for Women.

女部體育主任
陳彥融女士
MISS CHEN YEN-JUNG
Physical Director, College for Women.

會計副主任
蔡一諤先生
TSAI I-O S., B.A.
Associate Treasurer.

女部會計主任
滿儀德女士
MISS E.C. BOYNTON, B.A.
Treasurer, College for Women.

Registrar Office Staff 註冊部

趙志華　梅貽寶　劉偉民　吳椿　王賓興　曹義　邸昕庭

Library Staff 圖書館

楊正一　徐家麟　石肇彬　田鴻綱　王鐵林　劉澍　張松林　蘇學勤　馬永秀　佟起翔　田洪都　謝玉海　杜聯喆　曲鴻　傅玉鋒　孟艮岳　韓孝儒　韓愚　吳鈺祥

Who's Who in Yenching

"Family life would be less of a struggle if we would change our slogan 'many sons' to 'stronger sons'"

"Sing slowly"

"Li Hung Chang was not a fool"

Freedom through Truth for service

一池春水

S-R Bonds

DEPARTMENT OF PSYCHOLOGY 心理學系
陸志韋	Luh Chih-wei, Ph. D.	Professor and Chairman
劉廷芳	Lew Ting-fang T., M.A., Ph. D., S.T.D., D.D.	Professor
夏仁德	Randolph C. Sailer, M.A.	Assistant Professor
夏 雲	Hsia Yun, B.A.	Assistant

DEPARTMENT OF ENGLISH 英文學系
史威爾	Maxwell S. Stewart, M.A.	Instructor
米 德	Lawrence M. Mead, M.A.	Instructor
林美揚	Miss Gertrude Wood, M.A.	Instructor
桑美德	Miss Margaret B. Speer, B.A.	Instructor

謝迪克　Harold E. Shadick, B.A.　　　　　　Instructor
劉兆慧　George R. Loehr, M.A.　　　　　　Instructor
DEPARTMENT OF PHILOSOPHY　哲學系
徐寶謙　Hsu Pao-chien, M.A.　　　　　　Professor and Chairman
博晨光　*Lucius C. Porter, M.A., D.D., L.H.D.　Professor

馮友蘭　Fung Yu-lan, Ph.D.　　　　　　Professor
韓德清　Han Te-ch'ing　　　　　　　　Lecturer
DEPARTMENT OF EDUCATION　教育學系
高厚德　Howard S. Galt, Ed. D.　　　　　Professor and Chairman
周學章　Chou Hsueh-chang H., M.A., Ph. D.　Professor

王素意	Miss Sui Wang, M.A., Ph.D.	Assistant Professor
傅葆琛	Fugh Pao-shen P., Ph.D.	Assistant Professor
貝馥如	Miss Pei Fu-ju, M.A.	Instructor
曾楙香	Miss Tseng Hsiu-hsiang, M.A.	Instructor

DEPARTMENT OF CHINESE 國文學系

馬鑑	Ma Kiam, M.A.	Professor and Chairman
吳雷川	Wu Lei-chuan, Hanlin Academy	Professor
周作人	Chou Tso-en	Professor
沈士遠	Shen Shih-yuan	Professor

容　庚	Jung Keng	Professor
黃子通	Hwang Tse-tung L., M.A., Ph.D.	Professor
郭紹虞	Kuo Shao-yu	Assistant Professor
沈尹默	Shen Yin-mo	Lecturer
兪平伯	Yu Ping-po B.A.	Lecturer
楊遇夫	Yang Yu-fu	Lecturer
熊佛西	Hsiung Fu-hsi, M.A.	Lecturer

DEPARTMENT OF EUROPEAN LANGUAGES　歐洲語學系

吳義路	Louis E. Wolferz, Ph.D.	Professor and Chairman

王克私夫人 Mrs. Philip de Vargas, Bacc. Litt.　Honorary Assistant Professor

DEPARTMENT OF HISTORY 歷史學系

王克私　Philip de Vargas, Ph. D.　Professor & Acting Chairman
王桐齡　Wang Tung-ling, M.A.　Professor
洪煨蓮　William Hung, M.A., S.T.B.　Professor

李瑞德　Richard H. Ritter, B.A., B.D.　Instructor
陳　垣　Chen Yuan　Professor
張星烺　Chang Hsing-lang B.S.　Assistant Professor
費賓閨臣　Mrs. Murray S. France, B.D., D. Litt.　Professor

孟世傑	Meng Shih-chieh	Instructor
慶美鑫	Miss Monona L. Cheney, M.A.	Instructor
瞿宣穎	Chu Hsuan-ying	Lecturer
李崇惠	Li Chung Wei, B.A.	Assistant

DEPARTMENT OF SOCIOLOGY AND SOCIAL WORK
社會學與社會服務學系

許仕廉	Hsu Shih-lien L., Ph.D., LL.B.	Professor and Chairman
步濟時	John S. Burgess, Ph.D.	Professor
楊開道	Cato Young, Ph.D.	Assistant Professor
言榮彰	Yen Jung-chang, M.A.	Instructor

34

吳文藻	Wu Wen-tsao, M.A.	Instructor
倪達吉	Miss Nyi Vong-kyih, M.A.	Instructor
溥愛得	Miss Ida Pruitt, B.A., B.S.	Honorary Lecturer

DEPARTMENT OF POLITICAL SCIENCE 政治學系

徐淑希	Hsu Shu-hsi, Ph.D.	Professor and Chairman
郭雲觀	Kuo Min-chow Y.K., LL.B.	Professor
呂復	Lu Fu	Professor
潘由笙	Pan Chang-hsu, Hanlin Academy, LL.B.	Professor
楊宗瀚	Yang Tsung-han, B.A.	Lecturer

龍潛	Lung Chien, B.A.	Assistant
DEPARTMENT OF ECONOMICS 經濟學系		
李柄華	Li Bing-hua, M.A.	Assistant Prof. & Chairman
戴樂仁	John B. Tayler, M. Sc.	Professor
文國鼐	Miss Augusta Wagner, B.A.	Instructor

黃憲儒	Huang Hsien-ju, Ph.D.	Lecturer
宗植心	Tsung Chih-hsin, M.A.	Lecturer
任宗濟	Jen Tsung-chi, M.A.	Lecturer
DEPARTMENT OF CHEMISTRY 化學系		
韋爾巽	Stanley D. Wilson, M.A., Ph.D.	Professor and Chairman

衛爾遜	Earl O. Wilson, B.S., S.M.	Professor in Charge of Work in Industrial and applied Chemistry
王宗瑤	Miss Wang Tsung-yao, M.S.	Instructor
王贊卿	Wang Tsan-ching, B.A.	Instructor
張 銓	Chang Chuan P., B.S.	Instructor in Industrial Chemistry
曹敬盤	Tsao Ching-pan, B.A.	Instructor
蔡鏐生	Tsao Liu-sheng, B.S., M.S.	Instructor
王譽傳	Wang Yu Chuan, B.A.	Assistant

DEPARTMENT OF BIOLOGY 生物學系

胡經甫	Wu Chen-fu F., M.A., Ph.D.	Professor and Chairman

博愛理	*Miss Alice M. Boring, M.A., Ph.D.	Professor
李汝祺	Li Ju-chi, Ph. D.	Assistant Professor
陳子英	Chen Tse-ying, M.A., Ph. D.	Assistant Professor
盧開運	Lu Kai-yun P., B.A.	Instructor
徐蔭祺	Hsu Yin-chi, B.S.	Assistant
劉承詔	Liu Cheng-chao, B.A.	Assistant
秦耀庭	Chin Yao-ting	Graduate Fellow

DEPARTMENT OF GEOGRAPHY AND GEOLOGY　地理與地質學系

達偉德	Walter W. Davis, M. S.	Professor and Chairman

  黃玉蓉 Miss Huang Yu-jung, M.A.   Instructor
DEPARTMENT OF PHYSICS 物理學系
  謝玉銘 Hsieh Yu-ming, M.A., Ph. D.   Assistant Prof. & Chairman
  楊齏卿 Yang Chin-ching D., B.S.   Assistant Professor
  魏培修 Wei Pei-hsiu, B.S.   Assistant

DEPARTMENT OF HOME ECONOMICS 家政學系
  宓樂施 Miss Camilla Mills, B.S., M.A.   Instructor and Chairman
  劉和夫人 Mrs. Lew Ho H., B.S., M.S.   Instructor
  陳意 Miss Chen I, B.A., M.A.   Instructor
DEPARTMENT OF AGRICULTURE 農學系
  劉和 Lew Ho H., M.S., Ph. D.   Assistant Prof. & Chairman

于振周	Yu Chen-chou, B.A., B.S.	Instructor
陳舜耘	Chen Shun-yun, B.S., D.V.M., M.S.	Instructor
沈壽銓	Shen Shou-chuan, B.S.	Assistant
姜彝長	Chiang I-chang, B.S.	Assistant

陳在新	*Ch'en Tsai-hsin, M.A., Ph. D.	Professor

DEPARTMENT OF MATHEMATICS AND ASTRONOMY 數學系

孫 榮	Sun Jung, M.A., M.S., Ph. D.	Prof. & Acting Chairman
韓懿德	Miss Ethel M. Hancock, B.S.	Professor

SCHOOL OF RELIGION 宗教學院

趙紫宸	Chao Tsu chen, M.A., B.D., D. Litt.,	Professor and Dean

40

李榮芳　*Li Jung-fang, M.A., Th. D.　　　　　Professor
徐寶謙　Hsu Pao-chien, M.A.　　　　　　　　Professor
許地山　Hsu Ti-shan, M.A., B.D., B.Litt.(Oxon) Assistant Professor
誠質怡　Cheng Chih-yi A., S.T.M., Ph. D.　　 Assistant Professor

劉廷芳　Leu Ting-fang T., M.A., Ph. D., S.T.D., D.D.　Prof.
柏基根　Thomas M. Barker, M.A.　　　　　Professor
王克私　Philip de Vargas, Ph. D.　　　　　　Professor
陳　桓　Chen Yuan　　　　　　　　　　　　Professor

Fig. 2 Distribution by Department of Faculty

DEPT.	PROFESSOR	ASST. PROF.	INSTRUCTOR	LECTURER	ASSISTANT	TOTAL
Agriculture	2		2		2	5
Biology	2	2	1		3	8
Chemistry	2		5		2	9
Chinese	5	1	1	9		16
Economics	1	2	2	4	3	11
Education	2		2			6
English	3		7			10
Europ. Lang.						2
Geog. & Geol.	1	1		2	1	3
History	5		4			13
Home Econ.			3			1
Journalism	1		1	2		4
Mathematics	4			2		2
Music					3	5
Philosophy	3	3	1	2		6
Physics		2	2	2	2	9
Pol. Science	5		2	2	1	4
Psychology		1			2	10
Sociology	3	3	2	2		10
Sch. of Rel.						6
Tu-Kie			3			3

Fig. 1 Showing the Number of Faculty and Staff in the University

	CHINESE				FOREIGN				TOTAL
	IN RESIDENCE M. W.		ON FURLOUGH M. W.		IN RESIDENCE M. W.		ON FURLOUGH M. W.		
Professor	20		3		11	4	4		44
Asst. Prof.	12				6	7		1	17
Instructor	10	8			6	7		1	32
Lecturer	20				1				24
Assistant					20	15	6		19
	81	9	3		20	15	6	2	136
Officer of Administ.	5	1			4				13
Secretary	11	1			4				16
Assistant	12								12
Clerk	22								22
Others									4
TOTAL	135	11	4		24	21	6	2	203

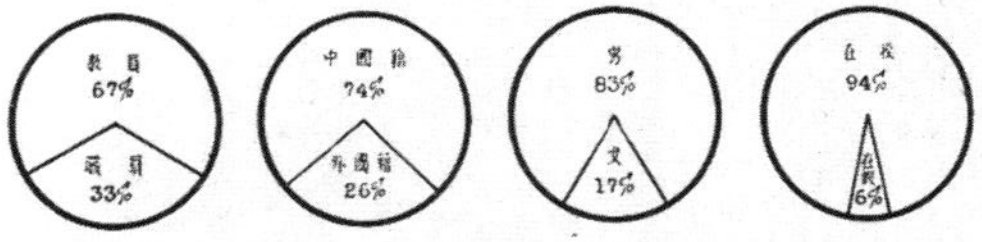

- Faculty......136
- Staff......67

- Chinese......150
- Foreign......53

- Men......169
- Women......34

- In Residence......191
- On Furlough......12

未交相片各教授：

DEPARTMENT OF ENGLISH 英文學系
布多馬　T. E. Breece, M. A., B. S.　　　　　　　Prof. & Chairman
包貴思　Miss G. M. Boynton, M. A.　　　　　　　Professor
傅希德　L. W. Faucett, Ph. D., M. A.　　　　　　Professor
柯宓喜　Miss A. Cochran, M. A.　　　　　　　　Instructor

DEPARTMENT OF PHILOSOPHY 哲學系
金岳霖　Chin Yueh-lin, Ph. D.　　　　　　　　　Lecturer

DEPARTMENT OF CHINESE 國文學系
黎韶熙　Li Shao-hsi　　　　　　　　　　　　　Lecturer
徐祖正　Hsu Tsu-tseng　　　　　　　　　　　　Lecturer
許之衡　Hsu Chih-heng　　　　　　　　　　　　Lecturer
錢玄同　Chien Hsuan-tung　　　　　　　　　　 Lecturer
馬裕藻　Ma Yu-tsao　　　　　　　　　　　　　Lecturer
謝婉瑩　Miss Hsieh Wan-ying M., M.A.　　　　　Instructor

DEPARTMENT OF HISTORY 歷史學系
安思莊　M. Armstrong, B.A.　　　　　　　　　　Instructor
夏爾孟　H. B. Sharman, Ph. D.　　　　　　　　　Honorary Lecturer

DEPARTMENT OF SOCIOLOGY 社會學系
牛衛華　Miss J. I. Newell, Ph. D.　　　　　　　　Visiting Prof.
蘭安生　J. B. Grant, M. D., G.P.H.　　　　　　　Honorary Lecturer
富博思　R. L. Forbes, B.A.　　　　　　　　　　 Honorary Lecturer

DEPARTMENT OF POLITICAL SCIENCE 政治學系
格而溫　E. S. Corwin Ph. D., LL.D.　　　　　　　Visiting Prof.
李　浦　Li Pu, LL.B.　　　　　　　　　　　　　 Lecturer
卿汝楫　Ching Ju-Chi, B A.　　　　　　　　　　 Assistant
畢善功　L. R. O. Bevan, M.A.,LL.B.　　　　　　　Honorary Lecturer

DEPARTMENT OF ECONOMICS 經濟學系
劉景山　Liu Ching-shan, M.A.　　　　　　　　　Lecturer
邸昕庭　Ti Hsin-ting, B.A.　　　　　　　　　　 Instructor
黃　卓　Huang Cho, B.A.　　　　　　　　　　　Assistant

DEPARTMENT OF MATHEMATICS AND ASTRONOMY 數學系
寇恩慈　Miss E. L. Konantz, M.A.　　　　　　　 Professor

DEPARTMENT OF MUSIC 音樂學系
蘇路德　Miss R.L. Stahl, B.M.　　　　　　　　　Assistant Prof & Chairman
衛爾遜夫人　Mrs. E.O. Wilson, B.A　　　　　　　Honorary Instructor

研究院

吳黎責　　四川銅梁　　　國文

黎責是我三年以來的同學，他的學問，思想，品格及作事的能力，在我的朋友當中，是我最欽仰的。他治學淵而博，纖而密，對於英法德國語言及文學皆深究，而於本國文學尤擅長。他的思想及品格，可以深澈及沉毅四字槪括之。他作事更表現驚人的能力；果斯，不怕失敗，不怕危險，是他作事的精神。今夏他得碩士學位後，將離校他就，將來與社會的貢献，定不可限量。

　　　　　　　　　　　　　　　　　長寧

盧季卿　　廣東南海　　　社會學

"欲成其大，當謹其微"。

嚴景耀　　浙江餘姚　　　社會學

君性和煦，待人有禮，研究犯罪學，至所用心，日夕詣獄調查，僕僕風塵於燕平道上，三歲無少間，今學有所得，著述宏富，非偶然也。

　　　　　　　　　　　　　　　　　迦那

47

夏晉熊　　浙江鄞縣　　經濟學

"強毅之人，狠剛不和，不戒其強之搪突，而以順為撓，厲其抗：是故可以立法難與入微"。

陳希誠　　福建長樂　　經濟學

"辨博之人，論理贍給，不戒其辭之汎濫，而以楷為繫，遂其流；是故可與汎序，難與立約"。

馮志東　　河北蔚縣　　化學

北通協和舊校畢業，在母校任科學教習五年，在上海任編譯三年，在新舊協和醫學校任化學助教六年。後轉入協醫藥物學科，研究中藥，提製藥精，出品以大楓子油露，麻黃素，等為大宗，推銷中外，七載於茲。曾於齊魯大學專修化學一年，在協醫預科補習物理生物各一年，今復於燕大研究院研究化學一年，發明數種麻黃導素，而領得碩士學位焉。

徐蔭祺　　江蘇吳縣　　生物學

蔭祺是講求人格努力學問的人，他容貌的秀美與他的性情相似，與他接近的人，都覺得他可愛。他頭腦又鋒利又有條理，科學工作上的效率非常大。他的蟋蟀研究（碩士論文），二年中日夕埋頭，解剖研究，除於攜造形態上輸圖敘述之外，又做成蟋蟀分類法，在中國動物學上成就了驚人的創作。年少聰頴不算希罕，年少聰頴而能清心冷靜，確非容易，多少人在這一點上落選，科學家的隊伍纔能保持他的嚴整。蔭祺給人的印像不是青春壯美的熱情，而是他內在的一種毅力，與他相處，好像從杉榆材木的造林場經過，雖然不見明艷的花枝，給人隱隱感到的，是一種森森然的巨幹凌雪的氣象。

廷蔚

吳敬寰　　山東泰安　　物理學
"自得之則居之安居之安則資之深"

凡與吳君稍有一面之雅，莫不知其性之戇直，富於無畏精神，絕少趑趄不前之懦態。當仁雖師不讓，出言自露幽井豪傑之氣。

吳君攻科學，於電學尤多研究。今茲燕大物理學系所用之無線電儀器，出自吳君手者，不在少數。以君之積學功深，加以數年，當有所成就。然而"有爲者譬若掘井，掘井九軔而不及泉，猶爲棄井也"。吳君既蓄志獻身科學，固知其必成，我們原無用顧慮到他的，功虧一簀。并且真真的科學精神，是在乎尋求真理，我們又怎能專以成功和失敗來品評價值？反正任何人的努力，在於人類的演進歷程中，是有其位置底。

吳君懇夫通譽失實，故我亦不復贅言，任重道遠，祝君壯志有成，爲世界科學界放一點光明，使天下人類，亦知我華夏之民，固有其獨立的精神！

獻

魏培修　　福建閩侯　　物理學

魏君性情純篤，好學不倦，方其在福州英華書院及福建協和大學時，學行均爲儕輩冠，暨來燕大，專攻物理學，造詣益精，而所長尤在電學云；然魏君餘力所及，兼工藝事，書法秀勁，酷類君父，風致瀟灑，亦相近似，則又深於文藝素養者，不得僅以科學家目之矣。去歲君姊秀瑩得碩士位，今魏君又繼之，一門佳話，亦彌足欽已。

紹虞

一九二八乙班

沈輔家　　浙江紹興　　國文

沈君浙東人，貌俠麗，善歌曲，然而英氣集眉，態度雍容，與友交，喜直言無諱，相見以誠，沈君有之。讀書不求甚解，有彭澤之風，顧每有所覺，卽能領悟，居每獨處一室，引吭婉歌，聞之者輒爲神往，梅耶之譽，固有因焉。嗟，如沈君者，其今日英雄中之巾幗歟。

晉生

汪祥慶　　安徽黟縣　　敎育學

君，皖產，性淳厚，刻苦耐勞，富計畫力，尤長於幹才，誠新時代之青年也。惟課餘飯後，腦中常置「算盤」一具，故同學以「資本家」名。

一乎一

林紹文　　福建龍溪　　生物學

平生見過幾個聰明的人，他是裏頭最完備的一個。他的才分不偏於一方，科學上的成就旣出人頭地，藝術方面亦有深切的嗜好；梵哑鈴琴弦上的指尖，是他靈魂的跳舞。他很康健，拍球，泅水，溜冰樣樣都精，他又長得好看，"It"很多，所以黑一點亦不礙。只是他晚上睡覺，剛崎下叫他就不會答應，將來萬一落薄，拉洋車不妨試試，夜裏打更是絕對不成。同班四年，都未跟他打過架，替他作傳是分內之事，本想從胚胎學第一章說起，末了還附上祭文輓聯，可惜年刊部限定日期字數，而且他一時也未見得肯自殺，所以只得打住。

廷蕡

張爐琳　　河北固安　　　歷史

君性溫厚，篤言行，態度沈靜，治事有方，恆能以有紀律，有忍耐之工作勝人。

君卒業於保定高師附中後，當即考入本校，專攻中西史學，深得師友之嘉許。只因家道貧寒，費用困苦，求學途中曾一度外出。現今數年寒窗，畢業在卽，朋友等多慕其求學之毅力云　　　　善奇識

司徒壯　　廣東開平　　　經濟學

向以「和校長當家」而聞的壯將要離開操場——學校，到戰場——社會，去奮鬥了！他將來的工作我深信必有個相當的成功，因爲他不但有個「和校長當家」的名，而却在短促的四年之中已學得了校長的幾點。僅此星星的幾點出而應世已足以作爲一番了。若能耳將牠們善爲啓發之，蔓延之，那這個「和校長當家，」的司徒壯必能作司徒雷登第二。「克承箕裘」願我壯友努力！人不是爲饅首乾飯活着的！
　　　　　　　　　　　　　　　天雷

張世文　　遼寧安東　　　社會學

"靈和殿前柳似張緒當年"

51

李建藩　　河北天津　　生物學

給朋友的話：

在過去二十年中我是快樂的。我有一個美滿的家庭。從早年我們就在刻苦的生活中，創始個人的幸福，因而我的個性不時露出一種嚴謹而澹泊世情的色彩。

但是我的羣生活，的快樂全從你們的友情而來。我永遠在紀念你們！

我的志願在自然科學，藝術我亦愛，但不能專。雖富於宗教熱情，但從莫有信奉任何宗教。

借重年刊將整個的我呈獻於你們

建藩

孫守先　　江蘇宿遷　　歷史

"凡人之質量，中和最貴矣，中和之質，必平淡無味，故能調成五材，變化應節；是故觀人察質，必先察其平淡，而後求其聰明"。

浣溪紗　　因百

萬木陰陰向晚晴
夢回獨自放歌行
悲歡依舊欠分明
猶記秋紅隨手折
忽看春綠撲眉生
今年楓葉去年情

一九二九班　　文學院

修海倫　　浙江　　英文

歲月迅逝，正如滔滔不息地流水；多年學校的生活，從今暫行收束起。願將所承受的愛，光，和歡樂，用最摯誠的心靈，供獻給人們！

　　　　　　　　　　海倫自序

盧祺新　　廣東順德　　英文

既嫻運動復能文，兩疊篋長獨羨君；想得他年名籍後，不知爭煞幾紅裙。

　　　　　　　　　　一笑

馬慶選　　遼寧遼陽　　敎育學

君性平靜，勇義好善，長數學，擅武術，自幼讀書即感受經濟壓迫，然卒能達到求學目的者，蓋奮勉勤學之所致也。

馬錫文　　遼寧遼陽　　教育學

君爲人持躬謹嚴，任事勤懇有幹才，對人則和靄可親，客秋來校專攻教育，計君兩來燕京，中間服務於教育界五年，對於教育經驗頗深，曾被選爲文會書院首任副校長，今則學成歸去，余不禁爲東省教育前途慶。
　　　　　　　　　　　　　　　　　恩德

盛建才　　廣東中山　　教育學

伊本是西冷秀女，
明似秋水，艷若朝霞，
天公賦與多嬌姿，誕辰巧逢百花時。
伊本是春神化身，
解貼溫存，爛漫天眞，
妙解音律愛詩歌，忙中歲月閒中過。
伊本是慰安使者，
湖光塔影，黃昏人靜，
是伊曾帶同情來，驪歌怕唱且盡歡。
　　　　　　　　　　　　　　　　　青和

陰毓蘭　　山西沁源　　教育學

先生字緞齋，晉沁源人也。少時事親至孝，雖受嚴斥，亦敬不逾。年十六，遊學井門一中，爲校中余之最知已者。後畢業銘賢入燕大，今年暑假又屆畢業期矣。君來函屬余作傳，茲於君之事業之堪作吾儕模範者略述之：留學生，易趨奢侈，而君獨能勤儉，是堪紀念者一，近來革命潮流，十分澎漲，甚有不讀書而談革命者，惟君獨信子民蔡先生救國勿忘讀書一語，盡全付精神於苦學救國之途，是堪紀念者二，綜此二點，而君以直爽出之，不爲習俗所累，終能完成學業，吾知今後必大展抱負，有所創造，爲全國之矜式也。
　　　　　　　　　　　　　　　　　光軒

54

劉景雙　　　遼寧遼源　　　教育

君天資穎敏,熱心教育,又喜科學;故於教育外,尤多攻物理。為人坦白,果決斷;對於將來事業,又能認清目標。君今畢業,必得其所學為造福社會之資料也。

慧聲

韋崇武　　　安徽霍丘　　　國文

題　詩

異樣的衣冠著出如夢的四年,
哦,四年,這四年時間的苦甜!
青夢如碧空一般在眼前灼耀,
灰思如烏雲一般在心頭籠罩。

這眼角,這眉梢,
是不是我的靈魂的記號?
這板臉,這冷淡,
怎能畫出我心頭的苦甜?

張竹林　　　安徽秋浦　　　歐語

鬱君玉立,皎若天人,雅性潤沖,匪惟學醇,謙以自牧,和光同塵,萬象攄胸,不見喜矇,恂恂學子,實邁常倫,脉歔作贊,其友堯民。

朱淑琼　　　廣東新會　　　歷史

在大學最後的一年中我們才彼此深深地認識了，從前只知道她聰明，活潑，洒脫，現在才知道在她活活潑潑地流水般的生命中深藏著一棵偉大的同情心，永遠道尋著他人的苦惱跟難在援助他人的熱忱中忘記了自己的一切．

珮貞

李書春　　　河北臨城　　　歷史

余生於河北臨城縣北之一小村中，家業農，幼少見聞，自來此就學之後始悉世間尚有今之所謂人者，有益吾生始非淺鮮，惜余生而愚，不克洞觀今之所謂人者，莫非憾事，今而後吾豈習向趨變乎？抑固守已有耶？

自傳

高愛梅　　　山東　　　歷史

無論動的時候，或靜的時候，遇到了愛梅總感到了那恬靜的面孔上浮著一層帶有疑慮的悲傷．為了名利而焦急麼？她有那樣淡泊的襟懷！為了環境而憂慍麼？她有和旁人同樣圓滿的遭遇，假設和他處長了就知道她那種悲哀完全是純粹「人間苦」的深深地領略．這真是她人格最可愛的一部分，反映出一切懽樂中浮淺生活的可鄙．

珮貞

徐琚清　　　廣東蕉嶺　　　歷史

君專攻歷史，筆壇詩文，勤於讀書，勇於任事，忠於朋友，謹於私行。二年以來，歷服務於校內學生團體，皆能盡厥職，成績昭然。

鄧家棟

梁珮貞　　　山西清源　　　歷史

我深知渭華的性質豪放不拘，喜詩善文，最會細細地咀嚼人生的意味。她的理知發展的又很超越，很愛深刻的學術研究，喜歡讀書，她社家對於國會與人類的責任心又很重，總是積極努力向前，而她這種堅強濃厚的性格亦就是她缺點所在的地方。

君哲

趙振華　　　河北遵化　　　歷史

君字冠中，性耿介，寡言笑，爲文賅博典雅，神思弗竭，子子曰。緜緜若存。用之不勤。其是之謂乎？

吳鈞廣　　吉林扶餘　　教育學

君幼喪父，恃慈母賢叔最大。性和平，但遇有悖乎正義者亦不惜破懷和平而力爭之。待人以誠，有俠者風。與知友譚話鮮述及往事，但對叔父之教養，則多感激之語。君幼時嗜文學，現習教育，復綱政治，未來之教育政治家也。予與君同學逾七載，豈所謂知之愈深而望之愈殷歟。

愛清・三，二十，二九

蠻華館詞
—白—

—虞美人—
當年偕立花前語
眉黛嫵如許
鍚蘢隔巷賣櫻紅
梁上周遮燕子笑春風
如今偏愛淒涼味
鏡裏悉憔悴
碧山千古夕陽多
不見樓頭流水自成波

—臨江仙—
那夜臨流斟酒緣
昇平羅綺春風
一鈎新月照簾櫳
偷窺銀箔薄
密語碧紗濃
自我西陵舟去後
此情更與誰同
山長水遠夢痕空
思量多少事
都落淡煙中

應用社會科學院

于恩德　　遼寧錦縣　　社會學

恩德遼寧省錦縣產，資魯鈍，無大志向喜讀書。自八歲入小學，迄今十四寒暑，除兩病外，未嘗輟讀。於今在校四載總算畢業，雖博得方帽一項，然所學不過滄海一粟，於我何補？自顧前途茫茫，殊深惶懼，復希努力自勉，俾能效身黨國，與此惡社會奮鬭。

吳榆珍　　浙江吳興　　社會學

既長於同小孩子交朋友，又善會和老人談心。很用功讀書，同時又能熱心服務。通曉數國文字，偏偏又不常講洋話。形於色的是恬靜，幽閒。蘊於心的是生機活潑。薄薄的雲兒裏透出的太陽光，不是更美而可愛的嗎！

高君哲　　福建長樂　　社會學

一池清澈見底的止水，永遠能照見周圍的樹影，掠過的鳥翼，反映着朝霞與夜月同赤包色容著着閒雲與惰石橫風吹過，暴雨打來一切倒影都在零亂中消失了，池水却在同情的波動後，依然恢復了她原來的恬靜與安閒。這便是君哲空靈的心境，她那種容受外象毫不着跡的本質使知道她的人永遠忘不了她人格的美。

　　　　　　　　　　　　　　　渭華

59

張光祿　　　湖北施南　　　社會學

"聰能聽序，思能造端，明能見機，辭能辯意，捷能攝失，守能待攻，攻能奪守，奪能易予，兼此八者，然後乃能通於天下之理。"

陳淑琛　　　福建閩侯　　　社會學

女士是福州不很平凡的女子之一。當我們福州同學由其愛人許君介紹而才認識了她的時候，看她待人親密的風姿和舉止不拘的態度，便動起敬愛的情緒。以後我們和陳女士很常底接觸，而友誼也一天深似一天。—現在我們福州同學個個看陳女士有如自己的姊妹似的。而陳女士也常常這樣對我們說："我跟你們在一塊兒好像都是兄弟一般"兩年的韶光，飛也似的過去；轉瞬陳女士便要畢業而跟我們分開底了！—我們誠有無限的惆悵和惋惜！因此我便代表福州同學們在這兒寫幾句來記念她！　　　　　　　　　　　　　　天沂

萬樹庸　　　安徽蕪湖　　　社會學

幹！幹！幹！

不用手槍與炸彈，

願將頸血化為汗，

終身努力去把建設事業幹，

海可枯，石可爛，

此種精神永不渙，

葛家棟　　江蘇崑山　　社會學

老葛是一個實踐的人，他的一舉一動，是何等的小心謹愼啊。有的時候，我們眞要說他 overcare。其與實其說老葛 overcare，不如說我們不實踐的好，世事如此艱難，不是小心謹愼成功是不容易的。

老葛是一個健談者，當你與他討論甚麼時，他總是 lead the discussion,「這是原則當然有例外的」他的 work 很有 scientific spirit。待人忠實誠懇，尤不肯與人以難堪，這是他的不可及處，他的主修科是社會學，但對於市政有特殊的興趣。

方寶珪　　浙江嘉興　　政治學

十六年秋，余來燕京，因近視，錯認君於盥洗室爲友人輔家，不意一聲"Hullo"而自此心志相孚，結爲莫逆，於茲兩載。君終日笑容滿面，無沉默之時。善於談天，而辦事則不喜將就。訴諧好書籍，以致室內無處非書本藏身之地，可謂獨出心裁之點綴法也。同學中有以「白來乎法郎三」爲家常便飯者除君莫屬。現就法文學會會長，該會之得以成立，君實與有力焉。君有時舉動行止，酷似久居中國之「巴黎西洋人」(Parisien) 卒業後擬留學於法，專攻法律外交，以求深造，藉此亦可一嘗「故鄉」之風味也。曾聞法地風尚漫漫，麗姝比比皆是，方兄銳秀而慧，性復漫漫，此去可謂得其所哉！但深望吾友好自爲之，毋墮其毅中而不自拔，吾友其勉諸！

驥

王家松　　江西南城　　政治學

君贛籍閩居，其任達豪放之風，穎敏秀徹之質，殆有得於贛閩水之山助。其於技擊聲律外，尤精馬術，在校主修政治，學成致用，行見其爲馬上人矣！

子丹

任守訓　　吉林濱江　　政治學

你見他的當兒，他沉默寡言，「不遠如愚」；可是在他心的深處，早燃燒着一腔熱血；將來一旦流出，要將荊棘叢生的世界，灌漑成一所美好的花園．

之乎

林其煌　　福建閩侯　　政治學

其煌很 popular，人人都認識他．有時看他好像"神氣活現"，其實他很謙遜．

他的 field 是政治，他有政治家的辯材，你要小心，他那張嘴，真能"虎"人．

查庵

孫鎮域　　江蘇無錫　　政治學

鎮域要算是同伴中最有風趣的人了！在大庭廣衆之中，看他那樣緘默，端謹，誰會意想到他的談鋒的健銳，見解的超邁，在一間小屋裏，能維繫住他的同伴們不斷他感覺着豐富的興趣地靜聽着他．

他是一個有文學根柢的人．韻韻噴達，操履開達，對於你永遠建議最有益的事件，並且對於你的哀樂表很真摯的同情．富於藝術鑑賞，熟諳銀幕春秋，關於本校的"羅曼絲"，這位冷靜的 Spectator，却藏着一部精整的諧牒．

微明

張虹君　　河北廣宗　　政治學

張虹君字濤五，河北廣宗人。讀政治，喜食肉，好閱報；在校四載，二年半之光陰用於翻譯，然而較穿藍布大掛之時期，尚少一年有牛也。

黃珍

張漢靈　　東恩平　　政治學

張君，肌肉飽滿，素以欣賞烟葉自娛，他不是為抽烟而抽烟。他是為「文化」而抽烟；他常感欲整理頭腦，使其井井有條，頭頭是道，認非抽烟不為功。觀英國之大政治家，大文豪，莫不日夕在烟霞中討生活，此中西一例，英雄所見略同也。

張君習政治，攻外交，常以（弱國無外交）一語，為頭痛，思有以轉移之，於是專心此道；瞻觀國際大勢，默察本國政情，所謂知己知彼，百戰百勝，這是外交家應具的態度，而張君早已成竹在胸矣。

張君宜言鮮笑，驟卽之者嚴然不可侵犯，其實骨子裏有如我佛如來；有過人之才而無驕人之色，這是張君修養獨到之處，自是賢能而可貴。

長溪

馮志棟　　江蘇武進　　政治學

志可與松竹媲堅，行可與青雲競高。學則漫汗而無極，睨則和藹而可親。好讀書；焚膏繼晷，勤勉而不倦。善音樂；和宮調徵，清雅而怡情。課業之餘，假期之日，喜訪園林，遊名山。故近畿邱壑，足跡幾遍。

世麟

葉啓祥　　江蘇吳縣　　政治學

君少肄業桃塢，畢業後升入聖約翰，一年後又轉入燕京。始志習醫，後改入社會學系，最後卒攻政治科。昔者孟母三遷而定所居，葉君三遷而定所學，雖學與居不同，其趨一也。

葉君嫻於辭令，剖析毫釐，擘肌分理，往往飛辭騁辯，滔氣岔涌，嘗於模托法庭中充律師，其辯鑿鑿，其論錚錚，有法家風範。為人短小精悍，風彩閎潤，行軌有盧，遇人以誠，知葉君者，固無不交稱善之。

葉君於去秋來校後，輒芒然而思，似若有亡，間嘗憑欄而眺，寂然不語。意者，姑蘇臺畔，有美一人，千里迢迢，山河遙阻，西風蘋花，其能無秋水之感哉？乃者，絲衣人至，授以尺書，娟娟蟹字，橫行敷行，則色然怡悅，又不忍卒讀，蓋伊人消息至矣。

鎮城

熊之孚　　湖北蘄春　　政治學

君，鄂產，性溫和，善交遊，其待人接物，極表懇摯；胸懷大志，富決斷力，而能任事，故同學中頗屬望之，或以中國未來之政治家名，實有自焉；君每與予語，涉及政治，則抵掌而談，竟日不倦；讀當代革命家之言論，興趣橫生，幾忘寢食；生平常以「努力」二字，懸之襟畔，隱自砥勵，蓋三五年如一日也。

建明

劉厚德　　廣東花縣　　政治學

出於污泥，長乎流俗，阨遭世運人也。將否被染與逐流，則有待證於餘生。然以過去及現在觀之，則玩不知厭，雖來不懼，蓋亦無愧氏之徒歟！

留侯誌

鄭應瑞　　福建　　政治學

君閩人,世居臺灣;畢業台灣台北商工學校,故嫻於日語。曾肄業廈門鼓浪嶼英華書院,嗣後轉學泉州培元中學校。於民國十四年畢業後,負笈本校,專攻政治學科。於中外古今政治之原理沿革消長治亂之道,靡不悉心研究,有所心得。尤關懷時事,蒿目時艱;往往有改進中國政治狀況「舍我其誰」之慨。每談至國勢陵夷,輒憤然義形于色。然平居沉默寡言,質樸自愛;「望之儼然,卽之也溫」,其君之謂歟。君素服膺「有志者事竟成」及「天下無難事,只怕有心人」之格言,故為學能深造有得;辦事勇往直前,能任艱鉅,頁有以也。

　　　　　　　　　　　　二月二十八日

方光典　　江蘇江都　　經濟學

想不到面若何耶傅粉的「小白臉」方光典,却是一個有膽力愛冒險的壯漢呢。中學時他還是個癆病鬼的樣兒;後來日無間斷的鍛鍊身體,——靜坐啦,行深呼吸啦,長途步行啦,踢「潭腿」啦,做「八段錦」啦,拉彈力繩啦,等等——,終達到了強健的目的。他一種堅持到底的功夫,並非只用在這一處;他自幼酷愛音樂,所以中國的管絃絲竹無一不會,而西樂裏拉的彈的他也能一種就成。哈哈,說來便當做時難!沒有天才,沒有毅力,那能如此?

他在約翰大學念書,因為成績超等,第三年即得到一張榮譽的紅卡。可見得他幹的精神,無處不貫了。像這樣的青年,才是新中國所需要的啊。

　　　　　　　　　　　　　昨愚

白　端　　山西陽曲　　經濟學

白君端,字正叔,晉人,天資聰穎,待人和藹可親,擅長運動,每有競賽,輒獲冠軍。在校攻經濟學,頗有所得。今後擬服務於實業界,吾知其必能以運動場上之精神與惡環境相奮鬥也,白君勉乎哉。

　　　　　　　　　　　　　汴生

65

任慶生　　山東泰安　　經濟學

身材短小而才智甚高。性情誠摯而言談和靄，故人樂與交，全校中幾無不知有小任者焉。其作事富責任心，朋友有以事見託者，必竭誠相助，鞠躬盡瘁，無怨言也。君讀書並不終日孜孜，往往於運動後讀書而收事半功倍之效，以故成績頗優。嘗見我國商業不振，多由於計算不周，弊病橫生之故。因主修經濟而尤注意於統計會計等學。四年以來，心得頗富。將來世界商戰中之健將也。

博泉

宋以信　　福建莆田　　經濟學

以信美豐姿，亭亭玉立，一望而知為風流自賞之士。善詼諧，喜社交，同學鮮不識其清揚，讀書精勤不讓儕輩，課餘尤能服務公共機關，雖勞苦不辭，每屆開學開大會總選舉時則運其明敏之政治手腕，大肆活躍。在校歷任要職，有東方胡適(Eastern Hoover)之稱云。

其玉識

李世麟　　河北天津　　經濟學

李君世麟，籍天津。好讀書；在校四年，無時不與卷面為友；是以胸藏甚富。尤善經濟學，價值理論，租稅學說，皆為所長。同學有不解者，咸就教焉。君雖飽學如此，然甚謙虛。曾憶相約作此傳時，詢君所能，云無所長。孔子云：「有若無，實若虛。」此先生之謂歟！

之湄

李錫周　　廣東台山　　經濟學

—節錄錫周日記新序之一段—

錫周廣東台山人，歲二十四，研究經濟學，好著作，短篇之經濟理論，常見於報章，並編譯有農活叢書五種。喜服務，在校四年，曾任學生自治會代表大會主席，一九二九年級級長、經濟學會會長，學生軍主席等三十八職。席交遊，校中少有不與君來往者。

「會長」「衆人的兒子」「李總司令」「李主席」「契爺」「笑佛」「小軍閥」等……，乃君之別號，嚼之各有其背景在也。君好問卦，一日，卦畢，卜者告君曰：「你之性，外剛而內柔，須納兩妻室，不然，則須二十六歲方可成家，」君諾之，不知能行否？我坐以觀其後也。　　　　　　　　　　　　莘揲

吳之淵　　浙江杭縣　　經濟學

吳君之淵，字博泉，浙江杭縣人。爲人剛毅果斷，慷慨誠摯。遇事不避艱險，必期於成，不成，不休也。君善辭令，談笑詼諧，往往議論風生，四坐傾倒。又擅作文，文思宏遠，詞句壯麗；然此非君所專修者。君所攻習者爲經濟，蓋有志振興實業整理財政者也。余與君交屬竹馬，相知頗深，離別在即，因爲之傳，惜余不文，不能盡所欲言耳。

　　　　　　　　　　　　　　　　　　信德

余秉常　　廣東台山　　經濟學

君生長海外，體幹魁梧，擅運動，長英語。爲人誠樸率眞，精神奕奕，勇於任事，是迺風氣使然歟？

林　烈　　福建漳浦　　經濟學

假如爾在道路上，飯舘裏，或冰塲中，忽然聽見有「馬馬胡胡！」的聲音，你不用想，便可認得一定是出諸林烈君之口了。

如此看來，林君豈不是頹癈消極到極點嗎？其實不然。他口口聲聲的「馬馬胡胡！」只是他與世無爭的一種達觀的表現罷了。實際上他讀書做事，都極精細審愼，決不肯「馬馬胡胡」如不信，你去看他各學科的課外筆記，每季就有一大厚本，如非終日傾頹於學問中，曷克臻此。但林君的用功，苦則苦矣，而其樂亦極樂。常見他在衆人中間，高談闊論，滑稽之態百出，你稍不提防，給笑壞肚皮，那可不是玩的。此外林君對於國樂，猶具特長，眞不愧爲一個錚錚佼佼的人物。

林君爲福建漳浦人學的是經濟政治，對於農村問題猶有興趣。聽說他畢業之後，還想繼續研究。這位「馬馬胡胡」主義的提倡者，前途眞是未可限量啊！

　　　　　　　　文德女士　十八年二月一日。

胡鍾慶　　河北遷安　　經濟學

胡子性矯直，貌挺拔，交遊以和，故人皆愛之敬之。丙寅夏，由南開轉本校修經濟科爲高材生；而於民生主義，尤簡練揣摩。畢業後，仍圖深造，實之國人，胡子其勉旃！

　　　　　　　　　　　　　　　　　　津

唐炳亮　　廣東中山　　經濟學

Brownie是吾友炳亮的洋名，在師長男女同學之中，幾乎沒有不知道的；這是一件談何容易的事呵！他所以能夠如此者，不僅是在於他的挺堅的人格；深蘊的學業；精健的運動；服務的精神，而嘅在於他有一種人人皆知，而人人不易行的處世接物之道。說出來是平淡無奇，就是個「眞」字。你們和他作朋友，能感覺到怎樣總是一個眞朋友。

　　　　　　　　　　　　　　　　　　天雷

馬錫用　　河北三河　　經濟學

身軀高大，容貌顯達，天資聰慧，性格忠實，讀書是「吹毛求疵」，秋毫不容「糊混」。作人乃「溫瓦恭儉」，一步未嘗「丟人」，吹，拉，彈，唱，樣樣皆懂一二，愛，美，眞，善，件件研究很精，喜交遊故具「談天」之癖，善詼諧，是有「號兒斯」之稱，一言畢之，純係大好青年一位不帶任何渣滓也。

文祥

張厚珹　　河北南皮　　經濟學

訥於言而敏於思者，其吾友張厚珹乎，君平素靜默，不識之者輒謂其傲，初不知其天性如是也。君生於美之華盛頓，居留七稔，返國後始治國學，數經寒暑卽通經史，雖曰家學淵源，有以致之，而其天資之聰穎，亦可由斯窺得一斑矣。君與余交遊甚久，同治經濟之學，而君常爲吾國外交前途憂，擬今秋赴美，專攻政治之學，來日方長，豈可限量，厚珹勉之哉。

其煌

陳長津　　福建閩侯　　經濟學

陳子園之螽族，資敏性爽，取友必端，文有浩瀚氣，日孳孳致志於經濟學，以我國地大物博，發展斯爲急務，其抱負不凡，畢業後，定有嶄新之計劃焉，吾好拭目而俟之。

鍾慶

陳鴻舜　　江蘇泰縣　　經濟學

陳君鴻舜江蘇泰縣人，年二十五，於一九二五年秋入學。君稟資英敏，遇事果敢有為，不畏艱鉅，其毅力有過人者。其向學之精神，尤足令懦夫立志，猛著祖鞭。嘗怵目於我國經濟現狀之不貞，慨然屬志研求，一以適於實用者為歸，故君之所學，可一洗向來「閉戶造車」之弊，今其學成，必可為我國經濟界預祝成功也。君為人誠摯端方，以直道待人，同學多樂與君游。君雖長於國學，而恥以文名，人鮮知者。君最愛誦王之渙：白日依山盡，黃河入海流，欲窮千里目，更上一層樓一詩，其襟懷澹遠，可見一斑矣。

楊康祖　　湖南湘潭　　經濟學

君幼而穎悟，讀書迥異常人，師長親朋，交相稱贊，及長有敕國之志，勤奮力學，期在必成，民十四，畢業於崇德高級中學，考入燕京，主修經濟；尤能專心致志，久而彌篤，故其所學，牢能精研深造。平日處人接物，忠實和藹，相見以誠，孔子謂晏平仲善與人交，久而敬之，真足以贈君也。君暇時輒從事技擊，能識其精義，將來以其健全之身體，淵博之學問，造福國家，可預卜也。

　　　　　　　　　　　　　　　　　　海雲

程家驊　　安徽滔山　　經濟學

家驊待人的誠懇，是難能而可貴的，他雖有時故意和你搪飾作些頑皮借葬，然而他那副恕實的臉子是瞞不住的。可是，程老板的一串珠喉，却引起了紛爭，有人說是「蘭芳衣缽」，有人說是「豔秋真傳」。結果，我們不免要學些文人的挍榆，說一句「得梅之神而其程之韻」了！這位老板，時時刻刻想做銀行老板，年刊廣告，是老板長袖善舞的成績，他總穿著水獺領子的中國大氅，罩著西服，據說是以便在中西商店都能周旋的意思。

　　　　　　　　　　　　　　　　　　査庵

黃玉錦　　福建龍溪　　經濟學

君隸閩籍,生於南洋,長受祖國教育。

嗜好頗多,好與舌戰,是其特色;惟非理不辯,故每辯必勝。

沉潛力學,不專適用,獨於窮理之學貴能啟益思想之教授頗有心得焉。

交友不泛,往來頻篤,久而愈敬;遇異性則臉紅走避,知者哂之。惟彼則以「本於天性」爲解,是亦無可如何也。

君習經濟,繼父志也。擬將來對於華僑大加以改良。　　丁燮

管玉珩　　山東恩縣　　經濟學

初習製革,繼改商科,具體育之天才,惟以身體羸弱,未能顯露頭角。君喜戴陸克式之大光眼鏡,而性又最靦覥,「難爲情之陸克」之綽號,君其願當之乎?

李安宅　　河北遷安　　社會學

省立第五中學畢業以後,工讀自給,1923—24年在齊大選科,1924—26在本校社會服務專修科,1926秋季作本系學生助理,1927改爲正式生。

魏學智　　江蘇江寧　　經濟學

魏君本肄業南京金陵大學，十五年秋，轉學燕京，主修經濟，研究社會主義尤有心得。本季畢業後，將執教鞭於金陵大學社會學系。為人聰明好學而活潑，喜辯詰；遇有疑難問題，必窮至追深不研，有相當之結論不止。惜年少氣盛，好管閒事；但此為青年之通病，不足獨怪魏君也。

耀瓊

于惠亨　　遼寧綏中　　政治學

話說關外老軍屯有個于惠亨，性爽直，豪邁過人，心裡沒有 Curve，不失「老郷」本色，喜交友，同學無不知于老三其人者，善演劇，愛好文學，為學校政治舞臺上之重要腳色，習政治，熱心外交，從他作事上看，未來之鐵腕外交家也。若改外交而習軍事，亦必一員「幹」將也。

燮清

― 網春詞 ―　　因百

― 定風波 ―

行到江南夢易醒
　新來真悔別離輕
回首舊時哀樂地
　長記曉星寒月太晶瑩
莫恨經年音信絕
　悽切一般心事兩無憑
懊恨敲聽深夜雨
　凄楚不似當年醉裏聲

自然科學院

許登文　　廣東文昌　　化學

活潑率真,固南僑之特性;勇毅仁俠,乃粵人之本色;君實兼而有之,君讀書不務虛榮,亦不泥於課本;惟對於科學之探求,則興之所在,每酣醉於實驗室中,廢寢而忘饔焉。年來運動場上少君角逐之蹤,交際場中鮮君涉足之時,知君正努力於作將來之科學驍子也.

宋棟

張泳泉　　河北大興　　化學

張君泳泉,北平人氏,少年英俊,自奉儉約,不喜標言,言則動聽,過人接物,精緻周至,事之來也,胸有成竹,絲毫不紊,「事之未來也不懼,事之臨之也不亂,事之過也不思」君可以當之矣.

虹君

劉席珍　　江蘇江寧　　化學

誰見席珍都會聯想到一些關於人格學問的美麗形容辭,這用不着我再來重複了。記得在夜色如水對影徘徊的時候席珍說:「我愛月亮,因為她是真誠的象徵,」又記得在山坡上悄立嗒然無語的時候席珍忽然說:"我愛高山,站在她的上頭,感到人類的渺小和自身的卑微";使我覺得,只有不斷的努力才能維繫住我的人生,我從這兩段話裏認識了席珍,我從這兩段話裡看見席珍的將來,啊!席珍!

渭華

江耀華　湖北黃梅　生物學

她到學校來，像一隻黃鶯飛入樹林，同環境還未熟識，大家就已理會到一種美的音樂的聽接。她並不只像藏在葉蔭底下唱歌的鳥兒，僅有音樂的天才，來校第二年，便膺任幹事部長與其他重要的職務，辦事從公既熱心盡職，功課工作方面亦十分傑出。她的畢業論文是研究北京土產昆蟲的分佈，繁膩細密的工作，非有耐心毅力與清楚的頭腦不能下手，她倒居然成功了。活潑的姿態，明利的眼睛，美麗的笑容，外表上是一個十足革命式的女子，跟她熟識的人，知道她內在的靈魂，還有一種特殊的優美。她很情事，她愛美，她欣賞自然界的景物，她知道戀惜人生片段的樂事。浪漫似乎是她性情最重要成分，只要社會環境刺激有一刻鬆弛，童話亮的神仙故事都可以奉動她的心，有時候一雙亮晶品純潔的眼光，好像盧可以使她相信，她是可以坐在花瓣上順著漢水漂下去，這樣跟仙女們玩耍……唉！透水的菰蒲，綻雨的丁香，天真嫵媚是生命的本色，只恐風塵苦雨，日後生活的磨鍊，槳鎖毀還青春的神秘。

在她的心坎有一個心願，有一種毅力；她要毫不自秘的盡一盡她做人的職務，要在她豐厚情感上，建設一種愉快勝人的創造，雖然她並沒有告訴過人，一切了解她的人自己會覺母。這個心願將來實行於社會，或者實現在範圍較小的一個家庭，這要看日後生活的趨勢，無論如何，她這個心願總叫人覺得非常可喜。

張品蕙　福建閩侯　生物學

品蕙神態飄逸，聰明過人，擅長音樂，復嫻美術，而專攻生物學，常以其柔美素手，解剖白兔青蛙之類於試驗臺上，未嘗稍有倦色，亦可謂美其才，緒其心，堅其志者矣。　　　　　　　　　　　　珮貞

陳國傑　廣東番禺　生物學

「委靡不振；」他的父親這樣形容他。

「道不同固不相謀，然略與酬酢亦自無損；」他的摯友這樣勸戒他。

「獲罪於人，而不自知；」他的同房這樣警戒他。

「吾行吾心之所是，知我者其能諒我；」他自己這樣說。

　　　　　　　　　　　　　　　　　　予瑕

劉廷蔚　　浙江永嘉　　生物學

太陽未卸寒鈴，風光未瞋，田隴間已先見廷蔚。雁蕩山南鶯飛如織的故鄉，匡廬的瀑花雲影，自然美從少就啓導他；如今玉泉山的夜流，臥佛寺的簷鈴，長城的春殘，西山的黃昏，海棠燕子，蘆荻秋蟲……儘自陶醉着。「勸君莫惜金縷衣，勸君記取少年時，」陶彭澤杜秋娘的哲學，是他生活的經緯。

輕描淡寫，品如梨花的詩句，早爲人所認識，但他說「詩不可當做職業，」然而讀科學又不免與本性徘徊；雖然他生物學的成績非常好。

廷蔚的性情彷彿早春的溫清，有時也帶一點寒意，這是由於他觀感的敏悟，但這寒意總留有餘溫，如春寒；他也因此多友愛。

天眞與智慧原是詩人的本質，誰不崇望聖哲偉人把這世界造成桃源，但儻不並具詩人的胸襟，桃源也將特爲現世，呵！天眞純粹，廷蔚珍守着罷。——澄

王貴珍　　河北衡水　　家政學

讀家政；具中國舊式婦女品格，而受有現代高等教育。

虹君

吳松珍　　浙江吳興　　家政學

「世界是一座大舞臺，人人都是優伶。在普通的舞臺上，能扮出一個逼眞逼僧的劉姥姥，」也自然是世界舞臺上的領袖，天地逆旅裏的主人了。這就是松珍的才華與性格。所以也就常長校中各種文學，遊藝的組織了。

舞臺上的劉姥姥！人類是須要你的同情和慰藉的！

75

何其傑　　安徽安慶　　家政學

女士由金陵女子大學特轉本校來學家政科，秉性直爽，居心仁慈，行事慷慨，接物待人莫不以真以實，尤善打抱不平，俠風凜凜誠然是名實相符的何其傑也。

劉錦毅　　河北遵化　　家政學

女士河北遵化縣人也，性活潑，善交際。見事勇決，遇人溫厚，事父母至孝，每聞父母疾，無不星夜奔馳，寒暑盜賊弗懼也。又富於情感，是故站臺上女士之淚痕，殆不勝計也。

天敏

魏拯之　　浙江杭縣　　家政學

君幼隨親來華北，故未染江南嬌柔之氣而獨薰燕趙剛直之風。抱改善中國家庭志，因主修家政，本家齊天下治之意也，居恆寸陰是惜，課餘寄情於小說。樂不息卷，溜漫甚廣，故有圖書館小說類活動目錄之稱，或謂君于小說中尋求理志家庭材料，亦的評也，君每見白色之物，不勝婉愛，似憐其素又復喜其潔者，以此亦足證其南人溜漫之情，仍未全脫也。

慶厚

何茂椿　　廣東中山　　農學

君緯號哥哥,以君兄弟之間友好彌篤,蓋嘗與乃弟共學于津之新學書院,起居同處,出入相偕,同學多戲呼其兄弟以哥哥弟弟,蓋言其足爲天下兄弟之模範也。好運動,體育諸技,猶不擅長。善交際,接物待人,溫文誠摯,其秉賦聰睿,讀書一過,輒能記憶,尤精理科,來燕長攻農學,我邦本以農立國,今以科學不逮歐西,故農事浸廢而國勢以衰,君之習農,蓋亦具有深心者焉。

頁

王　鑫　　山東平陰　　製革學

王君鑫字鑄青,魯之平陰人也。攻化學製革,以分數超越而得本校之獎金。君讀化學最多,爲燕大有史以來之冠。將來製皮革命之領袖,舍王君其誰歟?

鑑湖

管玉泉　　山東恩縣　　製革學

管君玉泉,魯之恩縣人也,喜歌詠,習製革,嘗以製革技師自居,人競以是稱焉,聞君卒業後仍擬深造,管君勉乎哉,其毋負令名!

七郎

王思義　　山西清源　　　　數學

性直溫純，情厚寡言；清貧曠蕩，不平則鳴；黽勉向學，不計成功；思想闊卓，不甘與濁世並污；喜數理之學，不樂應時之文。此何人哉？豈思義王君乎！

非非

金惠生　　遼寧錦縣　　　　數學

君生於一九〇八年。七歲入學，以天資聰慧，每試俱冠全級。而性情謙和，故更爲師友所器重。一九二五年來燕大，主修算學兼習物理諸科；成績均極優良。課餘生活中，復工鋼琴，精網球。聞畢業後，仍擬繼續研究科學，以爲服務會社之預備云。

燕西

黃慶厚　　湖南長沙　　　　數學

君湖南長沙人，有溫和敦厚風。稟賦靈慧，長數學，因專科之，蓋欲於教育中，實輸其深究之學也。爲學專一，遇考試尤甚。兀坐室中，埋頭溫習，舉不知其時世間尚有他事者。案旁置水壺，以備渴時取飲；時或揮同房友於室外，不令喧擾，怪癖如是。然君因善諧者，尤善述其幼年軼事，述時手之舞之，足之蹈之，如戲臺上角色然。君爲家中獨女，父母寵錫甚奇珍，每屆節會，君收領家鄉地道獨多，至其鄰友，亦飽口福焉。

拯之

王漢傑　　　河南新蔡　　　地理學

漢傑來自河南，初見之每覺其落落寡合，及深相與，方知其推誠接物，肝膽照人。漢傑學地理，每言至中國物產豐富，任人宰割，則憂傷憤激之色，溢諸眉宇，而平日又語無盡發，言必實踐，與空作楚囚泣者異，余甚愛重之。

　　　　　　　　　　　　　　　　　　珮貞

周淑純　　　遼陽黑山　　　生物學

淑純女士遼西人，所受教育，却多在內地。其求學路線乃乘京奉車來北京，又乘京津車往天津，自天津乘津浦車到南京，轉乘滬寧車到上海，不久，又依路線折回北京，而來燕大。展轉數年，風塵僕僕；將來路線如何，倘不得而知。

她學科學，而中心傾向於文學，除欣賞他人作品外，自己亦時有寫作，但祕不示人，故我嘗謂之為「文學的科學家」云。

蛇性喜弄死，且復弄而死之，覽於其手中之蛇命，不知凡幾。然終藉以博得「蛇學士」之頭銜，亦幸矣！
　　　　　　　　　　　　　　　　　菊屋一郎

―蝶　戀　花―　　　因百

冰雪聰明冰雪性
　冰雪肌膚大好誰能近
夢裏若憍人瘦損
　相逢肯惜牽衣問
江海飄零雙綠鬢
　除却單思事事無惡準
陌上車聲遞隱轎
　朝霞明豔清波影

一九二九協和醫科同學

司徒展 廣東

你的身材雖然短小，但是你的容貌可是漂亮。你的性情雖是溫和，但是你的意志不失高強。賈寶玉說：「女人是水做的，男人是泥做的。」至於你呢，我恐怕是用泥和水做的！

傑

范日新 河南

君，字子銘，豫之封邱人。幼穎悟，性活潑；及長善體育（豫省足球健將；曾敗赴華北）品敦厚，勤機好學。祖業中醫，蜚聲鄉里，父精西醫，懸壺河朔，活人無數。今君繼祖志依父規卒業燕大理科後復入父母校專攻醫科，將來學成濟世定無限量。

荃識

徐星寊 江蘇

貌秀而慧，行高而潔。待人則謙和謏讓，執身則嚴肅謹勅。其爲學也，運思精澈。其理事也，果斯英決。陽春之和風，三秋之皎月。同學之貞朋，國家之盤石。

仲豫

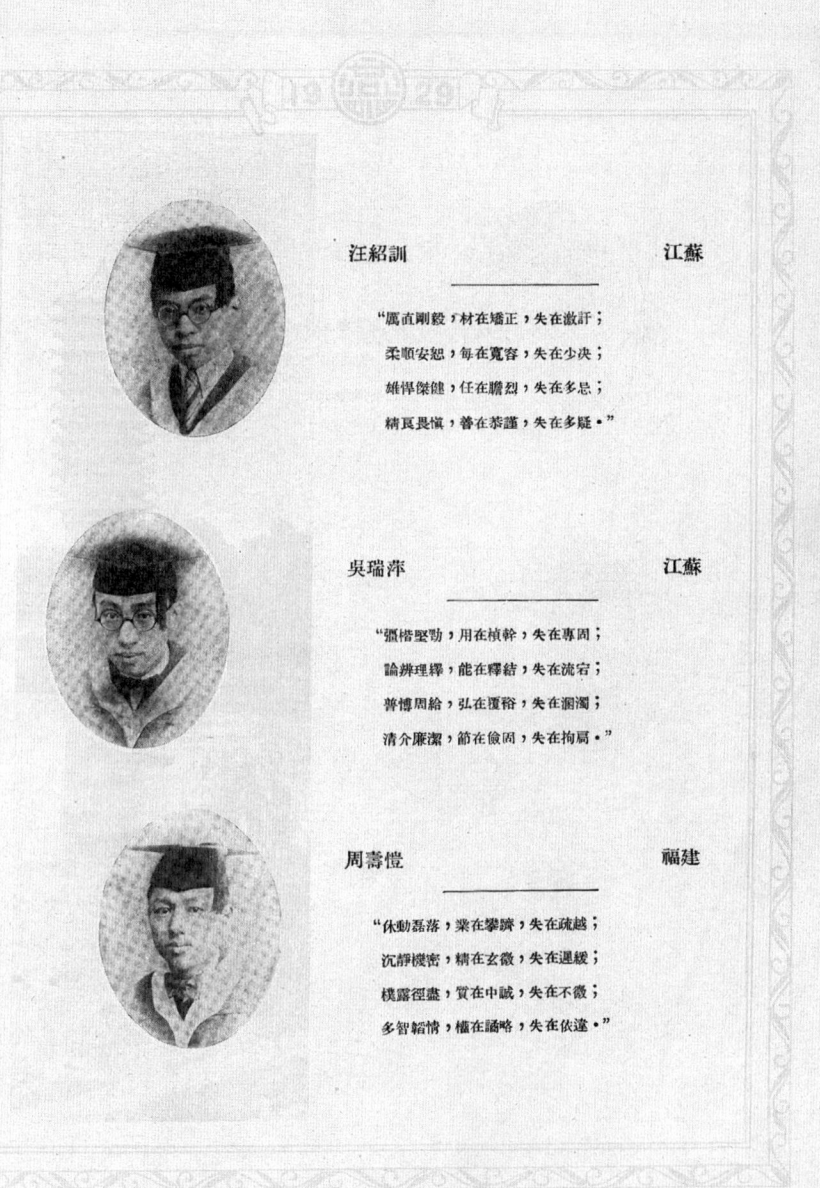

汪紹訓　　　　　　江蘇

"厲直剛毅，材在矯正，失在激訐；
柔順安恕，每在寬容，失在少決；
雄悍傑健，任在膽烈，失在多忌；
精良畏慎，善在恭謹，失在多疑。"

吳瑞萍　　　　　　江蘇

"彊楷堅勁，用在楨幹，失在專固；
論辨理繹，能在釋結，失在流宕；
普博周給，弘在覆裕，失在溷濁；
清介廉潔，節在儉固，失在拘扃。"

周壽愷　　　　　　福建

"休動磊落，業在攀躋，失在疏越；
沉靜機密，精在玄微，失在遲緩；
樸露徑盡，質在中誠，失在不微；
多智韜情，權在譎略，失在依違。"

黃克維　　　　　　　　　　江西

江南山川秀麗，產生不少的英俊，君其一也；他天
資敏慧，舉止動作，都表現活潑與伶俐的精神，有如雨
後的清朝，使人感著一種新興的情緒；他將來不但醫人
物質的病痛，並要安慰人類孤寂的靈魂。

—平—

黃宗鼐　　　　　　　　　　江西

"明者遠見于未萌，智者避危于無形"

鄧志強　　　　　　　　　　遼寧

志在翔雲　　心存濟世

蕊華贈詞

魏淑貞　　　　　江蘇

看見魏君嬌小的身材，嫋娜的態度，誰也不信她是專門醫學，然而細察她完美的醫界資格實不能不預祝她將來是位成功的大夫，她精巧細緻的手術，誠懇同情的心性，是醫界最高的要求，況且她那和藹優美的笑容，溫柔謙遜的友誼，更能慰藉病人的痛苦，魏君認識自己，堅強地決定意志，奮勇向天賦她的路途去，她秉著卓越的天聰，又能匪勉向學，所以在班中，輒居第一。

A Pickpocket's Discovery

Mr. Breece—A long stopped watch.
Mr. Shen Shih Yuan—A copy of roll call book. (Innerpocket) Five sheets of "天下篇".
Mr. Wu Ching Fu—A dead frog.
Miss Wagner—Cards ready for "Ponds!"
Mr. T. T. Liu—A delicate looking-glass.
Miss G. Boynton—Chaucer's poems—"Wife of Bath".
Mr. Barker—A worn-out pipe, a copy of "Gospel According to Mark".
Miss Ho Ching An—A recipe - How to make fried-eggs.
Mr. Shushi Hsu—International cases.
Miss Cochran—An outline—"How to make students attentive in class".
Mr. Jung Keng—A broken piece of ancient inscription.
Miss Hsieh Wan Ying—Wedding Invitation Cards.
Mr. Lawrence Faucett—Craiges: English Pronunciation.
Mr. Davis—A bottle of "生髮油"
Mr. Hsu Ti Shan—A canceled quotation "Women have no souls"

醫學預科

趙以成　程育和　楊建邦　陳梅伯　陳國鈞　陳美華

農學專修科

吳英華　李覓泉　路慶德　閔弘楠　郭文元　郭長庚

製革專修科

汪際祥　李志行　李驥瓦　鄭逢恩　譚書俊

—浪淘沙—
—因百—

孤館一燈青
暗月繁星
深宵底事夢離成
我欲夢君伊夢我
無計調停
記得舊相逢
雨過寒生
白蘋紅葉柳黃青
秋豔漫同春色好
離著春情

—柳長春—
—白—

醉柳條條
堆紅片片
閒庭寂寞行雲捲
離鵑驚促夢紅牙
豪情那及紅牙健
淒語長亭
悲吟曲院
前驚夢遍思量遍
擎擎東閣別離時
莫言此去無留戀

圖一 全校男女學生人數分類圖

Fig. I. Distribution of Student Registration in the Fall Semester, 1928-1929.

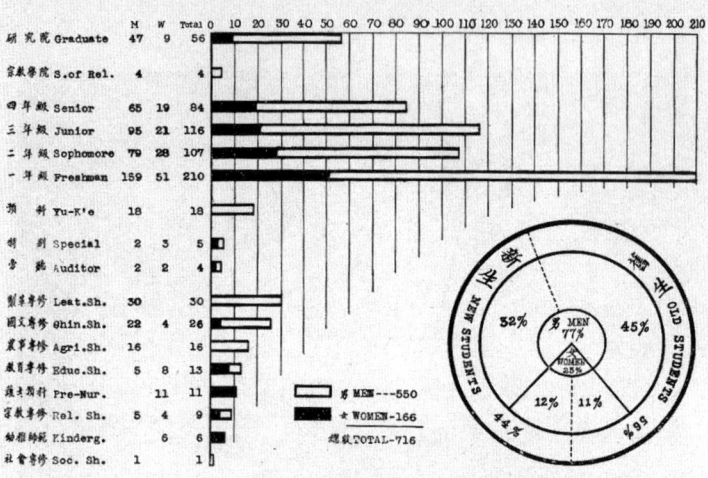

圖二 各科主修人數比較圖

Fig. 2. Distribution by Major of Students.

	研究院 Graduate	四年級 Senior	三年級 Junior	二年級 Sophomore	一年級 Freshman	預科 Yu-K'e	宗教學院 S. of Rel.	特別 Special	旁聽 Auditor	短期專修 Short Course	Total 共計
農事學 Agriculture		1		1						16	18
生物學 Biology	6	6	4	3					1		20
化學 Chemistry	7	3	10	4							24
製革 Leather		4	6	2				1		30	43
國文 Chinese	3	2	5	4						26	40
經濟學 Economics	11	22	21	14				1	1		70
教育學 Education	1	6	6	5				1		13	32
英文 English		2	5	2							9
歐洲語 Europ. Lang.		1	2	1							4
地理地質 Geog. & Geol.		1		1							2
歷史 History	1	8	3	6							18
家事學 Home Econom.		6	1	3							10
幼稚師範 Kindergarten										6	6
數學 Mathematics		3	3	4							10
哲學 Philosophy	1			1							2
物理學 Physics	4		3	9							16
政治學 Political Sc.	10	11	19	8							48
醫學預科 Pre-Medical			14	21	33				2		70
護士預科 Pre-Nursing				1	4			1		11	17
心理學 Psychology	1		2	1							4
宗教 Religion							4			9	13
社會學 Sociology	11	8	12	16				1		1	49
文科 Arts					141	9					150
理科 Sciences					32	9					41
Total 總計	56	84	116	107	210	18	4	5	4	112	716

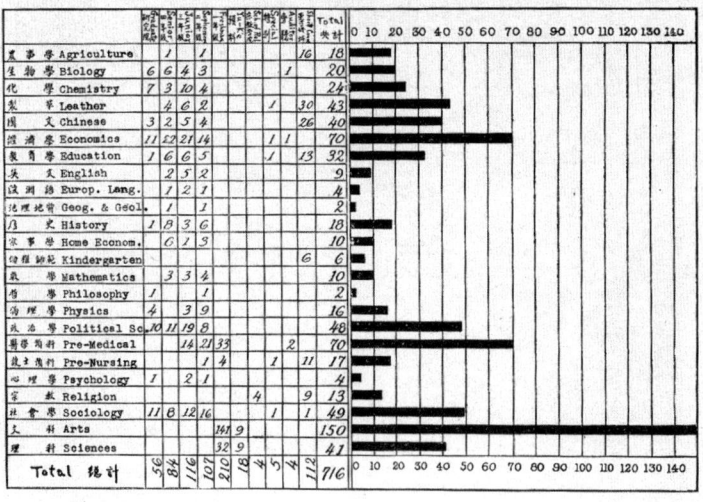

圖三　學生年齡比較圖
Fig. 3. Age Distribution of Students.

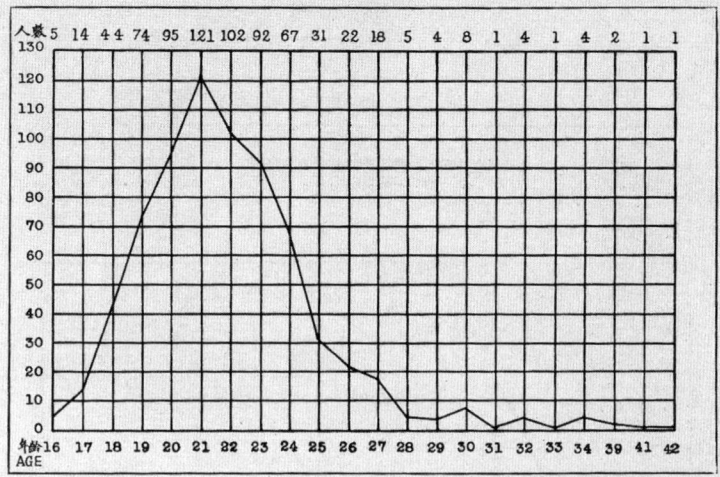

圖四　學生籍貫分配圖
Fig. 4. Map Showing Distribution of Home District of Students.

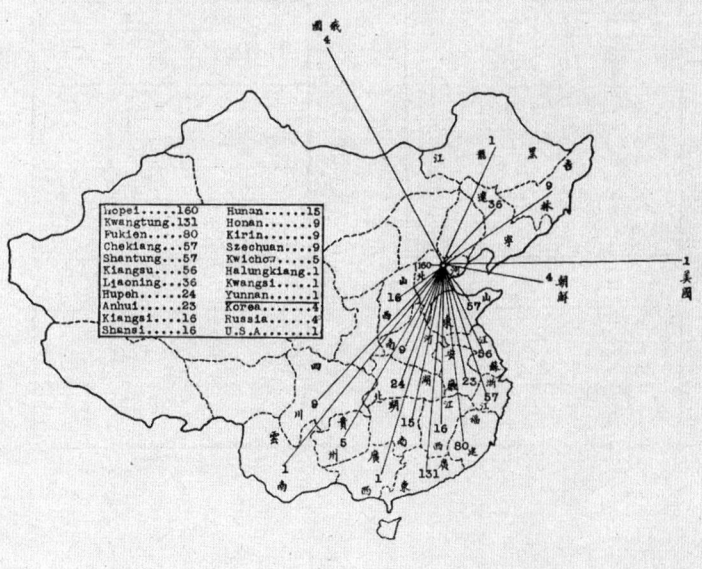

一百三十二男生理想伴侶標準次第表

人數比數	性情	身體	品行	容貌	才能	學問	年歲	交際術	家世
人數	65	33	29	29	28	33	41	43	58

理想家庭組織表（男生）

組織	人數	百分數
總數	132	100%
另組家庭	69	52.3%
與父母同居	53	41.2%
隨環境而定	10	7.6%

理想家庭組織表（女生）

組織	人數	百分數
總數	60	100%
只與父母同居	30	50%
另組家庭	25	41.7%
經濟獨立後	3	5%
不能確定	2	33%

理想結婚年齡表（男生）

年齡	人數	百分數
總數	132	100%
24	11	8.3%
25	20	15.1%
26	12	9.1%
27	11	8.3%
28	26	19.1%
29	1	.8%
30	31	23.5%
31	3	2.3%
32	1	.8%
33	1	.8%
35	2	1.5%
經濟獨立後	5	3.8%
不能確定	8	6.1%

理想結婚年齡表（女生）

年齡	人數	百分數
總數	60	100%
20	2	3.3%
24	5	8.3%
25	24	40%
26	7	15%
27	1	1.7%
28	4	6.7%
經濟獨立後	15	25%

六十女生理想伴侶標準次第表

人數比數	性情	學問	身體	才識	年齡	相貌	家世
人數	26	16	16	25	17	26	25

研究院同學會

一九二七年原有研究同學會，但至一九二八年已呈沒落現象。比至二八年底，有研究生十餘人，感覺到有重整旗鼓之必要，起而倡之，遂組成本會。

職員：　【正副主席】李獻琛　鄔靜嫻　【文書】邊燮清
　　　　【會計】磊光地　【庶務】磊光坻　嚴景耀

工作：　除聯絡感情外，極力謀本院現在之改善及未來之發展。

一九二八乙級

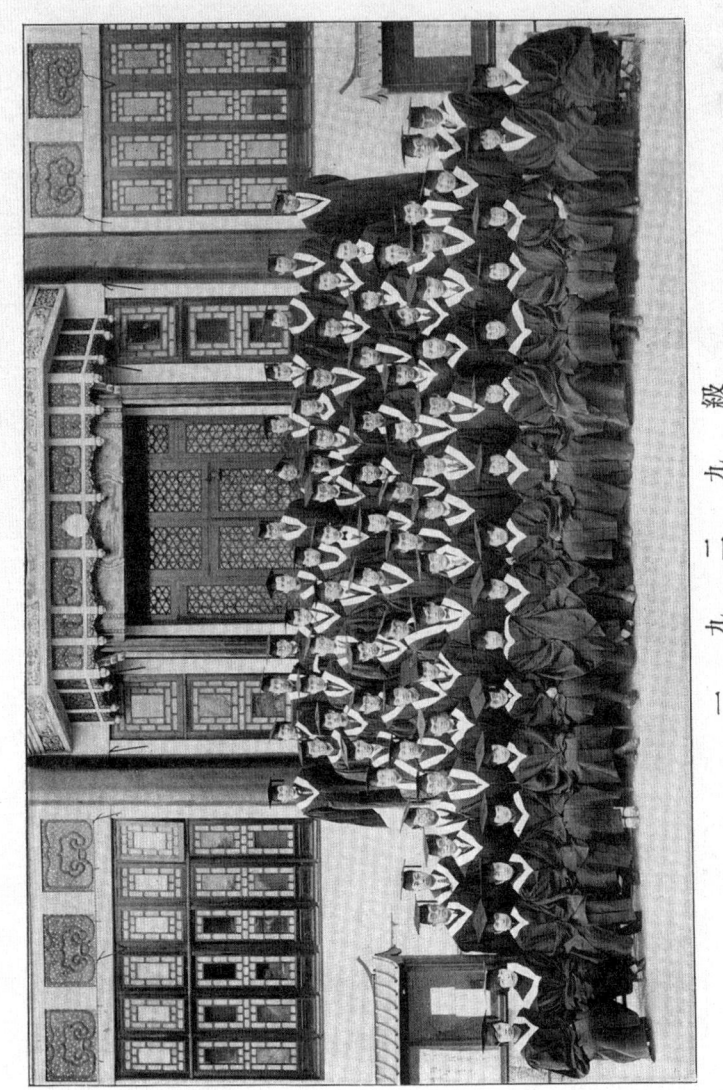
一九二九級

一九二九班班史

中華民國十五年秋，同人始來校，環境一新，洋洋自得；惟男女兩校校舍分立——男校在盔甲廠，女校在同福夾道，科學館附設協和——日須跋涉奔勞，爲美中不足耳。因校舍學校組織關係，男女兩校各自組織班會；然而合作精神頗佳，『一九二九，燕大少有』之贊，即始於此，此第一年之情形也。

第二年時，吾校遷至海甸新校舍，富麗堂皇，安通萬分。惟我班人才濟濟，各事向外發展，服務校內一切團體，一時執全校之牛耳，對於班務反少人注意，『燕大少有』之精神，略爲減色。

第三年時，男女學生會合組聲浪甚高，吾班爲迎合潮流起見，遂將班會合併，班務進行，亦較去歲爲佳。

末一年時，徐琨清君爲班長，劉席珍女士副之，鑒于以前情形，努力改良一切，班友亦各留心班務，近復合力籌備班日招待大會，雖論文攷試交迫，仍無餒意。否極泰來，則吾班以往之精神雖不甚佳，將來之希望或將無窮乎！惜乎年刊今午付印，末一月之黃金時代不及記載矣。

一九二九班職員

【班　長】	徐琨清	劉席珍
【交際股】	宋以信	張品蕙
【文書股】	吳之淵	梁佩貞
【財務股】	程家驊	吳楡珍
【庶務股】	朱淑瓊	馬錫用
【體育股】	唐炳亮	何其傑

班訓　努力　　班色　紫白

一九三零級

『和諧的「新鮮人」』"Harmonious Freshmen"已經成了過去名詞，固然這樣一個大人羣的小結合，延持不了那般久，並且普遍的和諧，實在是一種醜化，一鄉願式的妥協。然而一九三〇終是湖山裏一顆燦耀鮮明的星星，我們試看一看這顆星閃爍的線度：

在湖山的大地毯上，這顆星裏的人，過些什麼綺膩的日子，為避免煊染繁華，且不細說；只在那婆娑樹影依稀月色中，看看那般華堂燈火裏的歡樂者，便知那些秀色的靈魂，除去評許新政，辨斯哲理而外，很有具體而勻稱的精神在立言立行上，和諧的便不普遍，有些被純粹的自然或物質的美感籠罩着，和環境默契，作些個埋首書卷的生涯；有些肌肉上感覺着不協作，在體育場上却要找些健康的安慰；有些自命為政務官的，却要在自治會裏得些常識，有時要個漂亮，組織個什麼黨什麼派，也要過過新貴就職，萬急通電的癮；更有些被推許為文士或藝術家的，拿那流動的樂音，深沉的細流，灌漑人心，有時也要發個小牢騷說些什麼『祇有夢幻才能洗淨煩愁』的話。

如此，一年二年，三年，埋首的自埋首，鍛鍊的自鍛鍊，機謀的自機謀，灌漑的自灌漑，本着班訓『創造與奮鬥』的宗旨，實際上精神上，在校裏落了一個磊落英名濟濟多士的名。生命的蹊徑還遠。學問的階梯無窮；三年來這一個小結合，也曾在歡樂和苦痛中領略了人生的真際，感覺着肩負的深沉和偉大，我們雖然軟弱，也在虔誠地探討人羣幸福的消息和線索。

94

一九三一級

小　史

　　號為一九三一燕大之基的我班，自開始當「新鮮綠人」Green freshmen 時便已很有「了不得」之表現。凡是超時代的事，我們都追着幹去。口裡還唱着「前進，前進」Forward! Forward! 這種精神不是我們誇說眞亞賽過老虎（我們是寅年來的無怪其然）做了半年 Sophomore 之後果然智慧增加了不少（Sopp ＝ 智慧 More ＝ 增加）聯帶着態度也穩健了許多。並且憑着我們的聰明曾經開了一個空前的招待大會（內容不必說，有口皆碑）

　　班友們差不多都是由考試進身的。因為我們的相聚不是容易的事，所以感情很好，尤其是女生。這個由她們的紅布班服上即可看出）

　　我們沒有最聰明的，但也沒有最笨的，都是些差不多的中庸人物。不過和氣能生才（才氣的才）前途倒未可限量呢。

　　本屆職員
【總務股】　關瑞梧　韓叔信
【交際股】　蒲耀瓊　黃憶萱　鄭林莊　馬家曠
【文書股】　陸　慶　方一志
【會計股】　朱宣慈　徐擁舜
【庶務股】　何貞懿　左大瑋　余日森　黃超白
【體育股】　林啓武　賀惠瓊

一九三二級

談級七喻

馬纓

預科生　如茉莉　如東京　如雛雞　如小站　如貼　如聊齋　如刻字舖

一年生　如蘭　如柏林　如馴鴿　如新嫁娘　如旦　如西廂　如照相館

二年生　如芍藥　如倫敦　如啄木鳥　如主婦　如青衣　如水滸　如大藥房

三年生　如牡丹　如巴黎　如鷹　如突厥名花　如武花　如紅樓　如洋貨莊

四年生　如菊　如華盛頓　如寒鴉　如參政大家　如紅淨　如三國志　如書局

研究院　如松　如雅典　如鵝　如商人婦　如老生　如儒林外史　如古玩舖

一九三三級

班　　史

　　一九二七年秋，司徒校長因國內中學雖已漸改三三制，但仍未能普及，建議本校復設預備班，以使舊制中學生，亦得升學之機，經執委會通過後，吾班遂以誕生。

　　最初同班有三十三人，翌年漸減為二十餘人，今春則僅餘十三人焉，就人數觀之，吾班未免貽江河日下之譏，然吾十三人者，雖未敢謂必皆同級之精英，要盡奮勉好學之士，其抱負與其毅力，或駕乎餘子之上也。

　　時光如流，歲不我待，轉瞬間，吾人已由預一而預二，且將於今夏卒業矣，迴憶初來本校之景況，以及諸班友之中途他去，而吾人幸得作碩果之僅存，良自忻慶之餘，對於本科學長周學章夏仁德二先生之指導愛護，尤常銘諸腦際，莫敢或忘也。

　　本班班會，因人數關係，採用二委員制，一切鉅細，胥由二委員負責辦理，諸班友則熙熙融融，無責言，無嫌猜，宛若家人兄弟之相處也，

教育專修科

小　史

　　一九二八年八月一日在湖光塔影的燕大裡，我們就呱然落地。我們排行第二，有個大姐，在我們未出世以前，已經遠嫁。天涯海角，永無消息，空留些懸想模糊。

　　然而這羣剛滿週歲的嬰兒，又要離開母親，跑到風雨飄搖的社會上掙扎，所以一方面想念已出嫁的大姐，一方面又要預備自己出嫁的妝奩。

　　全級十三人，二人來自河北，一人來自山東，一人來自浙江，一人來自江西，二人來自吉林，六人來自奉天，這些人們，都是在社會上麈戰過的小卒，嘗逼了苦辣酸鹹滋味，澈底了解人生的興趣與合作的真義，所以語言雖啁啾傑格而感情却一百二十分親密。

　　我們是蒙塵的精金，又要到洪鑪陶冶。我們是盛熾的烈火，又要來燕京加油。但願耀着金光，架着烈火，喚醒這沉睡的民衆。

　　太也些微，太也渺小，給燕大留下這點痕跡。

宗教社會短期科

雲從龍飛決非萍水相逢南北聚應誇同氣之求時變萬幻不孟晉難成應世之才百事忙碌少修養必有折足之悔專科為應時需而始創人役特排繁務而進學或御車南來出自金邊或駕船北上遠離滬灣或則樓台近海不失得月之先或則重洋遠阻勉參結集之會故爾拋妻別子徒令魂銷拜父辭母空斷迴腸泊夫盛典巳屆先來者歡敘於萬壽之籠啟程誤期後至者阻風於吳淞之濱及至函丈傳習言志則歧舌各殊討論則思想不同或教本專攻蛀穿冊籍或正課不理偏尋傍門以言人材或口似懸河極稱行人之選或語塊絕倒可入滑稽之流或具足聲嚴不愧大師或自持莊重堪為閨範讀書破萬餘卷應贈才女遨遊偏十數省可稱散仙談笑風生以交際見長洞悉物情以救世存心心廣體胖善於包容知止念定悟澈玄機或不動聲色堪誇獨步或善變容顏備極恢諧或挈眷同居雅稱好和或持信深思空勞夢想別井則咫步千里客居則一日三秋忙則忘憂閒則思家未過考期即應召回籍每逢例假必遵命還家或翻日歷而色喜或望天涯而沾巾當其來也挾傳統之信仰及其飫歸獲豐富之生命進德一年精神百倍任務努力社會是依強兵隸於強將名士出自名門法巧則觸礙成金道高則頑石點頭誰謂終歲桃李即不能結實盈樹乎哉

99

農系專修科

　　北平西郊，地近海甸，燕京大學，宏偉壯觀；燕農一園，風景殊繁：湖光島影；鳥語聲喧；菜圃棗林，果園種田；白松蒼柏，榆柳楊槐；屋棟光華，雲煙燦爛；我們同學，共居其間。

　　日出而作，日入而息；實習田壤，攻讀作物，觀察桃李，研究果藝，榨乳飯牛，飼雞喂豬；親操犂柄，躬自稼穡；我們功課，以此為光。

　　鑿井而飲，耕田而食；粗茶淡飯，每日三餐，無論冬夏，絲糕不斷；棉布衣裳，西服亦穿；交際運動，師生共歡；我們生活，如是簡單。

　　光陰荏苒，倏忽二載，行將卒業，別矣燕農，謹獻數語，點綴年刊，羞稱班史，聊誌斯園。

一九二九，二，六。（華）

100

護士預科

王健　魏文貞　曲叔瑜　吳淑英　曲季瑛　桂裕德　龔棣珍　吳順昌

製革一年級

張德讓　尹致祥　吳必正　桂一勝　李貢臣　周彬　張放民　陳彝魁　董兆龍　郭文明　安廷庚　鄭祺鑫　李紹康　師慶文　王玉辰　榮維翰　郭可諫

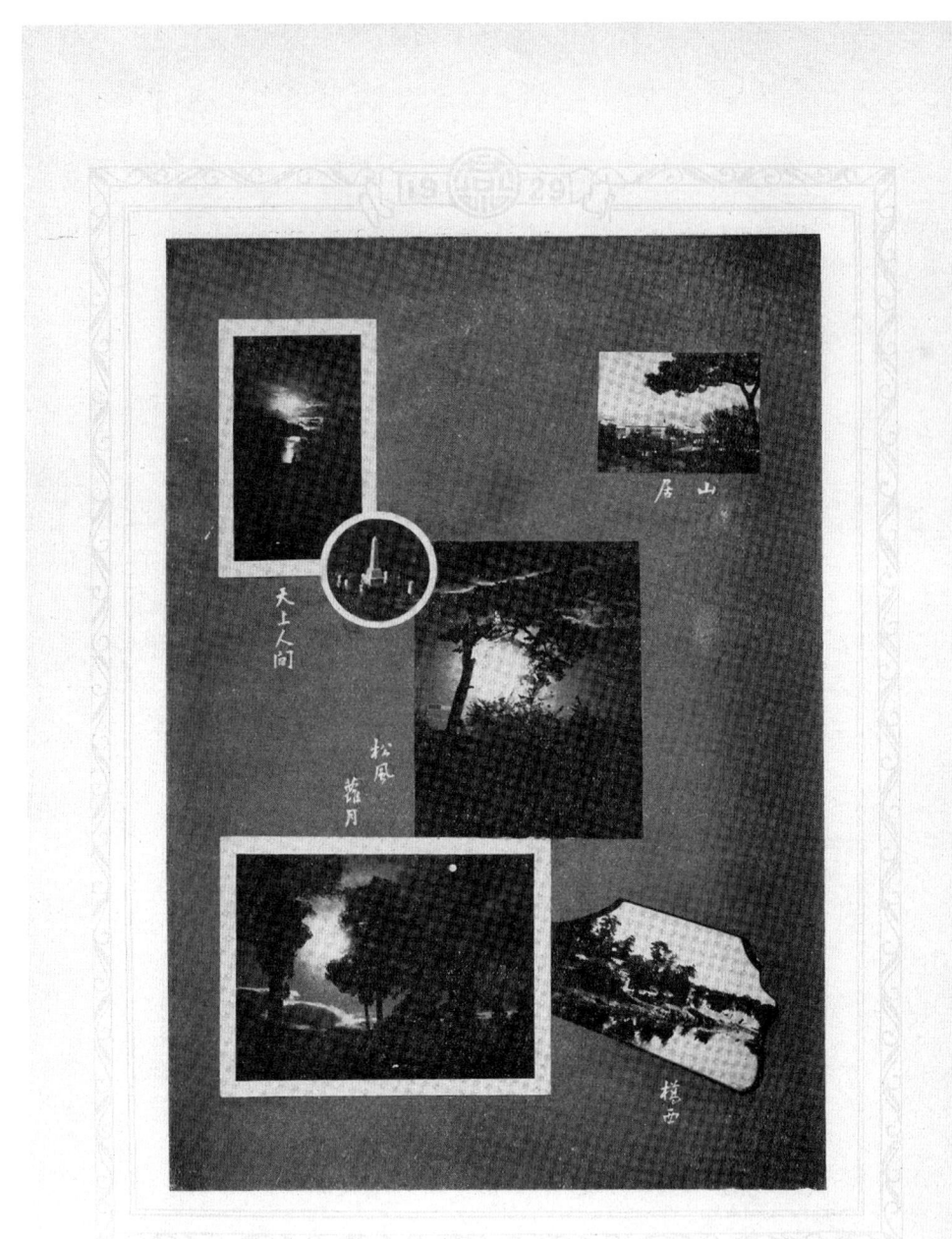

浣花微雨
雲氣
依稀是夢
門前一片橫塘水
人隨雁落西風
此景清幽絕

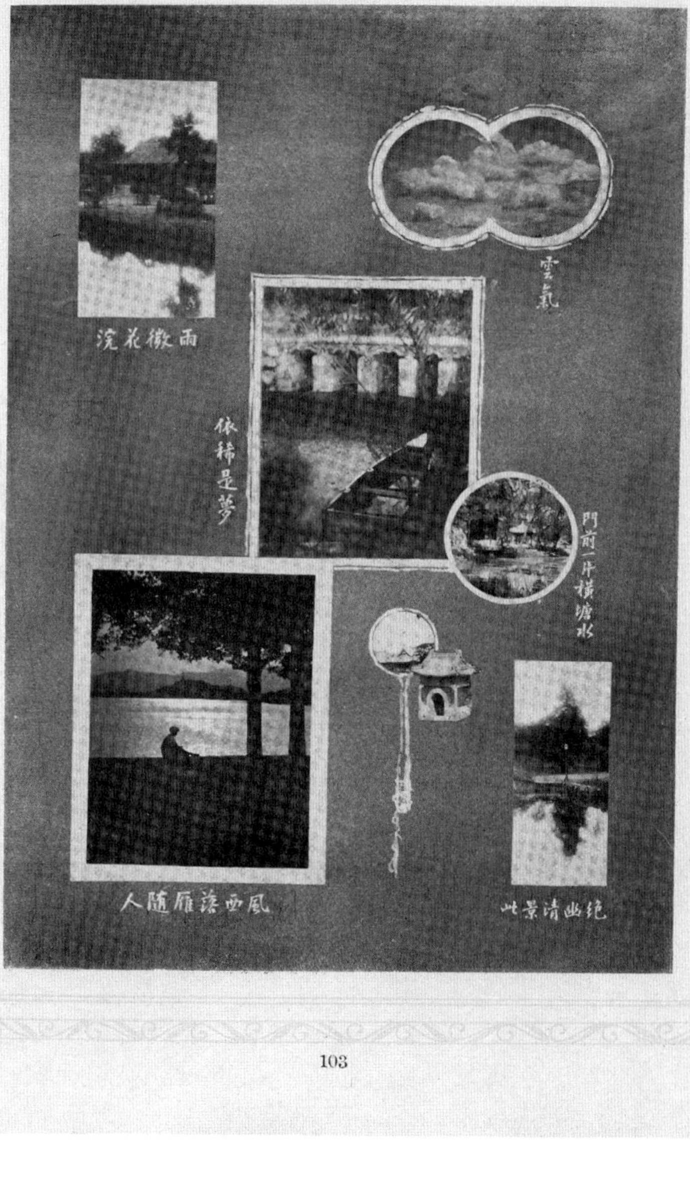

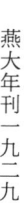

學生自治會代表大會

〔主席〕劉長鋆　〔副主席〕熊之孚　〔漢文文書〕李紹曾　〔英文文書〕方寶珪

審監委員會

〔主席〕陳作樑　〔文書〕韓叔信　〔檢查部〕韓叔信　卞美年
〔審理部〕陳作樑　李保眞　〔監察部〕趙承信　卓宜來

執行委員會

〔主　席〕于惠亭　〔副主席〕徐瑤清　〔文書部〕趙恩源　吳之澧
〔交際部〕于惠亭　馬家驥　〔財務部〕吳廣鈞　孟光裕　〔庶務部〕梁昭錫　盧自成
〔舍務部〕鄭林莊　徐擁舜　〔交通部〕高惠民　徐瑤清　〔娛樂部〕賈希彥　葉紹蔭
〔服務部〕張國棟　王榮第　〔膳務部〕劉厚德　余日森　〔體育部〕白　端　田秋曾
〔出版部〕王成渭　鄺汝楫　〔衛生部〕余秉常　唐炳堯　〔軍務部〕卞鳳年　邊變清

本年第二屆學生自治會全體職員

代表大會

〔主　席〕趙泉澄　〔副主席〕李德榮　〔漢文文書〕連士升　〔英文文書〕翁初白

執行委員會

〔主　席〕李獻璨　〔副主席〕鄭林莊　〔文書部〕司徒堯　鄭　漆
〔交際部〕張訓達　馬家驥　〔財務部〕卓宜來　江晴恩　〔膳務部〕余日森　黃振強
〔舍務部〕鄭林莊　徐擁舜　〔出版部〕郭燦然　翁初白　〔服務部〕張國棟　李安宅
〔娛樂部〕賈希彥　謝爲杰　〔衛生部〕鄭成坤　王宗訓　〔交通部〕林悅明　陳宗仁
〔體育部〕高惠民　田秋曾　〔軍務部〕卞美年　李獻璨　〔庶務部〕王榮第　張文晉

審監委員會

〔主　席〕陳作檠　〔副主席〕吳沆業　〔文　書〕吳世昌
〔監察部〕吳世昌　吳沆業　〔檢察部〕陳作檠　陳雲章　〔審理部〕黃文澧　韓叔信

學生自治會史略

學生自治會和本大學有一樣長久的歷史，創始在民國七年，採用會長制。民國十三年改做評議，幹事，審理，纂記，四部平行制。直到民國十六年冬才把憲法修改，採用現在的委員制。

因為是春間才改選，所以去年一任的委員，在職才半年；然而短時間的成績，已證明了委員制的新力量。對內工作不必論，對外的工作，雖然在軍閥勢力底下，還努力不休；學界濟案後援會的產生，是一件不可磨滅的功績。

去年暑假在青天白日旗幟下產生出新代表和新執監委員。大家都振起新精神，實行服務，內外工作，都着着進行。暑期中在北平濟案後援會的努力，開學時招待新同學底殷勤，都是這新精神表現底第一幕。

為了客觀環境的關係，一年來的對外工作，多半事與願違，然而在校內的活動，並沒有低落。只要是謀同學利益的事，總曾盡職去幹；減低學費，取消必修科，改良分數制度，都是曾經抱着決心去努力過的。執委會各部都繼續發展從前的工作；新添了軍務部，所以表示提倡軍事教育。監察委員會組織了法庭，編定了自治法，也是值得注意的。

一九二九年三月初旬，因為許案，結果許案固然成功，而舊日代表大會及執監委員會，亦相繼全體辭職，重新產生新職員，至三月二十八日，代表大會始正式成立，四月三十日執行委員會正式成立，五月六日審監委員會正式成立。其職員既如上載。

女校學生自治會總務會

女校學生自治會史略

女校之有學生會固然來源甚遠，但祇是一種對外的團體，備各種運動之參與而已。其後對內另立自治會專管校內同學一切自治事宜。

一九二六遷至海淀之後學生會遂與自治會合併稱女校學生自治會。當時可取為會長制規模尚不大。

一九二七內部改組，草定憲法以全體大會為最高機關其次總務會其次執行委員會。總務會為執行委員會，班代表團，及監察委員會所組成在全體大會閉會時間議行一切。從此即廢顧問制更顯德謨克拉西精神。

一九二八年秋新的學生自治會遂實現，朝氣蓬勃，甚有作為。如廢伴護制，提倡節儉，收回宿舍，規定自治條例，等等皆成績斐然。

執行委員會

女校學生自治會全體職員

總　務　會——〔主席〕　梁議生
　　　　　　〔文書〕　麥倩曾
監察委員會——〔委員長〕　劉席珍
　　　　　　〔文書〕　程育和
　　　　　　〔庶務〕　卞文哲
執行委員會——〔委員長〕　江耀曾(秋季)　吳天敏(春季)
　　　　　　〔文書股長〕　陸　慶
　　　　　　〔交際股長〕　關瑞梧
　　　　　　〔出版股長〕　梁珮貞
　　　　　　〔會計股長〕　朱淑瓊
　　　　　　〔宿舍股長〕　丁汝南
　　　　　　〔交通股長〕　陳文仙
　　　　　　〔庶務股長〕　傅　眉
　　　　　　〔體育股長〕　黃憶萱

學生自治會出版委員會

一九二八秋季,有一個特殊的組織出現於燕大,非隸屬於任何一方之學生自治會,更不隸於教職員會。此種特殊組織即本出版委員會也。

產生：由兩校自治會產生一提名委員會。提出候選人,經全體同學普選而產生本會職員。

組織：本會分五部總務,經理,年刊,月刊,副刊每部各有正副主任一人,由十位正副主任中推選正副主席二人

使命：除任出版事宜外,本會實為燕大男女學生自治會合組之先聲

職員：

　　〔主　席〕　邊燮清
　　〔副主席〕　劉啓泰
　　〔總務部〕　韓叔信　　楊　纘
　　〔經理部〕　劉啓泰　　鄭林莊
　　〔年刊部〕　梁珮貞　　羅裕鼎
　　〔月刊部〕　郭燦然　　程育和
　　〔副刊部〕　邊燮清　　蒲耀瓊

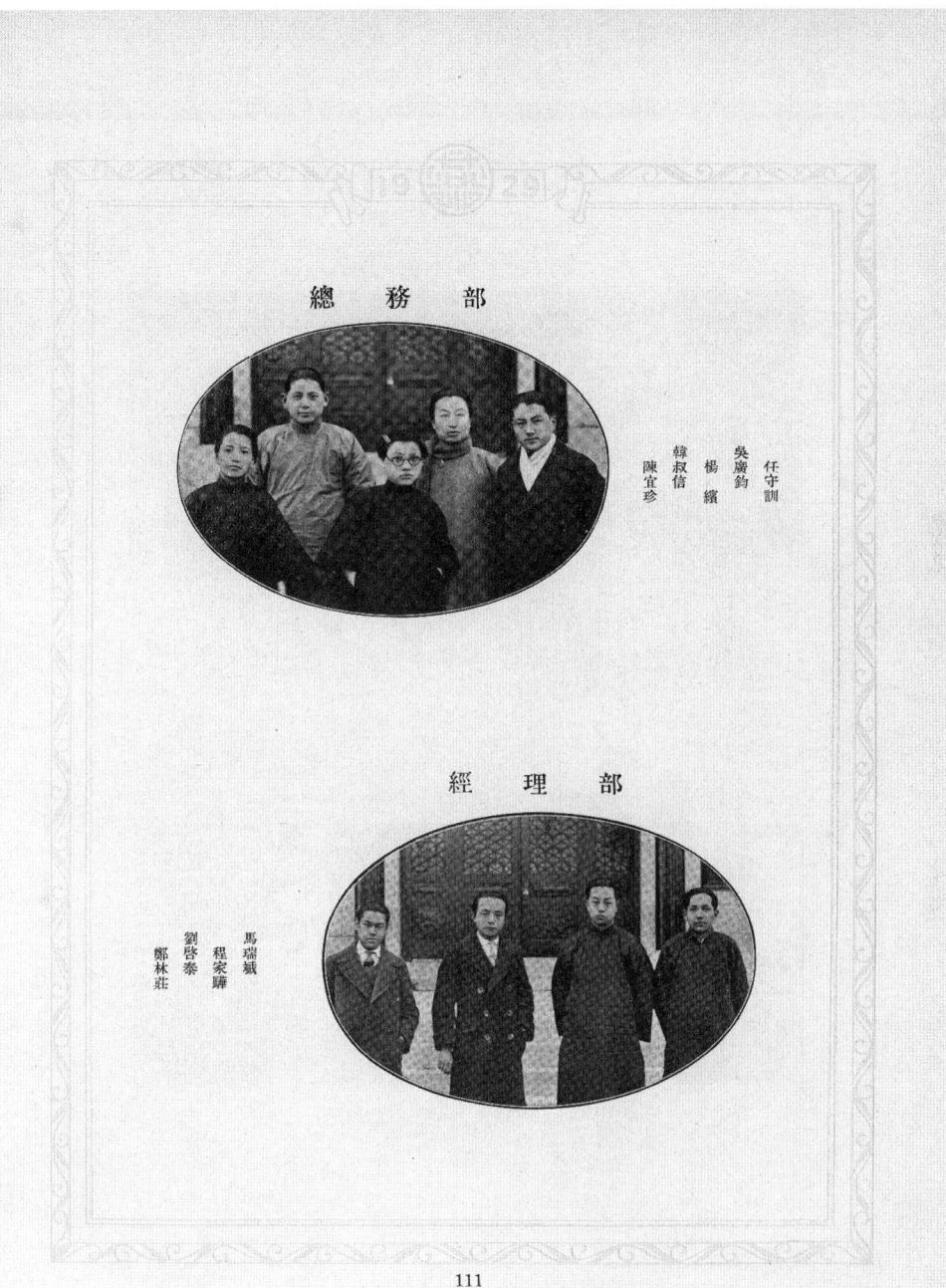

月刊部

梁議生　于惠亭　程育和　郭燦然　陸慶　劉廷蔚　楊蘊端　李錫周　馬仰曹　韋崇武　劉席珍

副刊部

孟體濂　任守訓　蒲韓瓊　邊愛清　陸慶　吳廣鈞　楊鑌　李紹曾　于惠亭

學生服務委員會

〔主席〕 梁議生 張國棟　〔文書〕徐掩舜　〔會計〕燕大基督教團契
〔平教部主任〕張國棟　〔婦女部主任〕梁議生　〔濟貧部主任〕高君哲
〔農村部主任〕萬樹庸　〔調查部主任〕張光祿

校友門委員會

馬瑞臧　熊之孚　張桂卿　劉啓泰(主席)　孫增敏　許寶騤　賀惠瓊

教育學會

小史

本會目的——認識我們同志，使我們得聯絡起來研究教育上各種的問題；并應用課餘的時間，在附近的鄉村裡實際工作。

本會過去：——本會已經有了七年的歷史；起初注重個人調查及報告的工作，近兩年來，有特別委員會的組織，合作的精神，於是發達起來；其中以學術研究委員會的成績，最為顯著，會員們每星期竟有一二次聚會的機會；或是討論原理，或是報告閱書心得，或是聘請名人演講，我們得着不少活的知識。

本會進行中——春季開始，天氣漸暖，學術研究委員會，仍是繼續活動；參觀及到民間去兩委員會也可以進行他們的計劃了；至於圖書及出版兩委員的工作，不久就要從他們的刊程表現出來了。

本屆職員
(I) 執行委員
    主席   溫金銘
    書記   王世宜
    庶務   陳錫三
    司庫   馬慶選   盛建才
(II) 特別委員：
  (1) 學術研究   溫金銘，陰毓蘭，嚴菊生，楊漪如
  (2)「到民間去」 齊永康，謝過隆，王世宜，盛建才
  (3) 圖書   陰毓蘭，石天民，劉貴英，李福鑾
  (4) 參觀   李保真，馬慶選，趙玉葉，孫增敏
  (5) 平教   馬慶選，馬錫文，姚淑寰
  (6) 出版   盛建才，嚴菊生，傅葆琛，溫金銘

114

國文學會

小史

一九二八秋季,吳副校長去京就教次的時候,國文學系開了一個歡送會,會中便提出討論組織國文學會的問題。當時舉出籌備委員六人。過幾天,章程草就,開全體會通過之後,職員也就這時產生。

其初的章程裡是把國文學系的教員和學生分開,教員只居指導的地位,不能作共同的研究。於是便有人提議修改章程,使教員和學生同工合作,打破歷來的顧問制度。此議略經討論,便由全體公決了。

章程修改完竣,教員也有選舉權和被選舉權,遂實行改選。結果謝冰心女士當選為主席,其餘四委員會裏也加入了幾位教員。

職員選定,又徵求了五十多位的特別會員,連原有會員共一百一十多人。在十二月十二日的晚上,開成立大會,國文學會到這時才算正式成立。

本會工作有四項:一,請人演講;二,擬題討論;三,出版刊物;四,交際旅行。從成立後,工作都已進行,精神十分振作,此後更當努力,以求發展。

附列本會職員表

主席:	謝冰心	演講委員會,委員長:	韋叢蕪		
書記:	羅慕華	委員:	沈士遠	黃子通 郭燦然 杜奉符
會計兼庶務:	郭燦然	討論委員會 委員長:	謝冰心		
		委員:	許地山	田 聽	吳黎賣 羅 牧
		出版委員會 委員長:	羅慕華		
		委員:	郭紹虞	田 聽	李振東 鄭 騫
		交際委員會 委員長:	張瓊霞		
		委員:	林培志	李滿桂	羅松禪 鄭德坤

歷史學會

【主　　席】徐琚清　　【文　　書】梁珮貞
【財務兼庶務】韓叔信　　【參　　觀】余宗武
【研　　究】李書春　　【出　　版】齊思和

法文學會

【會　長】　方寶畦
【文　書】　張竹林
【會　計】　張堯民
【出版股】　史悠鑫　錢乃信
【秩序股】　袁永熹　馮志棟　賈希彥

哲學會

戲劇學會

社會學會

　　誰也知道社會學會在燕大佔有很光榮的地位了；這並不只是社會系教師的鼓舞，同學的努力，也是不可忽視的。我們深信從過去的回想，必能引起將來更大的努力。故有這段憶述。

　　一，自去年來，社會學會人數逐漸加多，而同志的認識，更有深遠的要求了；因此我們產生一種極自然的團聚。這就是各班社會學同志的小團體。這並不是新穎的組織，然而因此，同學的友誼越發敦篤，工作越發有熱忱，學問的追求越發堅實；這是我們同志作業的基礎。

　　二，最重要的是研究股，內容分為三部，一是演講，一是討論，一是辯論。演講會沒有一定會期；討論會則每星期一次，婚姻問題曾經二次教員同學的大辯論，可見同學對於問題的興趣。辯論正在組織中，我們注意的是學會間的大辯論。

　　三，本會與社會學系合刊的「社會學界」，對於社會的貢獻，已經不少了。然我們為求全會精神的一貫，思想的活躍，同志結合的真摯，定於以後每半月出一刊物，名為「社會問題」半月刊，性質以討論一切現代社會問題。會員投稿的極踴躍並且質量却很能滿人意，計劃和進行都極順利，可以料得到將來的偉大了。

　　四，尚有一事，足引為快的就是本會已選出三位代表出席社會學系會議。此後該系對於同學的貢獻，當復不少的。

　　職員：　執行委員會：總務：　趙承信　　文書：　張國棟
　　　　　　　　　　　　經濟：　吳榆珍　　庶務：　汪德業
　　　　　各股股長：　研究：　麥倩曾　　交際：　張光祿
　　　　　出版委員會：于恩德，方貺予，張國棟，王維驥。
　　　　　出席學系會議代表：　趙承信，麥倩曾，關瑞梧。

政治學會

小 史

　　本會成立於茲，祇四閱月，歷史雖稱簡短，然以所負宗旨，頗著切要，而會員間復能誠懇合作，努力任事，故同學等紛紛參加，數月之久，會員竟達百人，爲全校學會冠。關於內政外交法律各方面之研究討論出版演說辯論諸端，分股進行，辦理得法，而法庭演習一項，尤屬燕大創舉，是以生氣蓬勃，成績卓著，而聲譽竟揚溢於校外。稱曰「後起之秀」焉，誠然！

〔主　席〕　　熊之孚
〔副主席〕　　任守訓
〔研究股〕　熊之孚　孟體廉
〔演講股〕　任守訓　于惠亨
〔出版股〕　陳作樑　劉厚德
〔文書股〕　姜千島
〔會計股〕　許　昶
〔庶務股〕　錢乃信

經濟學會

本會組織為委員制,內分調查,研究,文書,會計,庶務五部。目的係以互助之精神,研究一切經濟原理及關於經濟上之種種問題。本年之工作,調查部曾調查本校汽車行及北平之錢莊。研究部曾請周作民,虞振鏞,陳達,及安德立諸經濟專家來校作公開演講。又曾在燕大月刊及地質學誌發表過數篇作品。開聯歡大會兩次,職員會八次,教職員請客一次,及四年級會友之送志宴一次,融融洽洽,誠道同相為謀也。會員有七十餘人。

〔委員會主席〕　李錫周
〔文書部〕　周天沂　鄭林莊
〔調查部〕　李錫周　李獻琛
〔研究部〕　楊康祖　宋以信
〔會計部〕　馬仰曹　管玉珩
〔庶務部〕　程家驊　蒲耀瓊

120

數學會

小 史

　　本系同學因感疏於聯絡而少攻錯之機，本會遂於一九二五年之春季成立。當時職員為錢華(會長)周蘭濤(會副)張濤(會計)張夢熊(書記)四君同學加入者實繁有徒。

　　一九二六年秋，我校由舊校址盔甲廠移至海淀，本會亦適值改選期，結果張舜英君為會長，房兆楹君副之。

　　一九二七年本系同學同時畢業者頗多，人數頓減，又以時局影響，同學多無興及此，本會因之停辦，不得已也。

　　一九二八年新舊同學主修數學者不下二十餘人，人才之盛，為前所未有，同學均以此為黃金時代，趁機不復會務，更待何時，乃倡之於前，本系主任孫榮博士復贊之於後，而本會即於一九二八年之冬，得慶更生焉。

　　　　會長　　　王世清
　　　　會副　　　王明貞
　　　　會計　　　左大璋(已故)
　　　　書記　　　蔡文憲
　　　　顧問　　　孫榮博士　　克恩慈女士　　韓懿德女士

製革學會

小史

製革學會之成立，距今已有六載，今以本科設備完善，會員驟增，組織上亦因之擴大。而本會之工作，亦日趨重要。按致力製革之同志，旣負有改良中國皮業之決心，在工作上不得不施以相當之努力，故本會創立之初衷，卽本此目的進行。綜計此一二年來努力工作之結果，雖不敢過事虛張，然亦達到可驚之效果。理論方面已能逐漸了解皮革在化學上，生物上之關係；實際方面製革之工程已有極顯著之進步。故本會之工作，簡言之：爲共同研究製革之改良，調查中國商場之景況，及製革原料之來源與消路，並於每二星期請中外工業界名人來校演講，討論製革理論，以期會員將來能於製革實業上有所準備，駕輕就熟，以收建設之實效焉。

本季職員

主席兼外交	劉保羅
文書	賈庭訓
會計	王玉辰
庶務	崔玉璞
演講	田秩會
調查	譚書俊
貿易	董兆龍
出版	師慶文

基督教團契

　　本年為團契成立後之第三年。執委委員，於去年四月間全體契友年會中舉出，中間稍經改換，茲列表如下。

趙紫宸(宗教部)　張芳秀(經濟部)　張天福(服務部)　謝志耘(總務部)
伍英貞(交際部)　董寶臣(工人部)　李滿桂，林覲德(學生部)
徐寶謙(教職員部兼主席)

　　本屆契友人數，共三百四十三人。分配如下

工人(四十五)　男女學生(一百九十九)　教職員(九十九)

　　各部工作甚多，另有月刊登載，茲特略舉經常工作數項，以見一斑如下。

主日禮拜(有中文，英文，工人三種)
兒童主日學(分設在清華，三旗，黃莊，海甸，城府，本校七處)
討論團(分同學教職員兩種人數共百餘)
校役佟校(該在宗教樓內教務由同學擔任)
婦女工讀學校(設在前辛莊)
平民學校(地點同上)
巡行看護(服務城府海甸一帶居民)
國內布道協進部(雲南方面)

景 學 會

小 史

　　本會於中華民國十三年春季成立，其會員包含宗教學院教職員及學生全體，以討論中國教會問題，促進教職員及學生之精神團契，研究經解上或其他學術上之難題，與解決其他關於公共生活或私人生活的各種問題為宗旨。每月開例會一次，選基督教理論上或實際上重要之問題，請對此素有研究者作一番演講，以為介紹，繼以討論及茶敘，凡與會者均能本平時之主張，以誠懇之態度，探獲基本之真理，尋求明瞭之見解，而師生間亦不分畛域，表現團契之精神，雖每年所開之會，次數不多，而收效之宏，正未可限量也。

　　會長　　　夏玉璋
　　書記　　　葉崇基

福建英華同學會

音樂隊

生物學會

—虞美人—
—因百—

十年如夢鷯林道
只賸當時帽
無心開篋一重看
帽上沙痕雨點怎庚庚
那堪又是秋蕭索
明日還飄泊
孤燈滅了掩重門
我是生成有恨愛黃昏

—浣溪沙—
—白—

風裏歸來酒半醒
一鈎寒月一天星
登樓撥火向通明
便是浮生無定準
也看今夕有依憑
明朝那管甚心情

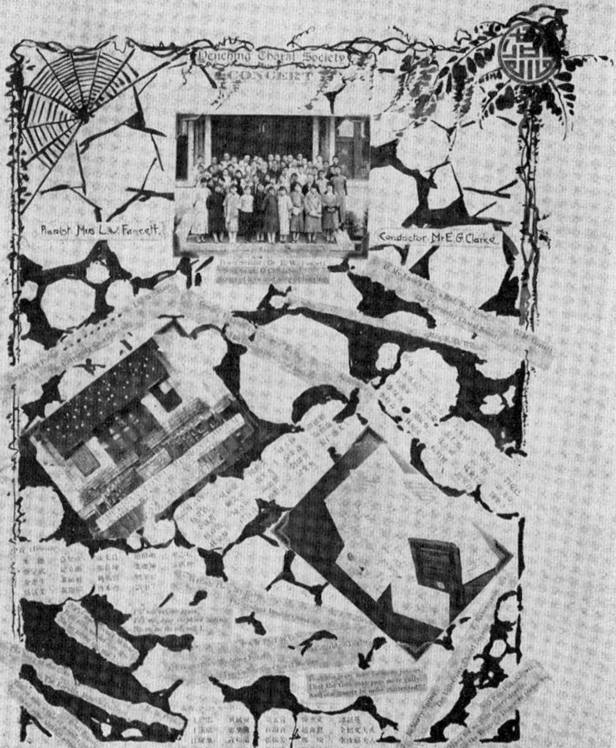
Yenching Choral Society
CONCERT
Pianist Mrs L.W. Faucett.
Conductor Mr E.G. Clarke

Book VI

隊員名單

隊球隊

鄭林莊（幹事）
溫金銘
湯得臣
趙汝毅
戴雲翠
林藻勇
任玲遜
林啓武
吳沆榮
鄭德坤
李鏡池
黃文澧（隊長）
黃禎祥
梅貽寶先生（指導）

籃球隊

黃憲儒先生（指導）
雷定邦
唐炳亮
任玲遜
田秩曾
薛卓錡
馬萬選
陳盛魁
于敬孝
熊大縉（幹事）

足球隊

桂一勝
劉榮魁
李溫和
任慶生
王殿文
黃振勳
金建藩
白端（隊長）
崔之義
古志安
何獻承
卞鳳年
楊實
李志成

冰球隊

林其煌
任慶生
張厚珹
趙啓明
顏我清
卞美年
管玉泉
何茂椿

未交相片球隊：男子棒球隊；男子網球隊

足球隊

冰球隊

女子棒球隊

盧祺英　楊月英　蕭淑珍　黃憶萱　賀惠瓊　何其傑　盧淑羣　蒲耀瓊　江兆艾

女子隊球隊

江兆艾　張桂卿　朱宣慈　賀惠瓊　楊月英　黃憶萱　盧祺英　蒲耀瓊　盧淑羣　哀永焘　蕭淑珍　廖素琴　譚毅就

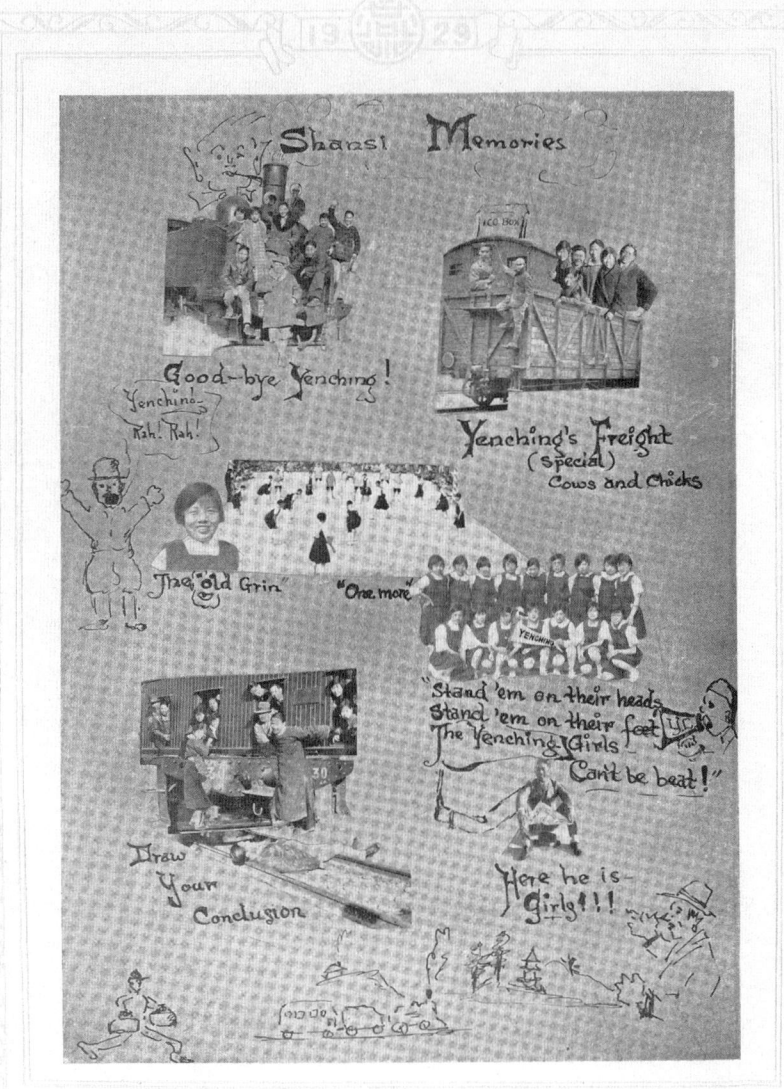

女子籃球隊

蕭淑珍
袁永熹
江兆艾
黃憺萱
張桂卿
盧淑羣
蒲耀瓊

女子網球隊

劉耀眞
王世宜
吳月馨

學生軍

Book VII

141

燕大年刊一九二九

143

燕大年刊一九二九

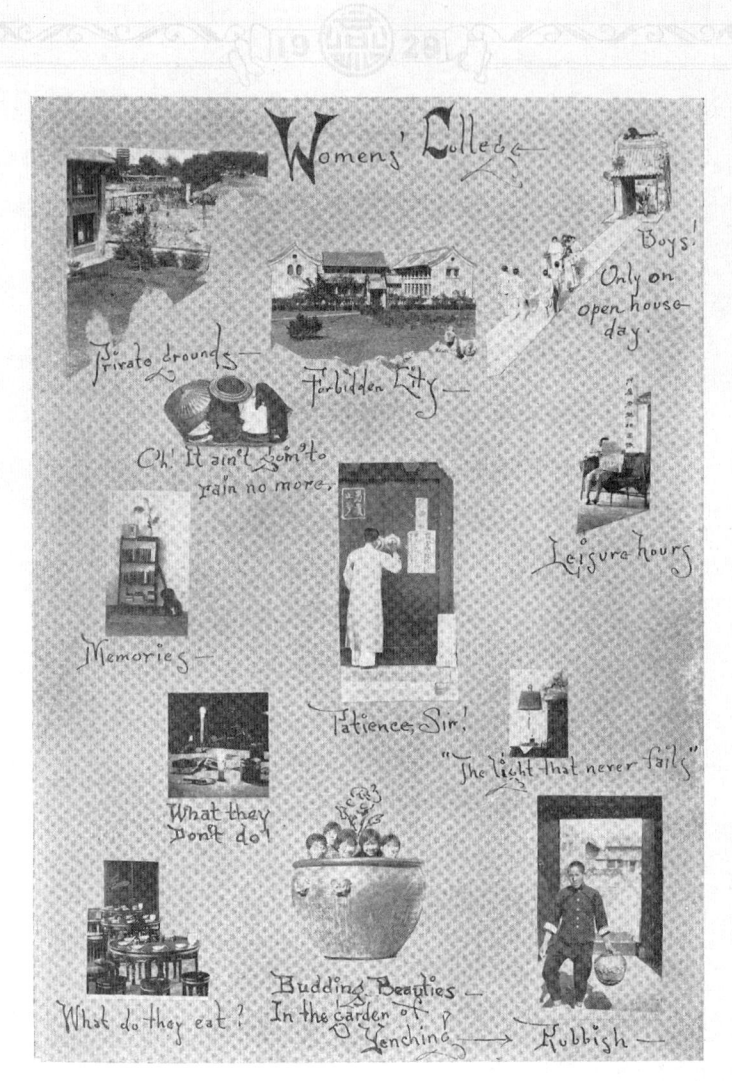

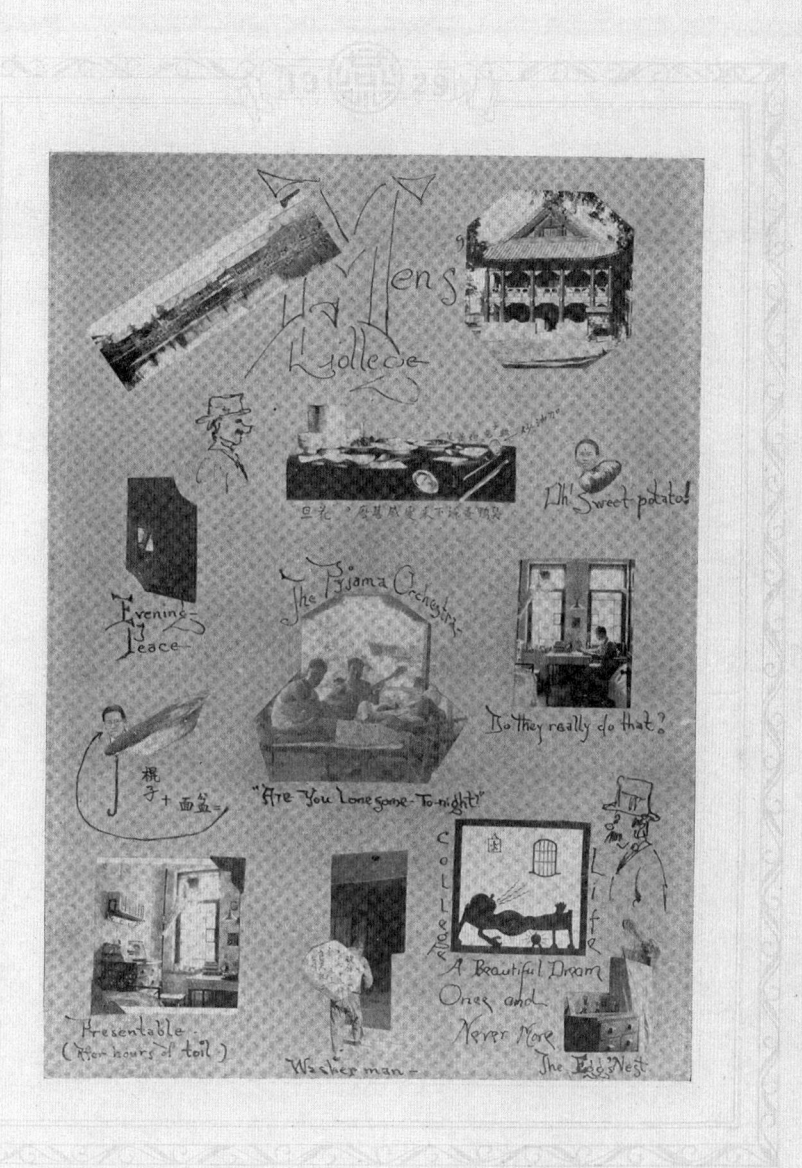

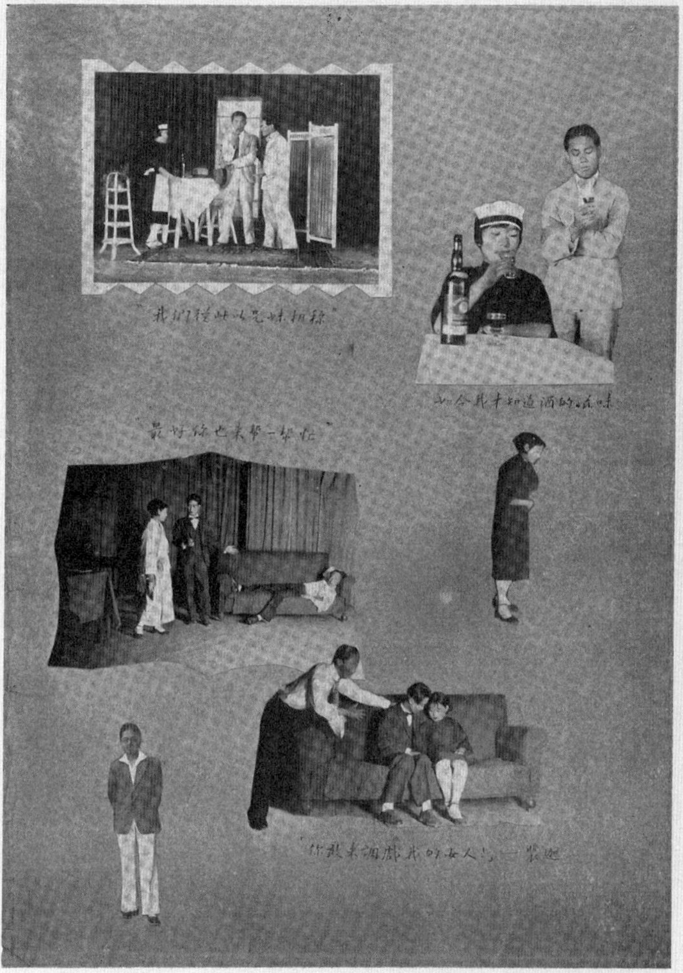
"我們從此以兄妹相稱"
如今我才知道酒的滋味
"最好你也來幫一幫忙"
"你敢來調戲我的女人！"

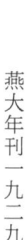

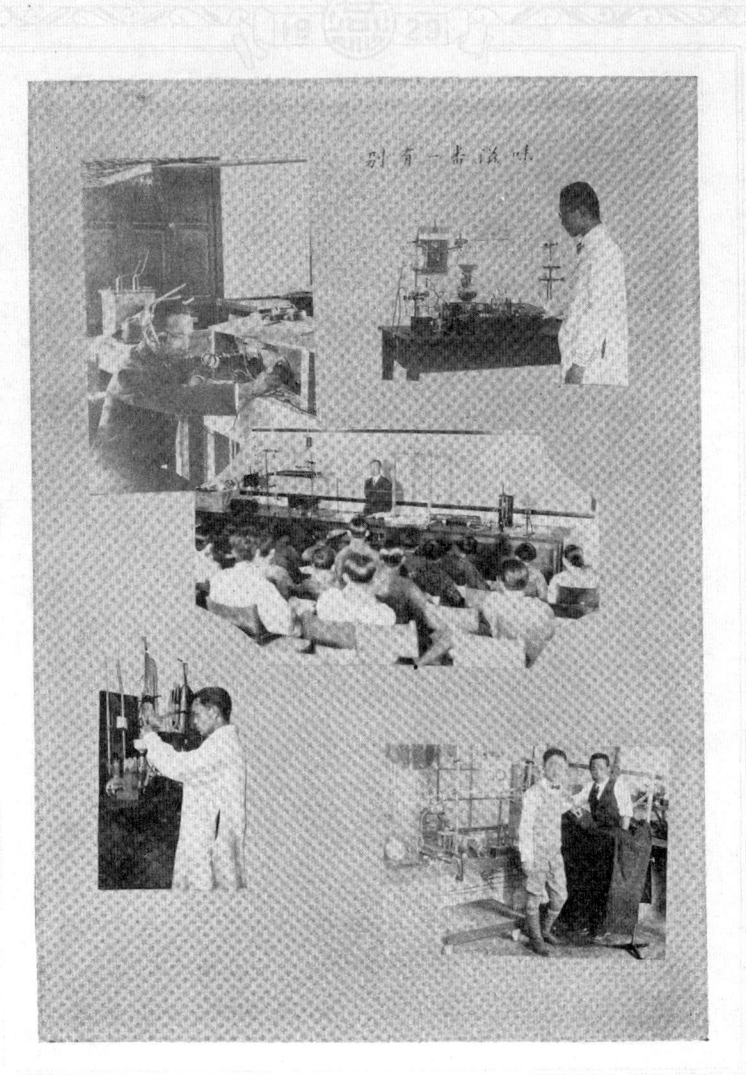

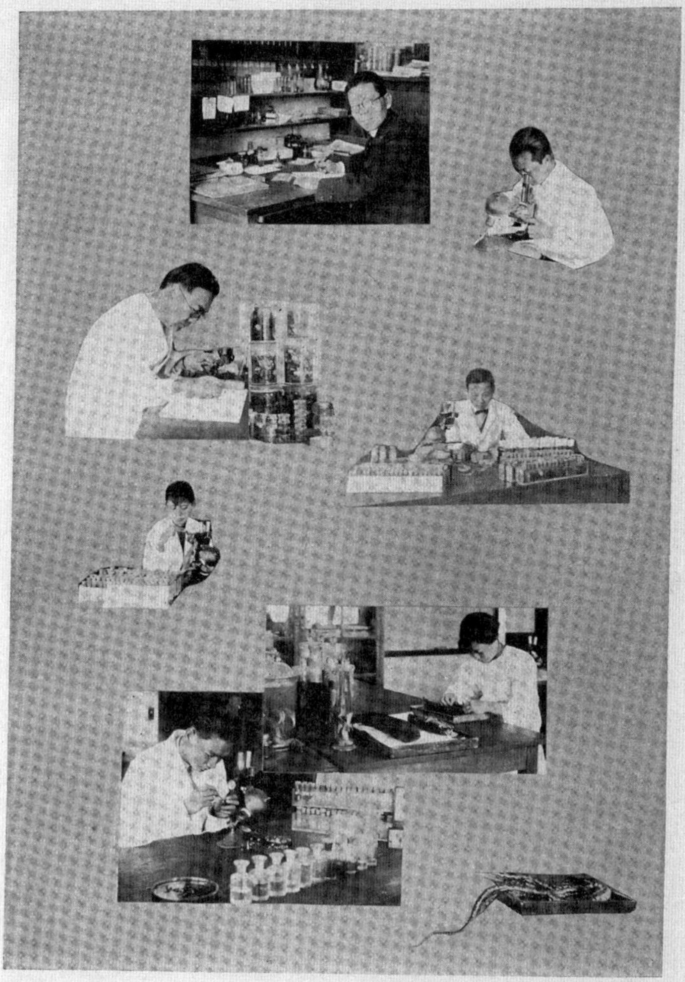

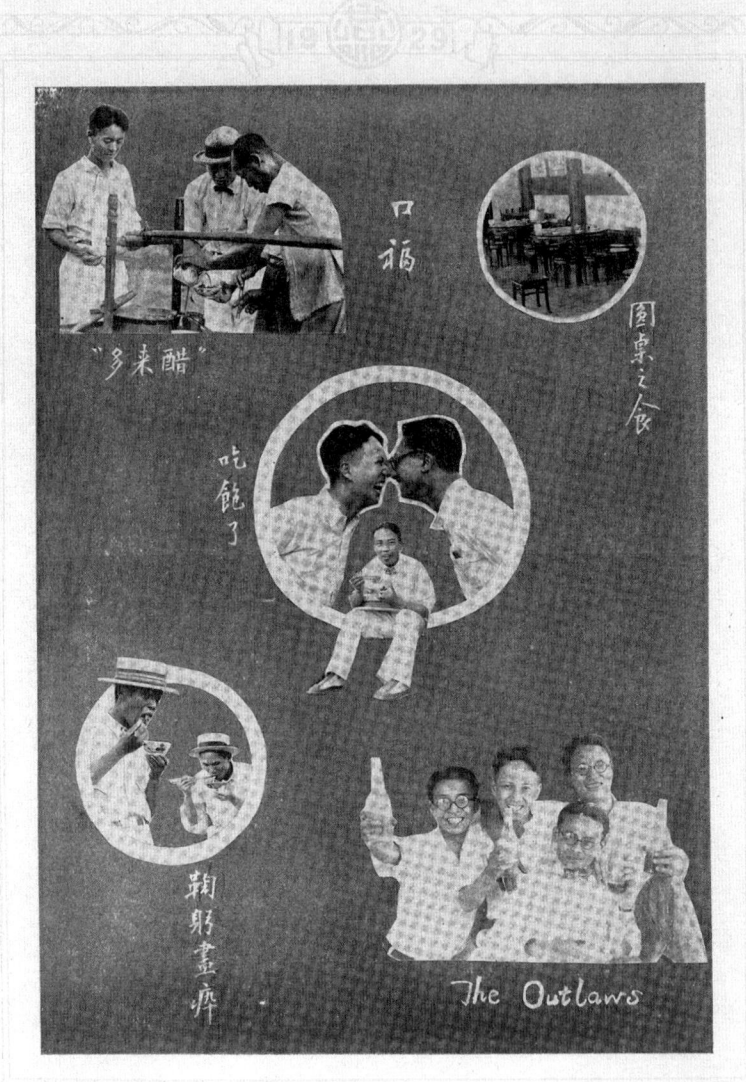

話引子

初白

朋友，在一個春雨廉纖的晚上，也許你會展伸課室裏哀而無告的愁眉，醞茶，細點，淡煙，醇酒，邀幾個知友盡情閒談吧。這鐙影昏黃的一刹那浮影裏，便可以名之為人事，人事在修道院裏是要從苦修行裏過的；在江湖上是要從嘯傲裏過的；但是平凡人却能在閒談裏盡量消磨。有些內行家懇切地告訴我們：什麼哲學史，民法，比較政府，社會心理班上，都是獎勵愚拙，懲勵天材，因為教師們底活葉紙，祇能給人們以不用思慮底判斷，而這種判斷，除却那些給與底人外，別人是不見得會注意的。一切熱情，想像美的情緒，人底地位，都必須從閒談鍛鍊出來。

這話也許是過分。閒談雖然是好事，却有時不免使得我們感覺疲勞和荒怠；唯有藉着筆紙合作底文藝，可以救濟精神底不整頓以致於閒談的墟滅。人和文藝作品相接，方感到自己是活着。這一類底文藝，包含批評，冥想，鑒賞，懷疑，效率和認識。請翻讀那後面底作品，便可以覺到牠們都是零碎餘暇裏的閒談，其目的是在連鎖思索和生活的。雖盡是些雜用淺言底低級文章，從生活的烘托上看，或者也如炳炳麟麟的高文典冊那般重要。

這一類閒談裏的文字，是絕端不含成見的。偌大湖山裏的風物，我們祇有愛護而不願訾議；因為學校並不像我們在入學希望初次灰心時所見底那般壞，我們該像孩子般在簇簇青山裏找芒果那樣地鼓舞，和驚奇，如此我們便偶然地落寞了，霎時放過，依舊充滿着鮮豔的生機。

我們尤其不希望有對於個人底不信任和諷刺，人們本沒有過錯，對朋友責盡求全，尤其是愚蠢人的事業。這一刹那底浮影裏，祇應充滿着笑譃和讚嘆。

"送行都是行人"。我們便對於離去湖上底朋友底贈序從略了。我們全要向灰黃色的世間大路上走，朋友，走吧，歡娛着走向世界的字典裏，去找學問的解釋吧！

不過，朋友，故園是不可忘的，在凝翠的西山山裏，看如畫的楓湖湖水上，白雲英英，卷舒過往，這件共同的藝術，為我們留多麼宏大而悠久的印象。

楓湖叢話 (一)

微　明

湖上多楓，點綴秋光不少，戊辰霜降，與鄰因百扶筇遍觀之，惟島上石墩頂一株最佳，粹豔孤標，不遜離菊，攝之弗忍，佇賞良久。

遷新址後之翌年春，湖水初澄，輕舠未製時，湖上少年，多踏木板於水上，撐之繞島，偶一傾側，衣履盡濡。

聖人樓與丙樓，丙樓與湖濱舍，湖濱舍與化學樓，成爲犄角，寫遠之極，郁寒徂暑，奔馳爲勞，訂課時者連二三堂在一樓中，則私心竊喜。

丁卯春，湖上多造船熱，中常者三十餘金得之，而闌同鄉鄉則別製一堊麗者，船各題佳名，如箭影輕鷗般樂觀瀾一葉是。

湖游盛行時，三月三日，蕩漾怡情，鬢影鈂光，一湖皆馥，璧華戲言伊雖不敢作長安水邊歌，然"畫船人似月，細雨落楊花"，却可詠也。

男宿舍前油刷之牌區，粉地而飾以黑綠，上下繪掛鈎及荷葉，乍見如公寓新張，久之恬不爲怪。

體育館與築苦久，而不見竣工，高窗巨蠆，如神秘之古堡，其中黝黑，若有鬼魅，晚食過其下者，多憺懼疾行。

湖上恆有擧水塔與烟囱孰高相問者。

春秋佳日，例開放宿舍一次，任人參觀，南院同窗，薰香擂畫，收拾多極整潔，而湖北面諸樓中各室之凌亂不堪薰除者，率以一鎖了事，某年三樓北端某室，門屢鍵，上貼紅紙，大書"此鰣出倒"四字。

戴任玲運刁培樹畜小犬數頭，頗可愛，偶一失蹤，則呼之竟出，黃國安先生有一犬，名"倚哥"，撫愛備至，以疾死，黃哀之累月，農科教授尤班克，返美後，遺一犬，不可歸，嗒然乞食於兩食堂，尪瘦不堪，後某君爲束以皮環，飼以肉舖，腴澤如昔矣。

成府發達之速，頗可驚，飯莊，茶肆，理髮館，西服莊，乾鮮果舖，紙店，洗相館，一時林立，飯莊始有長順和・燕北館，繼有燕林春，近與隆及贏英岡南又新張，營業最久者爲三之長順和，蓋與燕校有悠久之關係，且人亦樂趨之，以其仍用舊式會計法也。

常三名壽，字遠峯，旗籍。

長順和係今之飯舖名，常三原背"山背子"于盛甲廠，後由推小車而擺大攤，由攤而成一間屋，及遷新址後，遂大事擴充，並曾一度兼理合作社之中饔部，丙寅秋，食堂廚役罷工一日，而長順和之戶限穿檻械裂矣。

常二者，常三之兄，溫厚勝乃弟，初置車賣果食於合作社前，郵局窗下，校垣築成後，途列灘於長順和門前，後又略移向北，冬日圍席，夏日護幕，乾鮮菓食皆全，惟不賣栗，蓋苦抓嚐者之多也。

燕林春有大飯館風，壁懸字畫，多鐘鼎篆隸，肴核豐美，蠶華與鄭因每至，則呼雞蓉豆腐黃燜肉白菜火腿湯等食之，惟以與館主人眷宅密邇，談笑頗不便耳，燕南燕東兩園，時訂榮傳宴，在戊辰春月，亦盛極一時，不意葉黃節後，遽以虧欠倒閉閒也。

常三館與城內各學校附近之小飯舖相同，螞子肉溜黃菜為其常殽，伊府麵尚不惡，其切盤叉燒肉，頗號召一般顧客，惟若添新食，必昂其價，紅燒魚一尾，竟賣至九毛六，誠京諺所謂"狠人"也。

常三每於人言其貨不地道時，則曰"一倍罰二百倍"，真不知作何解。

常三於校中掌故最熟，凡今道貌凜然之老畢業生在校執鞭者，其當年之頑弄跳蹊，絕不能諱常三，然常三頗識時務，恆為稀不知。

常三與校郵深厚交納，故臉食於長順和者，朝得匯款來，而肆主人午至矣，然歲暮考終，猶見肆主人抱賬疾行，汗流浹背。

興隆館奇峯突起，生意初頗好，鷄絨菜花辣子雞同鍋肉等，頗可食，花捲包子，俱係甜皮，雖非純蜀味，而大抵近之。

嶺南館與市場之東亞樓為聯號，在興隆之北，榮康祥隔壁，粵食肆也，以蠔油菜花加里牛肉馳名，紅燒鮑魚尚可口，其鴨粥雖放置油條於中，而絕非粵味，臘味飯火候欠勻，價且倍屣於羊城，館中雅座有聯句曰"家鄉風味，投機營飲食生涯，財恆足矣"，雖鄙俗，而寥寥數十字，頗能將巧買形容盡致，自嶺南興，興隆館頓蕭索矣。

燕北館今已閉，曩在第二食堂後廟內，每日賣煮水餃及炸醬麵，其司賬者係老學究，寫賬如縢奏摺，小僮一，專司高呼傳菜，冬夜呼聲凄亢，聞之心顫。

中和月後，燕北館設小几案於庭中，賣黃花魚拌麵，晚風拂面，頗有古寺隻旅之感，自校垣築成後，往食須遠繞，而燕北館遂不得不停業矣。

溜冰場為冬日之歡樂世界，夜間內外圈電炬燦耀，溜者尤多，搭肩關韆，樂而忘倦，鄭德坤江兆芝技均嫻熟，湖上男女，至以不能溜冰為落伍。

戊辰秋，義勇學生軍喟興，未曙即聞號角聲召集整隊，操練殊勤，惟有時衣洋服而戴介石帽，或上穿花絨毛衣而下配馬褲，一時風尚，不倫不類，冬眠以後，迄未驚蟄。

互稱多用蜜絲某，或蜜絲弎某，有去姓稱名，或稱號者，亦有用其姓，而冠老，大，小，者，習法語者，則呼"墨朽兒"以代蜜絲弎，京東同學，有互以某先生稱者，平津同儕，則有隨俗呼幾爺幾爺或效舊劇票友稱某爺某爺者，嶺南客則恆稱阿甲阿乙，甲仔乙仔，歐化者則喚"蘇三""胼比"，呼法之不同如此。

閒人呼"裘尼""狄阿伯"或"勃姆得戲",無不變色疾避。

乘校車於寒暮入城,沿路坎坷簸盪,頭眩背折,及近西直門關廂一段康莊,燈火晃耀於兩旁店肆,疾掠而過,市聲盈耳,此情此景,過思亦大不惡。

一般教授,咸重攷驗,小考於數日前口頭宣布,季考則例於兩周前張貼,勵學者雖不致如蘇季子,然大抵面黃肌瘦,蓋訽訽竟日,心悸失眠也,其頹墮者,則非燃眉不急,往往於試前半小時,踉蹌於宿舍圖書館前,覓覓知友,借其略述大旨,以免捫腹空虛,陌路有助,亦成視聽,惟試前皆搖首吞噬,試後則揚言詆譭,以預為不及格地。

路遇相知,例多頷首微笑,問道"莫寧",或法語之"朋爭",偶別輒握手或作短揖,慰問"忙罷!"見蹤跡久疏之畢業或離校同學,則啟吻先問"近來如何好法?"

樓前類見有馬掛長袍而以掌接額角正立行軍禮者。

黃梲團在丙寅秋季,恆見於樓台鳥瞰間,為一種特殊結合,戊辰秋,又有穗梲團出現,團員各持秋藤梲,頂繫奇穗,招搖過市,恬不自怪。

熱心課外活動,以第一二年為甚,及後因挫折灰心,或久而生倦,雖聘訪盅蔘,然必堅却,而辭文中亦有"胃痛失眠",醫囑靜養,等語,如衰衰諸公然。

自治會之行文公事,以胡慶育掌密勿時之官味最是,如"茲准前因","除分咨外"等語,見不一見,其起承轉合之妙,深得刀筆三昧。

胡琴初習時,咿啞刺耳,爛熟後即妙技驚人,湖上始有唐湘生,繼有唐崇基渾思,唐湘生人稱"小店",雖能"托",然不諳工尺,造詣未能深邃,渾則耳音指音均佳,惟火喉尙差,然已不易,唐崇基節奏極玲瓏,往在三樓北首,佐以板鼓,羣往"坐腔",儼然歌榭,賈希彥每拉即拉反二簧,絕不及他調,第一樓又有終日操夜深沉柳青媤小過門者,亦頗娛耳。

周振勇李薩鑫林悅明俱能製相,各有梯階,周林長於攝動性,李長于靜性,新聞片不爲也,然周亦精于遠山近水,其"寒都夜幕",活映出沙漠舊京景况,林亦精於晨光夜色,其"孤雲寒樹",意味絕好,製人物者,昔有黃錦棠,近有遊澄,譚鈫就劉壇眞攝眞亦肯,惟不輕示人耳。

註册訂課時之擁擠,初至者罔不駭怪,往往窘困人叢中,氣岔脉急,傳側無由,偶一舉足,懸不能下。

鄭騫藏銅鑪一,入土已久,色絕靑如鋪翠,土蝕穿剝,而無斧痕,非贗鼎也。

陳仲盦代友人藏宋李成熙山水一軸,峯嵐澤藪,章法極好,其絹已無絲性,受糊旣多,故毫不堅韌,以指微彈,則絹素堆起,嗅之古香可掬。

156

夏幼叔張厚瑜並能檯球，青雲閣及市場之大彰，類見踪跡，夏普通能打八道，某次趕巧，一竿竟打出千三百餘球，看案者詫爲罕覯，張略遜，然球社中亦有藉藉名，惟犖筆頗慌，球多失漏，韓本修書初試心喜，歸潛就太平倉之某小球房，揣摩鍛練，三月技成，來覓同曹作戲，一盤而兩道牛，莫不驚爲聖手。

韓本修書脫胎漢隷，取法華山廟，更叅以清人鄧石如撝撝叔意，勁峻入古，于瑞人摹昇仙太子碑，寒暑靡間，錢塘諸士，競效成風，張堯民寫龍門二十品有神髓，羅裕鼎臨隋碑，書榜道麗，近爲平原，亦頗得力，惲枝習蘇帖，幷工鐘鼎小篆，尤爲雛能可貴。

張堯民畫花卉，師甌香館，筆橢翎毛，爲小簾，甚可愛，惲枝從南田家法，鈎染承其拙逸，闞瑞梧寫圖之妙，可以與花傳神，陳仲逸工山水林泉，以雨點皴顯脈理向背，尤有唐人筆格。

夕陽西下，輒見三五小童，喧集樓前，以待履拾網球，惟貪婪頑甚，拾畢雖倍予值，仍唆唆不去。

姜宛眞藏十鐘山房印譜，惜稍殘缺，案頭田黃圖章兩顆，瑩澤可喜。

湖上少年，喜蓄長髮，梳之向後，謂之背頭，以鬢中分，佚麗益甚，雖日三沐膏澤，猶嫌不滑，女同窗剪髮者日多，戊辰聖誕節前尤衆，其平梳兩垂者，謂之童化，旁掠掩耳者，謂之偏梁，齊髻後攏者，謂之鳧尾，亦有燕則騷首，翻爲雙鈎者，其未剪者，則恆總挽於後，絡以疏網，圍其兩端，罩耳爲蓋，或髻聳額頂，遠望如雲。

煙斗爲近年湖上流行品，教授中劉和曾强壯兩先生之斗，最惹人注目，同儕大有斗者，則視其人而殊其用，黃文澧陳長津輩，確保纏癖過深，嗜好難除，許登文則以抵減化學室雅莫尼之惡臭，田聽雖無煙癮，以苦於體似侏儒，抑人鼻息，不惜備大斗爲背城借一之舉，至于吳沆樂蘇汝梅之流，愈在公共場所，愈以燃燒吞吐爲樂，其尤奇者爲鄭溱，有斗而無煙，每外出必啣垂頷下，顧盼自雄，蓋亦淵明"識得琴中趣，何勞弦上音"之意也。

湖上少年，多著西服，革履斐斐，理直氣壯，冬日不耐寒逼，一變而爲輕裘綏帶，南院同窗，喜穿旗袍，或酌罩節儉藍布掛，秋深則斗蓬外套，頻頻加身矣，新裝彩毱，長僅及膝，故西麥亦足適用，若加毛絨衣於袍外，雖屬不經，却有儀態，有某"坤"者，雪朝御彩絲斗蓬一襲，臨風翩翩，人艷其衣，遂忘其寒。

初來湖上，男革履皆長方頭而厚膠底，皮以黃褐色爲多，製革科所製，色雖淺堅韌頗能耐久，戊辰後，御膠底者漸少，鞋頂轉圓闊，且多黑色，亦有別製漆皮履，爲宴樂之用，冬日則加鞋罩取暖，纔示縉紳體統，女履初亦流行平底圓頭，及辰歲改興高跟淺緣，而以窄帶搭扣踝骨上，皮作橙色者，春秋最宜。

聞陳作樑鼓琴，彷彿在深山松篁中見隱士，田聽夏雲，俱善月琴，其蒼涼處有納蘭"落日萬山寒，

157

蕭蕭斑馬還"之境。

　　丙寅冬日，吳雷川先生每周必柬約庚午級數人往朗潤園先生之水居聚食，如是者數月，而級人莫不飽飫鈞廚，有某某二詩晢，於例饌之外，別飽澄羹一盂，歸告同曹，詡為異數。

　　朗潤園，湖北之清涼境也，故家池館，構築極精，鼉華言坐圖中石橋上，凝看水中天，郁鬱幻變，可以澄心。

　　包月而食者，每日三饗，枷鎜一作，則魚貫而入，故又稱"枷子飯"，打枷之響，足以震聾發瞶，堂中每桌六座，殷會素者數盤，紅燒犢肉，大可下飯，第二食堂自晨至暮，顧客不絕，取價甚廉，人樂趨之，惟堂中油腥沾衣，雖三薰三沐，莫蠲其味，某君戲稱晚饗後之圖書館，為"庭丁夜校"。

　　湖上癮士，多藉紙捲煙以度長日，氤氳樓中，撲人鼻觀，夜讀提神，消耗尤夥，齋役懾馳應廳之繁，多預儲之，或與小販私約，令待於食堂墻外，購時僅於墻內呼"來一盒"或"大瞇珠"，墻外即有聲嗯然，遞煙而入。

　　冰柿子與烤白薯齊名，湖上之冬食也，嗜冰柿者，恆用小刀啓孔，以小匙挖取，從容含咀，有時迫不及待，則裂口吮啣，亦煞有趣。

　　合作社距禮青館數十武，為售賣雜用紙張之所，櫥櫃中物，多罐頭菓食，購者寥寥，西廂昔曾設者室，今則僅春夏備冰澈凌檸檬水，不任烹調，南房之郵局，為湖上與外間通遞之口，門道東有理髮處，湫隘祇堪容膝而已。

　　掛甲屯在校友門西南，垂楊流水，景物幽絕，有廢閣，跨小巷上，橋頭古肆，以售開胸順氣丸名，秋晚高柳棲鴉，看西苑漫野，頓憶元人馬東籬天淨沙之景，鼉華每至，則徘徊不忍去，其"終古心情如夢寐，一秋眞賞付斜陽"句，蓋詠此也。

　　拉拉隊見於球場，含有棒喝性質，其領歌者，冠帥如舞台俳優，跳躑奔馳絕可矚，隊員拉拉高唱，足壯聲容，聲嘶力竭，繼以鐃鈸，有時甲方盤旋旨嚚，勢將入網，竟為乙方蹴出，乙方助威者，莫不亢起雀躍，以手加額，而甲方拉拉之士，不期而同作大規模之太息，反袂拭面不已。

　　羅裕鼎初諳承辦喜慶弔哀屏對，迨代客撰寫贈序題跋，駢文通啓，日凡數起，應接不暇，近以專心政治，委件漸推托，胡慶青亦具此道，申江歸後，庭饋法典，大倡理智足勝感情之旨，干者開而却步矣。

　　李蔭鑫奏梵華玲，善用依弦，幽怨如鬟婦夜泣，李葆眞擅心琵琶娜，錤譜頗有獨到，受陀琳撥者甚多，然無能手，樂雖副藝，入室甚難。

　　李衛仁者，吾校九折臂之瓦醫也，不特學深邃，而其長厚，尤有足多，原華扁之道，非可恃能而炫，蓋元氣耗散則峻補，外邪俊伏則表散，中焦飽滿則攻下，醫理固易知也，然眞以濟世為懷者，百不獲一，是以云可貴。

158

同曹相鬨，平居雖沆瀣一氣，每及自治會務，恆藉法理事實，互爭消長，會議偶不諧，則以退席為消極抵抗，聲明啓事，遍張壁間，墨點朱圈，煌煌昭示，雖近乎舞文弄筆之舉，而引經溯法，申厚誼薄，尚足以適時制變，至於一屆選舉，首有提名委員，蓋重屏比譽篤之意，及乎彈冠登版，莫不褎然寧首，亦有老成人，但鑒苟全於亂世，不求聞達於諸侯，謝絕避賢，屏居稱病，至有書"茲特鄭重聲明，此後槪不負責！"以示決絕者。

湖上冠帽，幾無式不備，矧湖上年少，多采采其衣，故必峨峨其冠，呢帽鄭重，扁帽輕盈，皆爲常御，小帽雖曾一度流行，終因離化而打倒，夏日巴拿馬及厚草結者最普遍，冬日多冠獺尾四塊瓦，更有所謂土耳其式者，高冠岌岌令人毛骨，溜冰繩帽，皆五色繽紛，爭奇競巧，壓髮帽則以元色生絲製成，合作社有售粉色及湖色者，明豔眩目。

圖書館散後，熄燈以前，爲募款家出動之時，宿舍內足音登然，頻聞剝啄，率皆手持綠簿，筆欄耳間，口中喃喃，若憂若喜，樂善者雖一再解囊，面無吝色，好義者則於慷助之上，必寫無名氏三字，以樹隱德，若敷衍面子，則詳審捐册，覓其最少數而照塡之，惜金之士，往往閉戶佯睡，勢難倖免，則從容婉辭曰，"鄙人對貴團體宗旨，尚未了然，容俟考慮，"不幸值於甬道梯口，則博入浴室，側耳屛息，待其去遠。

校友門內人力車櫛比而列，謂之"官價車"由校至西直門，需銀二角，新華汽車任役時，人力車營業頗盛，馳逐道左，驕其郦郦，及中原來承攬，汽車價低至兩角五，於是敷十膠友，莫不唐喪唾津矣。

有呼醋河爲"醋河小店"，呼匯文爲"匯文大院"者，繪紳先生雛言之。

妙峯山距湖上數十里，中和月上浣，爲香火之期，善男信女，跋涉數百里而往膜拜，丁卯姜尤長劉志廣，亦往朝山進香，某君且在王二奶奶前許願，歸咸蒴頭插花，口呼"虔誠"及"帶福還家"不止，某詩伯求侶不得，流落湖上，歲往二奶奶處卜休咎，雖頂禮其恭，仍未瘦要領。

少年心緒，易爲情絡，矧乍來湖上，如入五都之市，初值而驚豔，拳拳深性字，於是鎸名筆端，印影爈海，或禱拜神祇，乞遨垂靑，倘蒙咏顧，則遍覽今古中外之詩詞妙語，崇之爲神，儀之曰后，課室影場，得連展之歡，圖館聖樓，有僭步之喜人驚其濁世，我見而猶憐，旣而默識同心，盟成有日矣，其無幸運者，雖獻禮甚虔，而伊人却如海上三山，不可引近，失意之餘，則披髮佯狂，嘯咙跌足，故湖上老釣叟，祇知薄其愛染，不言煙雨風波，非無故也。

程家驊枚摹蘭芳均肯，家驊工起解斬賣娥等劇，驊腔調之美，登絕儕輩，于宛華諸劇，無不擅場，沈韡家之坐宮，亦清麗有致，張辭孫傾心苟慧生，其丹靑引之"兩番花燭"一段流水，頗有是處，惜大體不能圓正耳，懌思劼菅架子花，嗓音似侯喜端，法門寺定場四句尤肯，驥生工者甚少，張堯民之探母樊城，一意仿反岩，夏七自稱擧大頭，然塞濯過火，不能卒聽矣。

159

夏幼叔棋譜絕好，于一峯惲仲犖劉啓泰亦能之，游藝室楸枰，足以遣日，奕陣一列，觀者塞屋，善兵者先機後戰，批隙導窾，其風雲陣勢，令人嚅舌不下。

高惠民長身玉立，名網球家也，技既精絕，而臨陣復能騰閃鎮鎔，有時旁人為捏一把汗，而君獨泰然化險為夷，良不易也。

黃文澧隊球，不在控也之佳，而于排擊"關門"時見功夫。

古志安白端，俱善長跑，戊辰冬，卞鳳年曾在校，三君俱為足球選手，馳驟精捷，田秩曾任玲邏唐炳亮擲籃球有盛譽，鐵餅推大徐，其拋擲前之轉身，頗不易習，標槍趙啓明曾一度奪標，跳高高惠民尤推上選。

鄭騫為詞，清麗舒徐，上鄒淮海，集日網春，其減蘭之"當年三月，悔煞韶光容易別，"及浣溪沙"徹夜西風涼舊夢，一天秋色染鄉愁，"諸闋，意味高遠，咀嚼無滓，惟近忽擱筆，殊可惜耳，林瑞銘作不多見，其憶江南之"有夢徧留川上恨，無因更向月中行"句，清俏中意脈不斷，

梁魂貞長近體詩章，乘興寓意，美得天然，胡慶育為古詩，豪邁縱橫，堂廡特大，其哭劬齊篇，字字敲打得響，詞學蘇辛，僅得形似。

假日之校車，為湖上小社會，匆遽相遇，歡若平生，凡湖上之懿行嘉話，率藉車中人語，以傳閫城市，好事者道聽塗說，乘客樂成雅興，故覺謦欬有味，某公侃侃道其行狀，人驚其膽豪，爭與結納，某女先知每星期五晚必充滿聖靈，向鄰座滔滔叫"信主就有權柄贖罪"之義，無人唔詢，則自語如夢讝，若有教授同行，乘客容儀，每較端莊，劬學者利用此時，有質疑問難之喜，至於車之聳降，為粹觀兩性競爭心起見，率奮舊不顧身，前仆後繼，此種"搶座的科學化"，實為明達爾文物競座擇之律也。

160

圖書館之花花絮絮

梵　因

（節錄某"新鮮人"與其友人某公函）

"……弟見館中自晨至暮，莫不烏壓壓一片人，晚間燈明燦耀，上座尤佳，六時三刻，急於借書者已徘徊於門側，館開一擁而入，其勢極猛，八時以後，座無隙地，至者咸望桌與嘆，蹀踏而出……"

"……聞館中在最初僅開放樓下，樓上須高年級生始得問津，今則雖三層樓亦可入觀，在此中覓人，大不易……"

"……弟初來此間，聞人言"Legation Quarter"而大驚，以爲在此最高學府中，胡有此不祥之物，後始知非使館界也，乃情天界也，凡夫俗子，雖修煉五百年而不能超生於此也……"

"有某選民坐館中樓下南部中行第二椅，已三年零一個月矣，寒暑無間，未嘗一換其座，老館客咸知之，雖人滿，亦不忍據，昨晚弟見某新館客入而坐其椅，選民至乃大不得所，逡行其旁，良久新館客覺，笑而讓之，選民大喜，且感激而涕零焉……"

"就弟之所知，館客入館後，有以下幾種現象，

一，置書於桌而不坐，或往瀏覽報紙，或往窮搜書卡，事畢挈書竟去。

二，借得參考書，如獲至寶，走筆疾抄，目不旁瞬。

三，一卷在手，而心猿意馬，溜目眙視，見情天界之超人，正情切切而意綿綿，自覺口中大有梅子青椒之味。

四，簽名於參考書之卡上，夾書潛出，及至閉館時間，又夾書溜回……"

"館中有鵲橋焉，自橋下望，依佛家言，則曰"芸芸衆生，恆河沙數"本老子語，則曰"熙熙攘攘，莫非爲利……"

"……大學生不拘小節，借書愆期，毫不爲怪，然聞心理博士言，人類因恐懼之本能而生畏罪心，故每得催書之簡，必百計千方，覓人代歸之，非爲綏頹，實避罰鍰，非得已也……"

"……館中幾間"Private"，神秘不可測，館主人每啓，則急閉之，一者此中有不可爲外人道者。"

"……館員某，面長似諸葛子瑜，每發言必促其前數字，而伸長其後數字，蓋寓有恫嚇之意，愆期者莫能漏網，又某君其首狹小，目光燗燗，嬉笑滑稽如武丑，又有某君，髮種種而面有荣色，惟能舉書號如數家珍，館主人名不甚彰，然逢人必頷首微笑……"

一 院 瑣 記

滿 桂

這小小的家庭，命名第一院；因為有其名，必有其實，所以什麼事體，都是第一，我們院子的花草：迎春，洋槐，秋菊，冬紅。無不芬芳嫏嬛，首屈一指；客廳的家具，也裝飾得格外精緻，飯廳光澤的黑漆圓桌子，較之其他院粗笨的四方桌，可稱超貴一等，設備器具，修理房屋，也必先第一院，所以到挑屋子那時候，人人都要逼到第一院來，幾有人滿之患。以第一院是吉祥之地，教員們也羨慕着，是以她們的膳堂，也設在第一院。

五十多個女孩子，在這小家庭長大，好像姊妹一般，很能以和氣相待，謹守那溫文爾雅的美德；不過同時要保留第一院優越位置，所以喧嚷也不落人後。有幾個自號音樂家，學了幾曲什麼"Oh I wish I had some one to love me,"什麼"my heart is everfore longing" 的西調，便整天的嬌喉高囀，聲驚四鄰；尤其是飯後盥漱的時候，那喔噁嘲唧的怪音亂調，更是驚天動地。然而晨光月下，拉拉梵雅林，吹吹笛子，彈彈洋琴，宛轉的聲調四散，又是一番雅事。

有一班自稱文豪，開口李白，閉口杜甫；什麼兵車行，什麼長相思，瞎念一氣；高興采烈，搖頭擺尾；唧唧咕咕的亂喊，却不管鄰屋的科學家，咬牙切齒，掩着耳朶，在那死想 Ameba 究竟有多少隻脚。有的時候 Romantic 起來，還聯袂倚肩，扭到高麗花園的蒼松蔭下，或農場的芬芳叢中，對景高誦，鬧個不亦樂乎！

還有些清談雅士，課餘飯後。嘴裏不停國家大事，人生問題，客堂裏手拿一張京報，躺在沙發上；這個侃侃的批評什麼編遣會的失策；那個憤憤的罵得日本一錢不值；那爬在案上的，悵然痛詛中國前途之無望。到了飯廳，却食而不知其味，什麼生計艱難，婚姻之不自由，戀愛之誤解，又跑到嘴上來談鋒正烈，惟恐己之聲調，稍低於他人，所以極其喉音之所能，喧囂高嚷起來。可憐那素守禮教，"食不言，寢不語"的道學家，聽見實在頭暈，生怕震破耳鼓！

體育家在屋子裏呆不住，她們除了課堂，便是球場；什麼網球，籃球，終日在眼前幌漾；拿起什麼東西都當球打。好容易下了課，跑到球場，蹦蹦跳跳，非等到臉紅耳熱，汗珠滴滴，不肯囘來。那一天黃昏時節，却作了她們的結束。說來也有趣，那天是第二院的體育英雄，來挑戰隊球。晚飯後，九個大將，穿上一身黑操衣，戴上潔白招牌：大書"第一院"雄氣勃勃，勇往球場。後邊擠擁着一班皇親國戚：當然是第一院全體啦，廚房大司務啦，張爺，郭奶奶啦，第三院姊妹，男校第一第三樓的遠親啦。銀笛一鳴，排列上陣；心裏雖然慌忙，嘴裏却鎮定，勉強說"不怕"。旁邊站着的皇親國戚，用盡平活的氣力，高聲"氣耳"。"第一院！第一院……"的聲浪，隆隆然直升雲霄，王博士的喉嚨嚷破了；陳教習的腿只抖摟，牙只顫動，嚷不出來。第一塲敗北，不要緊。第二塲却勝了！一時歡呼嬉笑，手舞足蹈的包圍着戰，捧茶讓坐；旋而讚賞，旋而鼓勵，幾乎要把她們捧到頭上去。到了第三塲更出盡精神，不使一個球錯過。可是敵不了戰神偏愛了第二院！不過倒數還是第一。

精神活潑，天眞爛縵的第一院女孩子們，食量也不落後吧。那當然！或問第一院第一最有用的是什麽東西。答案是：禮拜五，六，七，那洗衣房小灶的火。說也奇怪，這小小的火，有什麼用呢？有了牠也不能令那屋子加增多少暖氣。不能這樣講，這火並不爲取煖，自然有別的大用處。每個禮拜五，六，七，那三天。三羣二隊走到海甸，到城府，一會工夫，便提囘來一包包的牛肉啦，猪蹄啦，白菜啦，菠菜啦，醬啦，油啦，種種形式，便爭先恐後的燉呵！羡呵！一時香味四溢，簡値誰也禁不住胃汁油然而生。

大梁小梁，是烹飪名家，無論什麽菜，一經其手，便成佳饌；不過其味愈香，愈能激動人家偸食之想。有一天，大梁燉了一大窩五香猪蹄，氣味傳到姑婆的屋子，她老人家耳朵雖然差一點，嗅官却格外銳敏；她不知不覺便跑到洗衣房，看見是一窩猪蹄，順手便揑來吃，那站在旁邊的幾個饞鬼，能不跟她狼吞虎咽嗎？一會工夫，只留一個空窩！

朱小妹，趙小姐，李小豆，吃過眞覺味好，便也學學羡榮，頭一次羡臘味飯，派小豆看火，她却是個經濟大家。覺得站在這裏實在費時間所以一邊洗頭，一邊看火；一邊又跟在旁邊洗衣裳的小梁談天。一窩臘味飯，早置之腦後。還是姑婆鼻子好，聞見焦味，忙跑過來，看看！什麽臘味飯，早成了黑炭了！

不羡榮的時候嗎，也不愁沒吃的。農科新出的洋梅，差不多都搬到第一院來，不供之於碟，不盛之以盤，乃載之以盆。過些時候，鮮美的西紅柿出世，張爺便忙不過來，頻頻的替小姐們買去；郭奶奶天天倒字紙簍的時候，那看見字紙？只見紅皮堆積，腥氣不堪！

冬日嚴寒，吃得山窮水盡，只有冰柿子，聊可解饞，所以窗外冰柿子，排列成行，求其堅硬，嬌嫩的纖手，却戴起手套來，但可憐的皓齒，難爲他勉強嚼齧那刺骨的冰塊！

有一天雪落得很深，院前戲雪人，固然好玩，但無如太孩子氣了。踏雪尋梅，也是雅人樂事，不過也太 Conventional 一點。小姑娘沙利，忽然想着一

163

個好主意來，覺得天賜這東西又乾淨，又美麗，不利用他，不費嗎？所以在這裏，又發明了一種吃的藝術。她盛了一碟雪，加上牛奶，白糖，樣子儼然棉花糖，味道却是冰琪琳，這委實是新製的雪糕 Snow Cream. 霎時間 Propaganda 傳徧全家，姊妹們爭着來刮。一會兒雪上足跡手印，雜踏凌亂，好像潔白的面龐忽經上爛醜麻子！

人生吃固然是要緊，美觀也不能不注重，第一院的小姐們，却沒有忽略這一層，有幾位美術大家素負美人之名，更能講究；斜領窄袖，短裙的時髦上海裝；巴黎脂粉，花旗香水，滿佈裝台。頭髮不喜光澤而求蓬鬆；羨慕洋鬼子的捲髮縷縷，所以一到禮拜五，便端着鏡子，拿着熨剪，跑到洗衣室。那小灶的火，也真有用，一邊煑着香噴噴的紅燒肉，一邊又可以燒熨剪。素有經驗的浪小姐，比較別人能幹；她不求她人的幫忙，却自己對着鏡熨。有時候不覺意失了手，誤擁着頭顱！"哎吔"一聲，熨焦了一塊肉，也好忍住。有時候，爐火太盛，熨剪燒到白熱，青絲忽然斷了一縷，還發出怪味四散，但無論如何，經過一番工夫，頭上便製造出藝術的千層梯子，恰似天壇的台階。

楓湖柳枝詞

迦那

微風嫩日護苔痕，近午花香過短垣；慫得小驢郊外去，拖鞭傍柳出朱門。
臨湖芳徑繞新槐，晚踏花神廟外回；好是日斜人未散，清歌一曲漾舟來。
漸覺清涼嬾出遊，霜風紅葉壓層樓；牆高未許行人見，細步輕盈學打毬。
古柏含霜月未昇，誰家樂事遽仍仍？滿湖爭看諸年少，翠袖銀燈夜滑冰。

環湖勝蹟小誌

唫　佳

　　吾校位置海甸。東距舊都，約十餘里。遠邀西山，近挹昆明。雖地處鄉曲，而風景絕佳。其四周勝跡，亦頗多可紀者：校南有高麗花園，相傳清王室某貸高麗銀行之款，以建築者。後窮困不能償，園遂屬之鮮人。園之面積，約三四畝。喬木叢茂，列於前方；邱巒起伏，橫亘中央。邱之南，有屋數椽，塵垢四壁，蛛雀爲巢。屋後古松兩株，狀如覆蓋，可以納涼。松前燕沼一方，水既枯竭。蓋全園頹廢已久，屋宇傾圮，牆垣倒丹，竟成荒墟。十七年秋，吾校購以爲農塲，始稍從事修葺。園之四周，闢爲塲圃，雜植茱蔬棉蔴之屬，登邱四眺，碧綠如茵。就其原屋，略加修整，農系主任及本系學員居焉。至此。開軒把酒，則固儼然一農家也。

　　校東，有朗潤園，爲前清王室載濤故園。吾校購以爲教職員宿舍。園中清水曲折，環繞全園；小橋流水，楊柳亭台，夾映其間；廣廈敞舍，臨水而立。周雜竹樹花草假山士邱，宛如蓬萊島上，瑤池仙境。入園門，即見士邱聳起，猶如屛障，遂使人有"庭院深深幾許"之感。每值炎夏，老樹成蔭，碧波澄鏡，野花遍邱，青草滿徑，是又避暑之佳境矣。

　　由校西北行約數十武，有達園。王懷慶建以爲別墅者也。雕樑畫柱，壯麗如王者居。而其間雜以茅亭板橋，則有頗饒鄉野風趣。園多果木花卉，每值春日，嫣紅姹紫，爭豔奪芳。遊賞者，幾疑置身衆香國中。其南大廈三楹，俯臨荷塘，有題曰"愛蓮"。水殿風來，暗香乍滿，邈思南海瀛台當不是過。吾校男生宿舍不敷，乃賃其全園以充之。

　　校西有蔚秀園，荷塘曲折，岡巒蜿蜒如屛，萬綠森森，風景古樸。聞爲清攝政王載澧之舊圃，屋宇傾毀，乏人修葺，蔓草叢生，滿目荒蕪。今爲某營軍隊駐紮，遊人士女益裹足不前矣。

　　圓明園在校之北境，爲有清盛時，帝后避暑之行宮。咸豐八年燬於英法聯軍之役，迄未復修。今則荒烟蔓草，荊棘銅駝，斷橋剩水，徒供後人之憑弔而已。惟園之東北，尙遺白玉堂之殘跡。聞此堂仿羅馬式之建築，係用石造。石刻精細，其質純潔，宛如白玉。惜堂已傾圮，全豹難窺。園之西北，有假山一座，怪石相叠，作螺旋狀。登其巓，則全園風景，一覽無餘。園之西南，有孤松一株，廣二圍有奇，直立齊雲。其枝四張如翼。樹下青石相積，如凳如桌，實爲偃息之幽境。凡此三處，皆爲遊人欣賞之地焉。

姓氏識小

元

恒河沙數芸芸衆生的 Directory 中，若是翻開細細玩味一下，這般莘莘學子的姓氏，也成爲一個很有興味的歸納：

(1) 那姓名的義思聯貫的：

龍潛	儲益謙	萬選仲	成雨田	翁初白	戴南冠
江千鳥	石天民	黃天生	景生然	藉冠瀛	力邵農
夏雲	莊恭	翁獨健	何其傑	馬仰曹（？）

(2) 好香豔的 Gentlemen's Names！

| 柳瑞芳 | 路毓秀 | 陰毓蘭 | 孟昭英 | 陸香泉 | 谷杏春 |
| 李保眞 | 卞美年 | 紀鳳鸞 | 吳夢蘭 | 朱桂卿 |

(3) 那淸奇的姓氏除去(1)類中的還有：

林烈撒	宮秀	桂一勝	傅眉	譚紉就	惲思
都定浩	甘靑州	于一峰	曾特	羅松禪	童村
羅牧	黃善凡	惲枚	言雍焘	劉克己	趙蘿蕤
鄺祿禧	李福豐	鳳彥	李雪夏	康德馨 (Condition)

(4) 那名字音聲念起來很容易相混的有：

馮志東	馮志棟	黃禎祥	黃振强	聶光坻	聶光地 ;
王玉振	王玉辰	翁初白	黃超白	趙啓明	趙潔民 ;
黃安禮	黃文澧	言雍焘	袁永焘	盧祺英	陸慶

(5) 相對論擧例：

龍潛	鳳彥 ;	黃正	白端 ;	王健	陶强 ;
戚發桂	江兆菊 ;	張官廉	黃民威 ;	吳必正	何其傑 ;
周勵秋	趙振春 ;	戴雲峯	成雨田 ;	楊建邦	李安宅 ;
趙玉葉	陳金扉 ;	張中堂	陳北海 ;	馬振玉	駱傳芳 ;
宋以信	齊永康 ;	李錫周	楊維楚 ;	于一峯	江千鳥 ;
鄧嗣禹	徐擁舜 ;

"你認識和你的名字相對的那位嗎？" 或許你的朋友們將要如此很般勤地探問你．

愛 好 趣 向
———— 一個普遍的調查 ————

你到燕大來的目的是什麼？
  (1) 求知識　(2) Social　(3) 住客棧　(4) 混資格
你以爲在燕大做那一年級生最好？
  三年級
你以爲燕大最好的風景是那裏？
  (1) 湖畔　(2) 朗潤園　(3) 姊妹樓
你以爲在燕大那裏讀書最好？
  (1) 圖書館　(2) 開窗可抱湖光塔影的宿舍裏　(3) 湖濱　(4) "十三節"上
你以爲在燕大那裏散步最好？
  (1) 湖畔　(2) 高麗園
你最愛讀那本書？
  (1) 紅樓夢　(2) 納蘭性德的"飲水詞"　(3) "我最歡喜讀字典"
你最崇拜誰？
  (1) Dr. Stuart　(2) 我　(3) 愛的人　(4) 不崇拜誰；誰都崇拜．
你最歡喜以什麼做消遣？
  (1) Five Hundred　(2) 幻想　(3) "新法彈琴"
你最愛吃什麼東西？
  (1) 烤白薯　(2) 冰柿子　(3) 冰激淋　(4) 瓦鄉栗子　(5) 飯
你在星期日最歡喜做什麼？
  (1) 旅行　(2) 進城　(3) "我沒有星期日"　(4) 睡覺以養神　(5) 補衣服
你最歡喜那種聚會？
  (1) 茶點豐富的"吃"會　(2) 招待大會　(3) 追悼會
你用什麼方法修養性靈？
  (1) 靜默　(2) 祈禱　(3) 念佛　(4) "浪漫"
你最愛到那裏去看電影？
  (1) 平安　(2) 眞光　(3) 燕大電影
你最喜歡那個明星？
  (1) Vilma Bonky　(2) Lillian Gish　(3) Ronald Colman
你最喜歡那種運動？
  (1) 溜冰　(2) 打球
你最愛聽誰唱的戲？
  梅蘭芳
你最愛吃那個飯館？
  (1) 五芳齋　(2) 東亞樓　(3) 燕大飯廳
你最常用的是那種化裝品？
  (1) 史丹康　(2) "用雪花膏以防面皮分裂"　(3) "反對化裝品，主張自然美"
  (4) "日光皂"
你歡喜討論那種問題？
  (1) 兩性問題　(2) 戀愛問題　(3) 國防問題
你最懊喪的事情是什麼？
  (1) 失戀 "When she turns me down."　(2) 必修科　(3) "我理人，人不理我"
  (4) "吃得太飽"　(5) 茶會的茶點不豐富
你最快意的事情是什麼？
  (1) "When 'she' says 'yes'."　(2) 放假　(3) "聖靈感動"　(4) 回想兒時

楓湖叢話 (二)

徵 明

己巳四月，月刊文藝專號出版，湖上自庶務處以至校藥房，莫不人手一編，恣爲月旦，斯刊合大米莊及無名社廣告，共二百五十頁，其內容略分頌聖鑾，摑古磯，明戀想，發感喟諸品，彌毫珠零，落紙錦棨，頗不枉某詩人之一場辛苦，惟據東坡後人言，此刊之所以風行不廢，實別有故，蓋有某女史者，明眸皓齒，豔絕楓湖，居恆孤芳自賞，如空谷芝蘭，令人罕接音響，此次乃亦訴幽思於墨楮，與湖上少年，以文字相見，宜乎斯篇之爲人盥誦，而全刊亦因之不脛而走云。

湖上公共業務，各有專行，如張信德之接拾電影，賈希彥之兜攬漫畫，鄭林莊之經營宿舍，余日森之辦理膳務，張國棟之組織平校，溫金銘之承辦團契，李獻琛之領戒口號，李保眞之籌備樂會，陸慶之草艇公廁，林悅明之攝映照片，羅裕鼎之書寫屏聯，關瑞梧之offer game，均係只此一家，並無分號，至於知風報信必需吳沆業，指導愛務必訪鄭騫，打抱不平必賴陳宗仁，亦皆以此輩之聲譽騰實，成爲常識。

各級年有所謂"招待大會"，以娛同窗，主要節目，爲劇與舞，雜技幻術，雙簧對口，雖屬游戲三昧，亦足解頤，其曼聲長袂，舞容迴環，尤使觀者喜動顏色。

高麗園在湖東南，往歲豪華每日暮，便往登眺，吟嘯不能勝情，彼時祀花神處，畫簷蛛網，無限淒涼，自改燕農園後，鳩工修葺，輪奐一新，已無復舊池台矣。

達園亭台山石，造作太甚，惟九十春光時，丁香藤蘿，嫩色如染，愛蓮堂前，碧水郊郊，雨後憑欄，別有佳趣。

海淀西直門間，雖僅十二里，而中外數世紀以來之代步，能同時並見，計有普通汽車，長途汽車，馬車，騾車，驢車，大車，脚踏車，機器脚踏之別，某名士於諸車無不乘試，丙寅秋，由打麽廠坐一騾車來湖上，以未諳跨騶，斜倚碧紗幮裏，嬌喘怨顛簸，聞者疑係宮眷。

上課點名例答"到"，或"不賴遜德"，或"喝伊耳"，而某法製聖人必答"有"，莊敬如公堂點卯，開會打知單，例寫"到"，"知"，"代知"，而某洋遺少必寫"敬陪末座"，擄云此四字仰是殿體書法，

相處過斷熟，則互起綽號以調侃，綽號範圍之廣，繼滋畜品之雞子，澱粉質之白薯，水葉肆之鴉梨，西餐館之黃油，亦可膾炙人口，山之南有"姑婆"，鞏其耆年碩德，有"猴子"，形其輕靈削瘦，湖之北有傻老，有耗子，有鞭炮，有駱駝，有掌櫃，有洋聖人，有臉盆，有聊譜，聊天而有譜，其聊之神可知矣，流通最廣者爲李逵，阿Q，不言李逵阿Q，而稱其名，皆茫然也，然此諧渾，或不自承，獨田聰開人呼"清導丸"，"糊塗虫"，則沾沾自喜，且爲聯曰，"事盡糊塗無大小，人雖狂俠亦溫文"，此眞玩校

168

不恭者。

晚間各樓院華燈燦爛，隔湖遠望，如在吳淞觀巨艦，浮光耀金，上下閃動，樓中書聲，似舟旅喧語，過廊小步，彷彿在甲板上夜眺，足動懷鄉之感，甕華于海之追憶最深，每值皓月映廊，則對湖淑眺，涼露沾衣，猶依戀不去。

樓院中多以彩色絹罩飾燈，晚間嬌紅柔綠，靜麗無比，邇樓那室更別製一淡黃色者，上繪工筆花鳥，下垂絲穗絕長，益以琴几盆卉，古意盎然，坐讀拜輪詩，偶一掩卷，但聞鐘機滴搭，此時塵慮全遣，心如止水。

戊辰孟冬，半月之間，而湖上暴殂之事兩見，舉校譁然，咸謂西北不利，鬼瞰其室，二十世紀，自然科學昌明，訓政時期，打破風水迷信之時，大學校中，竟有此厲祟之說，誠不能無遺憾，顧廳旁樓角，瞳瞳蠟蠟，亦大有物在，雖佛家言五趣中有之說，言人死則滅飢往而成未來，然好事之徒，故衍其說，以駭人聽聞，於是恒怯者偶聞風嘯，便疑鬼哭，終宵慄伏，甚至汗溼重衾。

首次暴殂由於有汽管，二次暴殂由於無汽管，難乎其為建築當局矣。

習科學者，一下午皆消磨於實驗室，暝色四合，猶危坐孜孜，若于辛勤之餘，衣白罩彩，燃巨煙斗，吐納緩步於甬道湖濱，則亦極優閑之致。

樓頭場角，各廣告牌林立，凡議案通啟，招領遺失，廉售急購，以及映影賽球，歡迎追悼，五光十色，奪目繽紛，然此種招貼，亦有時趣，啟校時則校景像紛陳，聖誕節則賀年卡雜列，應用廣告心理，不惜委曲求全，而運筆如風，白字鹽免，大學生長於觀察，于是仁者加以問號，智者加以小批，范文正求更一字，代價千金，此則分文不取，然若以一時輿會，而被人"清茶恭候"，亦屢難堪之極，據云啟事之中，頗有費索解者，如某女選民尋圍巾之張貼，末自注曰，"此物多數失于某樓"，文意奇奧，某君言若不參照馬氏文通與納氏文法，實難訓釋。

入冬以後，花神廟高搭喜棚，非有他故，為供冰客之取暖，初習冰戲，樂不敵苦，必得人攙架而馳，推椅徐行，亦能漸進，精嫻之後，則內外兩曲，運足如飛，從容笑談，尤博一粲，某獵士初旁聽于冰場，手持小冊，記其進退疾徐之姿勢，歸室溜試，成喜合節，于是巨其帽球，博其衣領，以肩負履，分置前後，噎氣作聲，闊步入場，陡聞戛然，聲如裂帛，及視獵士，已犧牲碎而玉山頹矣，然獵士面不改色，徐起徽哂曰，"不意臥溜式竟若是之難"。

某茶話家在湖上有年，主辦大小茶會數百次，凡一切設座排席，購辦菓食，裝紮彩飾，借用器皿諸疑難問題，茶話家皆查照舊案行之，茶話家恆曰，"會席上最怕兩種人，一為不速之客，據前座狂咦，向女招待絮絮不休，一為長袖善舞者，盃碟沸隨，仍談笑自若，會畢揚長而去，大有孟敏破甑不顧之風"，非妄語也，據人言茶話家雖能任祝賀追悼之秩序委辦，最工先意承旨，其於祝賀會則齒頰生香，於追悼會則眉峯緊蹙，蓋一顰一笑，莫不煞費苦心，克盡厥職。

戊辰聖誕節前一周之晨，有紙大書"今日大選"，遍張樓頭，及午而選票遂如雪片紛發，一般具被選資格者，咸相顧失色，據某先知調查，該日大腹㛀㛀之士，均忍凍減衣，而楚宮諸細腰，則故蹣跚其步以示脂粉無缺，某毽士遍告友好，謂已將煙斗折毀，某炭商則改著深黑色晚禮服，在課室粉板前佇立不去。

聖誕節爲湖上一年最不虛牝之日，節前賀卡紛投，雖望衡對宇，亦必輾轉寄達，情天界則更羅致瑰奇，以相饋贈，蓋不如此不能傲凡夫俗子，必如是始足以互甜其心也，誕節前夜，皆耳虔誠，三位一體，盛會之中，復有互易禮物之舉，大都預儲精細糖菓什物於袋中，並附頌祝之辭以交換，一般惡作劇者，則充以殘燭敝襪，瓦礫敗絮，得之者莫不大恚，信係撒但所爲，實則此輩拋磚引玉，亦殊可喜。

聖誕節諸師長多束招飲欵，主人主婦，致語情殷，游子天涯，能無中動，及視瓦朋相聚，雍雍一堂，更有久客忘家之感，翠例於贊頌火樹銀花前畢，喧笑辭席，月在中天，緩步涼街，興猶未盡，嗸華言年年如是，遍思不曾夢寐中也。

戊辰聖誕節後一日，司徒校長喬遷新宅，事前校長遍束同曹，致賀新蘆，箋謂待同曹往餕鍋，詞意懇摯可感，是日自三時半始，趨賀者即踵相接，校長立前廳，時作笑容，與人握手寒喧，導用茗點，復令周覽各室，其陳設皆精潔可喜，及五時半，更有紅衣一隊，魚貫而入，賀客滿室，倶竊竊爲美，賓主歡洽，晚間踏月湖濱，猶見山麓華堂，鐙前帷幕，玄裳翠袖，笑語喧闐。

燕南燕東朗潤三園，爲教授寓邸，其卜宅於成府槐樹街薛家胡同者亦衆，清華館宇，竹木幽深，西教授尤好以薜蘿攀蔓瑞闑，晝日垂簾，門塔閴寂，入其居但覺蒼翠欲滴，春盡夏初，教授多喜結伴郊遊，隆冬熱火燕居，亦有雋趣，柏基根先生性犹幽棲，長日小齋，吸菸自娛，馬季明先生好客而有禮，故都人士，數數相訪，每至，先生必款以酒肴，周旋弗倦。

假節之夕，教授恆約所諗學曹鬯聚，唯食忘憂，咸欲應召，主人例預綷飾其居，訪者集于客堂敍話，食前膾鯉之味，自膳室透颺鼻觀，莫不朶頤色喜，其食饌視主人殊其多寡，劉廷芳先生每宴必豐肴衍衍，如陵如坯，劉夫人從而勸食，雖善飯家，爲之止箸，亦有教授，守豐腆不如率眞之旨，飲食清簡，幾雞一飽，是以初被邀約，多叩之于老酒食者，知其食膳豐華，然後楞腹而往。

戊辰臘八日，蘇敎士製臘八粥以餉女同窗，臘八粥係以紅白米和菱米，薏米，茨實，加蓮子，紅棗，白菓煑成，作饌途時，可鋪青紅絲桃仁葡萄乾于粥面，此風之由，或曰卽僧家之七寶粥，以供佛及檀越，或曰農夫以祝百穀豐登，或曰有蕢人子，饉歲榻髮，羅掘所餘雜穀，煑食而仙，燕南院之粥，實僅以點綴令節，却無新年羹仙之意，惟湖濱少年，未免向隅，據湖上某理財家言，若爲此輩少年備食，非七十五金不辦，且零吃包月，參差不齊，而空間與時間，逆料尙有種種問題云。

樓中室友二人，秋季相約，抽籤定室，遂成"菇媚"，菇媚臭味相投，則歡裁不易，遂審鄭溱蘇汝梅者，老菇媚也，出入偕，衣履肯，選課同，"煤渣"一，兩人藏西文典籍甚豐，終日擁書自重，性好岑寂，不納俗客，課餘則反鍵室門，相與紅茶烟斗，戢玩瀏覽，鄭于英國文學，造詣尤深，善抒情詩，沉思藻麗，在霍里克雪萊之間，或謂其作受依后時期歌士影響過深，廓誇乏真情感，實則鄭相思紅豆，善怨工愁，近復羈恨情天，傷神蜀水，是以調均淒宛，語盡纏綿，瓦有充厚之生活背景，有非無病呻吟之十四行詩人所可匹儔者。

自楓社清流以詞相酬唱，頓成風氣，其諷誦名集，亦殊其旨趣，鑒華館一派喜讀花間珠玉小山詞，鄭塞力揚六一稼軒之作，羅慕華蘇汝梅最欣賞納蘭渠汾，顧隨先生無病詞味辛詞，清勁超脫，獨創風格，湖上之喜倚聲者，幾無不能誦其"也有空花來幻夢，莫將殘照入新詞"兩語。

姊妹樓爲湖上交際樂園，級社茶會，契友相聚，例于彼間行之，樓下堂三楹，雕修繡飾，頗極巧技，玲瓏相望，獅映溢日，憑窗西眺，玉泉萬壽，盡來眼底，佳侶檀桓，可以忘歲，據言樓中有時計一，或云其速，或云其緩，春宵華筵，歌樂雜佐，清談未幾，夜已及央，則驚其速，耳朋悠逖，搔首立佇，雖幾瞬息，便覺經年，是証其緩，大抵羅曼韻事，姊妹樓實爲濫觴，某爺者，役斯樓久，閱人多矣，警謂初事"愛務"者，饋物通音，需渠爲介，禮貌甚周，及兩情網繆，來堂細語，堪雖偶過門側，亦遭白眼，言下若不勝怏怏者。

湖上隄柳，含煙作雪，風流似張緒當年，島隅蒼松，雄姿若戟，雲月掩映，如在梵刹，夜起徘徊，默念了了浮生，肝膽爲之澄澈。

春來金谷園中，萬卉競妍，不違題品，惟菊早植晚發，君子之德，與丹楓紅蕉，並爲湖上三逸，秋來樓頭院角，金紫爭榮，有時移檻列斛，亦成觸詠，紅蕉遍植，足慰秋情，楓社清流，尤多吟賞，憶網春有句曰：

江海飄零夏已空，
馬纓垂莢怨西風，
昨宵涼起雨聲中；
舊事娿迷留夢短，
秋情寂寞愛蕉紅，
曉來人立畫樓東。

網春明月前身，梅花舊侶，數行抒寄，情韻高華，敬以光吾蕪牘矣。

站在講壇上面

餘齋

孟世傑先生講歷史永離不了"這種"兩字，在人名上也加"這種"兩字，有次連說"這種項羽"，"這種趙高"，全堂無不匿笑。

沈士遠先生善講莊子天下篇，人稱"沈天下"，點名點得最勤，每呼名後，還要對人看一看，恐怕冒名頂替，而介弟尹默先生，却非到季終交成績，不摸點名冊一下。

柯密喜女士（Miss Cochran）講英文，這五十分鐘的功夫，誰也不敢失神，因爲你不用向別處張望，只要一個"心不在焉"她立刻就叫你問你。

馬季明先生底四四方方的臉子，看起來好像是很嚴毅的，其實却不然，他點名時候，聲在喉際，低細之極於是應者也僅略略張嘴，相對如打啞謎。

夏迪克先生（Mr. Shadick）發語很典雅，講授時不離 Notes 一步。

黃子通先生於文學，詩學，哲學，敎育，政治，社會，戲劇，無不講授，在課室中最喜歡和學生討論辨難，廣引博徵，以爲樂事。

吳路義先生（Dr. Wolferz）擅長法德兩文，他下頦有一道很深很深的紋，據說吳敎授底臉，代表德法兩國，那紋是一條溝，溝東是德國溝西是法國。

柏基根先生（Mr. Barker）講書以前，先要把敎桌放的四平八穩，講授時候，銀幣常在袋中作響每下課，必自己先去開門，門開後，學生才能出去。

許地山先生那雙皮靴，據說在牛津大學博物展覽會陳列過一次，某考古家說"此靴年代淵遠，已不可考"。

李崇惠先生講書，每小時要扶他服鏡框四百四十四次。

包貴思女士（Miss G. Boynton）講英文古詩，到得意處，那頭和鐘擺一樣地左右動顛，鉛筆夾在中指食指間，上下撥動。

有一位同學趕到C樓上地理，由窗向內瞭望，以爲達維思先生（Mr. Davis）正在點名，急忙跑進去，原來並沒有課，祗有一個地球儀擺在桌上。

不亦快哉

迦 因

課本未翻，課鐘已響，正恐問答討論，難以爲情，詎至課室，教授因病未來，一鬨而散，不亦快哉。

客居甚窘，舉措不能，忽得掛號信，天外飛來，內附滙票，不亦快哉。

欲借參考書，多日未得，而 "Paper" 之 "hand in," 爲時已迫，乃於館門未啓時，即佇立以待，門啓捷足先登，不亦快哉。

忽聞明晨爲特別假日，是晚遍邀友朋，高歌大嚼，午夜始寢，好夢回時，日已三竿，不亦快哉。

課餘飯後，偕素心人往溜冰塲，載推載挽，聯臂偕行，不亦快哉。

獨坐電影塲，久不開演，枯寂無聊，忽見情侶成雙，連翩而入，拍巴掌以閧之，不亦快哉。

夕陽西下，打槳楓湖中，鬢影波光，輕詞笑語，不亦快哉。

本校與人賽球，鏖戰良久，勝負未決，忽於最後一分鐘，踢進一球，俄頃笛鳴報終，不亦快哉。

華燈初上，晚食已畢，電邀伊人，來姊妹樓相晤，對坐喁喁，不亦快哉。

大雪後，披鶴氅，登楓島，四望皆白，如入玉品世界，陶然忘却身外事，不亦快哉。

球塲角逐，勝券已操，時聞歡呼隊裏，嬌銳之聲，念有伊人，爲我鼓舞，不亦快哉。

冬暮因急事須入城，及轟至校門，車已客滿，正踟躕間，忽又開來小包車一輛，躍登先馳，瞬已去遠，不亦快哉。

湖語釋證

二畫

〔刀尺〕刀讀陽平。（刀尺）修飾也，（背兒刀尺）者，修飾甚力也。

三畫

〔十三姐〕湖東之水塔也。十三者，十三層也。娶十三姐者，無聊之極，而向十三層求偶也。

〔才怪得哪〕轉語辭。如「明兒個放假，才怪得哪」謂並無放假情事也。有人故意將此兩語隔開，以作驚人之句。

上〔電〕溜冰也。言冰力滑動。此意往彼來，如有發動

〔機器〕推駛也。

五畫

〔加油〕（一）加者，添也。油指香油或葷油。家事學系學炒雞子，必學加油。（二）吃炒雞子，須加油以爲最佳，葷蘇子油以降，仍不免泄氣。故必須用機器油。尤以虎牌者爲最佳。之。（三）在運動場上加油者，須加史丹康或凡士泄氣。（四）如頭髮要背兒亮，須加油。林髮油六瓶，始能得「雞子」之尊號。

六畫

〔夸〕苦瓦切。猶言（背兒），必（夸溜），言溜得甚利害也。如（夸念），言念得甚利害也。

七畫

〔巴黎語〕言鬼魅也。然非眞作鬼魅解。調侃相呼之詞也。法人稱番薯也。用法與（狄阿伯）同

〔狄阿伯〕亦作勃姆得戴，有時不言（得戴），僅呼（勃姆），即有人解。

〔伯母的袋〕阿伯同（勃姆）

八畫

〔泄氣〕氣外泄也。以喻精力不能貫澈之義，言箐急之甚。如以爪抓門也，考試之時，十題而九不知，瞠目茫然，即（抓啦），以手指抓動相示急。（考抓啦）

〔抓啦〕（抓啦）之義也。猶言考得甚箐

十畫

〔背兒〕甚也。（背兒棒）也，言甚棒也。（背兒唱）、背兒念是

壹

〔壹特〕也。甚也。美國艷情編劇家葛琳夫人，以（風洗）或（蝴能）不足以形況。有時以狀動詞，如背兒唱、背即所謂「妙」。以隱括「美」字，故逕曰（壹特）。故湖上不言「美」而言壹特。

十二畫

〔絕佛姆〕者，與衆不同。佛姆者，樣式也。絕佛姆者，衣飾行止引人注目之謂也。亦稱佛姆絕。以喻

十三畫

〔新法彈琴〕騎書寢也。午食旣畢，回室展綉衾而小寐也，去琴衣而彈，新法者，言爲宰于所新發明

十六畫

〔機器〕科學名詞作（引擎），言其人行止特殊，進退如代拿模也。

二十畫

〔蘑菇〕隱花類植物。喻頑皮好動佻健多事也。

燕樓夢回目（回目預佈閱年出版預約　章程請詳檢本年刊廣告）

楔　子　百樹孤松茗杯眠起味　一湖明月書卷靜中緣

第一回　食堂革命牛日罷工　燕大同盟一場糾葛

第二回　出拳挑戰研究士發威　槭口呼寬助教員受辱

第三回　祇廳大錢汽車行裝蒜　不拘小節理髮館遵盧

第四回　打倒書閥老鄭驚心　抔擊講席大藍得意

第五回　何故輕生社會家白縊　祇因食暖廚師父中毒

第六回　防不勝防閱言館鬼　忍無可忍恭候清茶

第七回　閒師寬易教舍席充　畏鬼折磨客房座滿

第八回　對酒當歌詞人裝醉鬼　逢場作戲女士題早船

第九回　馬家驟舞台練兵操　林其熾冰場炫舞路

第十回　一腳威禮堂慶祝　三皮主義副刊紛爭

第十一回　思鶴鰈情博十悔獨身　羨鴛鴦詩人聯雙影

第十二回　臘士鐘情冰場結鞋帶　先知墓道校車談聖經

第十三回　白簡催書圖書館交費　紅卡請客校長宅溫居

第十四回　素幕低垂星期好睡　朱門緊閉假日玩牌

第十五回　翁初白僕僕燕平道　陳美華孜孜化學樓

第十六回　墓歐風常三學妙舞　喜瑞雲老道放高歌

第十七回　烤白鴛唱說吳狄盧　燒青魚陳推讀南館

第十八回　意在時髦學曹蓄髮　便於滇漫教授除鬚

第十九回　真無聊年刊部選美　好喪氣選手隊輪球

第二十回　九月賞菊睡人競勝　八仙過海學士爭榮

第廿一回　廚役振精神食堂改組　獵人職情慼茶會旁聽

第廿二回　名媛督隊野火燎原　矮客主席文風被校

第廿三回　擦掌磨拳籃球場上　評頭論足丙字樓前

第廿四回　名士揚名眾誇書法　選民中選共贈詩章

第廿五回　圖書館閒亂兵一時驚恐　聞明園埋忍萬古流芳

第廿六回　買紙宣言友記大利市　編張啟事一樓小繁華

第廿七回　紛紜擾擾撰日拒俸單　撲朔迷離眞聾收據

第廿八回　開放日彩票鬧風光　歸寧節藝會會喧良夜

第廿九回　兩選句寫紅燕春秋佳日　張琴調白雲西北高樓

第三十回　卅回書暫結燕樓夢　一本戲演出過來人

太陽到了天中

羅慕華

太陽到了天中，
各處都已停工，
路上的人都是回家吃飯，
看他們的樣子何等匆匆！

北風吹着湖水，
湖水蕩着波紋，
岸邊的地上疊兩條襪子，
岸邊的石下蹲兩個工人，

黑臂露在外邊，
破襖擁圍下襬，
脚前的瓶子有半瓶白乾，
報紙上攤着一堆花生米。

"老張再喝幾口，
血脈流通才好，
這樣的天又是這樣的水，
若不多喝怎麼下去割草？"

"老李你說的對，
多喝事才能幹；
我是正計算三天的工價，
除打酒膳多少棒米麵錢。"

"老張喝完再算，

那時不夠再說，
左右我們有這兩條臭腿，
在冷水多擂幾天算什麼！"

"我們水裏割草，
原為他們溜冰，
將來場上個個玩得高興，
誰想我們今天凍得要命？"

"世事就是這樣，
老張何必認眞？
還是把這半瓶白乾喝了，
歇一會兒下去割草要緊。"

太陽已過天中，
各處又要開工，
路上的人都是吃飯回來，
看他們的樣子何等從容。"

北風吹着湖水，
湖水蕩着波紋，
岸上躺個空瓶半張報紙，
湖裏露着兩個紅臉工人。

十七年冬日

印 度 情 詩

英國 霍勃女士 作
韋叢蕪 譯

詩（一）

當我初戀的時候，

我將我真實的靈魂，完全交給愛情管領，

但是愛情騙了我，扭去了我的青春，

使生活的黃金永遠地晤如灰塵。

我長期寂寞地生活着，

白白地另外想方快樂，消除苦楚；

別的快樂是沒有的，我算知道了，

因此同早前一樣又回到愛情了。

然而在我未死以前這短暫的時期，

爲着自衞，我輕而又輕地用愛了。

詩（二）

正在黎明前的死寂裏，

一陣沉思的微風生出。

一陣清涼流蕩的微風，

刺激羣草，興動萬木。

當風兒在中途徘徊，

夜仍然是涼爽而暗黑，

霙鵲的第一曲頌歌，——

牠悲哀的怨聲好像是說

"我等待白晝的悲哀。"

Khan Zada 的歌（三）

好像一個人略嘗「生人之杯」

你交出了你本身却未交出你的靈魂。

而今那時過去了，我不知道

你最後要往何處安身。

你把你的美交給我一剎那，

我溫柔地把牠好像一朵花。

你願離開我，這樣告訴我，——

我吻了你的脚，讓你去了。

A Portrayal of Yenching Life
Cheng Chen

Our life here in Yenching is full of pleasure and interest. Our university is so agreeably situated that it commands a broad view of the surrounding scenes. This has contributed a great deal to our happiness; for how often has it pleased us, enlightened us and saved us from the verge of spiritual bankruptcy. How often have we felt and enjoyed the freshness and the growing pulse of the hills. On some fine morning when the lovely Spring has recalled every thing in creation to life, how often have we diverted ourselves by seeing the honest farmers with bending bodies plow their fields, their wives and daughters beside them washing or tending flocks. So immersed are we in rural pleasures that it makes us discover sermons in the stones, life in the trees and philosophy in the running brook. Very often when the weather is pleasant, we seek recreation from outside. Generally we walk to a meadow or a river side tasting the pastoral delights—lying upon the soft grass, hearing the melodious songs of the birds and looking at the clear, blue sky. The young shepherd boys smile at us and the gurgling river lulls us to ease. Our only book is nature and the cold bank our bed. In this manner, we reclaim our liberty from the sordid cares of mankind; worldly gains or losses are no more with us. In the beauty of nature, we sometimes unconsciously murmur:

"Books 'tis a dull and endless strife:
Come, hear the woodland linnet,
How sweet his music! on my life,
There's more of wisdom in it.

"One impulse from a vernal wood
May teach you more of man,
Of moral evil and of good
Than all the sages can.

"Sweet is the lore which nature brings;
Our meddling intellect
Misshapes the beauteous forms of things
We murder to dissect.

"Enough of science and of art;
Close up those barren leaves,
Come forth, and bring with you a heart
That watches and receives".

Besides the lovers of nature, there are some of us, who have a genuine love of sports. Their time for recreation is essentially given to games. It is an interesting thing for one to watch them while they are playing. Nothing can be discerned on their faces but joy and cheer, To augment the interest of the game, they often address each other by strange names and in a jesting humour. This renders them more joyous and lively. Indeed they appear to be so cheerful and gay that he who stands by them watching the game, would say that Paradise is opened to them. They know no earthly sorrows. All their past pains, distresses, loss and grief are no more with them.

Besides the pleasure they derive from sports, their life is made still more agreeable by joining in some social gatherings of the university. So whenever they get tired with work, there is always refreshment.

Although there are many among us, who do not feel interest in playing games, yet the whole university has a great enthusiasm for them. Whenever our teams have games with other schools, we never fail to give them full support and show our due appreciation. We try to pluck up their spirit when they happen to miss any chance and clamourously applaud them when they make a master stroke. But we can say with confidence that our enthusiasm never goes so far as to appear unreasonable. To win the victory is not our sole aim. The only thing we encourage them to do is to keep up the spirit of Yenching. And by this we believe the interest of the game will be greatly enhanced.

There is another class of students who love neither nature nor sports. Because of the serene and thoughtful life they lead, they are conspicuous in the student-body. Their life is rich with thoughts, dreams and passions. They are persons of solidity deeply buried in the secluded places. The direction of their daily labour, the shaping of their own life, their place in the universe, their religion, their relation to their fellowmen, and their ethics are what constantly occupy their minds. For this type of persons there are always questions to solve.

To conclude: I have to say something about our Winter life here in Yenching. Whenever the word "Winter" is mentioned, it almost always carries with it a sense of loneliness, desolation and dreariness. But it has its peculiar charms to us. In certain respects, we enjoy life more then than in other seasons. Although we are deprived of the privilege of seeing the beautiful flowers and hearing the warbling of birds, yet we have two great resources of pleasure. First, in Winter we derive abundant delight from skating. Every day, we see at a distance the beaming faces of skaters who dart from one side to another. And to vary the situation there are also persons who are not quite skilful in the art moving here and there with caution. To heighten the interest of this good exercise, boys and girls sometimes skate together side by side round the rink.

As a rule, each Winter, we have an opening carnival generally held at night. To enliven the proceedings of the occasion, we never fail to ask our President to give a speech He seems to be so full of spirit that he appears really to enjoy the jaunty atmosphere of the rink. On this occasion, boys and girls all dress in a strange fashion and with painted faces.

Besides this, we have another kind of pleasure that adds joy to our Winter life. When the snow falls and neighbouring field puts on its Winter robe of purest white we generally rush out high spirited either to a garden or some other place that will yield us satisfaction. Very often we go to a lonely hillock and amuse ourselves by shaking the trees and watching the small snow flakes fall from the sprays. So we never let any snowy day pass without allowing ourselves fully to appreciate it. This, I should confess, adds very much to the enjoyment of our Winter life.

As a whole Yenching life is delicate, sweet and full of poetry; the more we enter into it, the more greatly we enjoy it and our high opinion of it will never be abated by any lapse of time.

Some insist that Yenching life has a benumbing influence upon us. With this I can not agree. If there are such tendencies, I hope we have sagacity enough not to let them conquer us.

Some Social Aspects of Yenching.
Paoheng H. Wu.

On the evening of the Kiangsu-Chekiang joint banquet, there was a card on every seat and on the card I got was "Do get acquainted with "Him" or "Her". Whether I did make acquaintance with "Him" or "Her" is not clear to me now, but it did inspire me to think of the "social" aspect of the campus. So this subject is chosen to cover some part of the social activities in Yenching. If there is any exaggeration or anything that offends, your pardon will be sincerely appreciated.

To every one of us, Yenching is a marvellous place. Not only is its scenery enjoyable, its social entertainments never fail……it is a comfortable, even splendid life, not to use an extravagant term like "Luxurious" to describe it. Every Friday evening the latest product of the Paramount pictures is shown on the screen to enliven the spirit wearied by five days' work. It is democratic and the three words "Liberty, Equality, Fraternity," which are still the unrealized ideals of every free government are all found here. Whether a professor or a laborer, a lady or a gentleman, a town boy or a country fellow, all are treated on an equal basis and enjoy the same degree of comfort. So within this great multitude composed of various classes of our modern society there are those who discuss the present political conditions with all the vigour of the twentieth century down to those who talk about recent occurences around the village. There are also those our old ancestors who lament the extravagance of the present age along with the jolly youngsters who enjoy the material comfort of the great inventions. Chil-bobbed hair is mixed with the old tresses of the last generation; Oxford bags contrast with the blue-cloth long gowns; the fragrance of perfume mingles with garlic and cosmetic lips compete with varnished skin; and all this is seen in the weekly University exhibition where every class and every generation appears. It is a splendid assemblage and perhaps the happiest day of the week as the merry laughter never fails.

The "night library" (if the words are not used imappropriately) represents another phase of our University life. Filled with book-worms in a heavy cloud of thought it is the ground for the psychologist to apply his intelligence tests. Silent as any empty temple, but bright as the night view of Nanking Road and busy as any metropolis of the world, this place is curiously enough, not only a place of study but also a market and station where news of inside and outside are exchanged and broadcasted. But a single move would be like an earthquake, and a loud whisper as an outrage. The University spirit of diligence can not be overlooked. In hard contrast with the busy "brains" that are working all the time, the "skulls" are not so busily occuped. They not only show timidity toward their masters, sometimes also add some brightness to the room. When the wind has once been able to pervade the windows, this centre of learning will surely not be inferior to the section of a department store where the various new dresses are exhibited.

Apart from these, boating in the spring and skating in the winter have been the main social amusements. When spring comes and the breeze blows gently over the campus canoe boating is an ordinary scene at sunset. Though the lake is small and has no outlet, it is good for social purposes. It is especially busy at the time of commencement when every one is preparing for home and feels sad at the departure of his best friends. Ice cream is then prepared cakes are served and the lake becomes "the tea shop" of the South. Commencing next semester skating is the wide spread sport of winter. When the ice is not yet frozen, the jolly boys are already impatient and jerking their legs. To them, non study is nothing, non skating is a shame. It is a social exercise that no young Yenchinian can ignore. So much so that we usually have a large crowd on the ice after classes; and while co-operation between the colleges seems impracticable, co-operation on the ice does show a clear instance of cordial mutual help and understanding.

University celebrations, class entertainments, social meetings of various sorts constantly appear through the whole academic year. The class entertainments are the most interesting of all because competition for a splendid program to amuse the audience is noticeably high there. The auditorium is beautifully decorated with the class flags in every corner of the wall. The meeting is always opened by a lady's speech from a noted figure in the class, and followed by various items, mostly humorous in character, and among them "the Chinese Chaplin". "the Sino-Negroes" are the ordinary characters on the stage. Then follow some dances and plays not so much for their latest hits or exquisite action as for the well-known amateur names. There is no better way to make your name known than to appear once on the stage. Thus we have "Reuter" reporters to circulate the "star" news and the "Toho" agency to send rumors through the campus. For such the social merits of these gatherings can hardly be overlooked.

Thus far I have tried to depict some social aspects of the campus, but my attempt is far from being complete. Thus donkeyriding to the Western Hills, the tete-a-tete in the Sister Hall, the "bridge" in the rooms, and other things are still untouched. But as no scientific law is without exception, so this short article will have the same incompleteness; and I will leave it unfinished as it is with the hope that the social life here will become ever more prosperous.

A Lay of a Volleyball Match

T. K. Cheng

Huangwenius of Yenching.
 By the nine gods he swore,
That the great team of Yenta
 Should win the cup once more.
By the nine gods he swore it;
 Before the trysting day,
He sent the manager to call
 Throughout the noisy dining hall,
 To summon his array.

The manager has hustled forth
 To scour the dining hall;
And even in the Library
 Is heard the captain's call.
Shame on the member of the team,
 Who lingers in his room,
With Huang the bold of Yenching
 Deciding Yenching's doom.

There be eleven players,
 The choice from all the land,
Who stand by "Alarm-nius,"
 Both quick of eye and hand;
For five full hours the eleven
 Have conned their couplets o'er,
And braced their hearts for doughty deeds,
 Like mighty men of yore.

And now have all the eleven,
 In gorgeous shirts arrayed,
Met on the Customs College field,
 Where the final match is played;
Against the Minta forces
 Is met the great array,
A proud man was Huangwenius
 Upon the trysting day.

And loudly and more loudly
 The Minta fans did cheer,
The 'Green and Yellow' banners
 Flew gaily here and there.
And loudly and more loudly
 The cheers for Yenching sound,
'Wake up'! 'Play up'! and 'Follow up'
 Are heard o'er all the ground.

But higher and still higher
 Arose the foeman's score.
Now who was left among the crowd
 Still shouting as before?
The day was sad for Yenching,
 The sky seemed thick with mists,
And players screamed out curses,
 And shook their manly fists.

And the captain's brow was sad,
 And the captain's speech was low,
And darkly looked he at the score,
 And darkly at the foe:
"Their score is two beyond us,
 That fact we cannot doubt,
And if they get a few more points,
 What hope to save the rout?"

Then out spake brave Kantanus,
 The tallest on the right:
"Yes! Every man upon this earth
 Should play with all his might,
And when should man play better,
 Than facing fearful odds,
For the glory of his College,
 And the temples of his Gods?"

"Send high the ball, Sir Captain!
 With all the skill ye may,
I, with two more to help me,
 Will hold the foe in play.
In this last half the battle
 May still some changes see,
Now, who will stand on either hand,
 And save the day with me?"

Then out spake Taifannius,
 From Amoy proud was he,
"Lo! I will smite the ball with care,
 When my chance comes to me."
And out spake Jenchichar,
 Trained in T.A.C.C.,
"And I will deal with any ball
 That comes too near to me."

"Kantanus!" quoth the Captain,
 "Thou sayest; so let it be."
And straight against that great array
 Began the dauntless three.
For Yenching's men in all their strife
 Spared neither time nor gold,
Nor knee, nor limb, nor breast, nor life,
 In the brave days of old.

Now while the three stood calmly,
 Resolved to do and dare,
The Captain waited for his chance
 To pass the ball with care.
And so again familiar cheers
 Were heard among our men,
For every well-directed shot
 Repeated now and then.

But hark! the cry is Captain:
 And lo! the ball is high,
He eyed his fellow players,
 And care was in his eye;
Then, whirling up his left hand,
 He sprung up to the height,
He aimed one at the corner,
 And smashed with all his might.
With hands and legs their left back
 Carefully tried to save
The ball, though touched, came yet too fast.
 It missed his hands and went right past.

At last, score was two to one,
 In favor of our team.
Oh! it was wonderful indeed,
 A veritable dream.
And so with song and laughter,
 Still is the story told,
How well our players won the game,
 In the great days of old.

Yenching Celebrities

選民錄

Mr. Tremendou Talker—*Wu Hang Yeh* 吳沆業
An overflowing of words, a thundering of voice, a flourishing of gestures, and a firing up of passions—all these constitute Mr. Tremendous Talker.

Weight Champions
1. Heavy Weight Champion—*Ch'en Hsi San* 陳錫三
"先生！他不願意拉. 我拉您去... 您可多給幾簡子兒"。

2. Light Weight Champion—*Ch'en Mei Po.* 陳梅伯
Forceless flower will support thee; Strengthless doves will draw thee, Through the sky and over the sea. but thee, who still frownest. Keep on frowning if thou wilt, for thy frowns are even fairer than the smiles of all other maid.

Miss Tremendous Talker—*Ch'eng Wen Hsian* 陳文仙
"言古驗今,談空說有,中的剖蕨,辯辭利口,廣博福音,洗化童叟,告往知來,三寸不朽"。

Yenching Swanson—*Chang Kwei Ch'ing* 張桂卿
In many respects Margaret has been likened to Gloria Swanson, but the following is her latest triumgh:—Reuter Hollywood.—We are delighted with the news that there is a Yenching Swanson, whose latest success is the "Untamed Lady". (潑婦)

Yenching Valentino—*Sung Yi Hsing* 宋以信
小宋蘋酒出塵,已不輸華倫梯諾,要講浪漫政治,却比他還有一日之長。

Our Blue Stockings
1. Mai Ch'ien Tseng 麥倩曾
青尼女士戀愛心理底描寫,真是絲絲入扣,請看她那篇"　　　"參透了多少情侶底心懷。

2. Lu Ch'ing 陸慶
女士不但是文學家,並且是一位有眼光底 Political Pamphleteer. 不信,請看附刊上她的時論,那一篇不教你拳拳服膺？

Poses and Postures—*Wu Hang Yeh* 吳沆業
"看呀！大威廉又招搖過市了."
"看呀！大威廉又招搖過市了."

Prince Charming—*T'ao P'eng* 陶朋

"湖上有陶郎,瀟灑如春柳"... 早年見標格,秀氣冲星斗...
行步自顧影,粉白不去手,....."

Princess Charming—*Lu Shu Ch'un* 盧淑羣

She is charming when she smiles, she is more charming when she frowns, perhaps she is still more charming when she leads, "M-A-V-E-E-L-O-U-S" or "O Mamma, Sweet Papa......". But above all she is most charming when she walks off a splendid game, netting beautifully and scorning brilliantly for our fair quinary squad.

Rt. Hon. Mr. Pomposity M. P.—*Wu Kwang Chun* 吳廣鈞

小官儀風神外偉,黃中內潤,道上遇見你,不免先要對你"莞爾而笑",等你和他招呼,他却又"端"起來了。

Sir Fashionplate—*Yen Wo Ch'ing* 顏我清

When wert thou knghted, Sir Fashionplate? Bright and young, merry and witty, thy image seems to be a little butterfly that drifts to and fro on the sweet and sunny air, dazzling and glistening. As the fair insect is usually seen self-poised on some flower of blue, you would frequently find Willie seated beside his Cloe.

Sissy—*Chang Yao Min* 張堯民

凝翠羣眉的林黛玉,在宿舍裏成天"春困發幽情";到M樓上課,總是"姍姍其來遲".還有一句唐突的話——"長髮鬈鬈,微聞薌澤".

Airs and Graces—*Chang Kuei Ch'ing* 張桂卿

Miss Chang's career is flowery and brilliant—with no less airs than the Campus Flirt, and no less graces than the Fair Co-ed.

Beau Professor—*Prof. Armstrong* 教授臂強壯

M. Beau Professeur is noble and magnificent, a pipe in his mouth, a pet by his side. He never cared for "eyes of blue" nor a "temper cheek". I wonder if the day won't come when he has to sing "And that's my weakness now".....

Brother Long—*Kao Huei Min* 高惠民

Mr. Kao's is the plesantest face of all, yet his is the deadliest drive of all.

Connoisseurs of Tobacco

1. *Huang Wen Li* 黃文澧

"A pipe, a piece of music, and a waltz". This seems to be the sole *wish* of Mr. Huang, whom nobody would at first sight recognize as the great athlete whose awe-inspiring volley is the despair of the enemy.

2. *Ch'en Ch'ang Chin* 陳長津

他"斗"裏每天通出的烟油子,據 1929 海關報告,業已超過棉花和乾菓的出口額.

Brother Short—*T'ien Ts'ung* 田聰

"氏雖長不滿三尺,而心雄萬夫,抱藝斗狂,寫主席熱,書擘窠字絕佳,有神童之譽".

"虫蠹糊塗無大小
丸粉清導最溫文"

請宴會之後
服用
以助消化

3. *Hsieh Wen T'ung* 謝文通
Haven't you read about, learned about, or heard of a piper who is a poet, or poet with a pipe; Mr. Hsieh is essentially a poet of pipish type; he poetizes ever piping, and pipes still poetizing.

Des Littérateurs

1. *Cheng Ch'ien* 鄭騫
當他酡顏頹廢在常三酒壺旁底時候,你可以聽到那幽曼的吟哦。"江濤飄零雙鬢髮,除却單思,事事無懸準。"

2. *Wei Ts'ung Wu* 韋叢蕪
老韋的"君山",流溫了世界上有情人底淚泉,眞怪,幹藝術生涯底人,似乎總要被奉爲的。但是,老韋也許"不在此例"。

Elector of Elegance—*Weng Ch'u Pai* 翁韌白
無論在松風蘿月的湖水旁,哀絲豪竹的宴會裏,總見他很雍容地坐着,這位詩人皺懂得幽默的政治家,和朋輩娓娓地清話,常微笑着說:"恕不談'愛'。"如此的淡泊,終于引起了人們的疑惑,然而他心目中的"IT"是誰呢? "恕不談愛"。

Jack of Jokes—*Feng Chih Tung* 馮志衷
都說:"馮以吳瑞高之死而名大噪"。其實這位底"十三姐頭讚",獨出心裁,譄而不虐,已經夠人家謳歌的了。

Miss Angle—*Chao Lo Jui* 趙蘿蕤
Art thou not the "solitary child" that knew no mate nor comrade, being so innocent? Or art thou not the half-hidden maid that dwelt beside the springs of Dove, being so silent?

Miss Curves—*Li Kwan* 李瓘
物質的遺留,不如精神的追憶,依下官愚見,什麽紀念鐘,紀念日晷,紀念旗桿,都不如女士可紀念的"曲。"

Mr. Chalk—*Fang Kwang Tien* 方光典
Mr. Chalk is white, his flame is whiter—whiter than the whitest heat. . . . . . If the rose is pretty, it pricks.

Mr. Smiles—*Wei Hsueh Chih* 魏學智
Mr. Smiles smiles on all faces with the exception of one, upon which he dare not even steal a look when in the public eye; perhaps he may have the privilege to burst into laughter when with h - - alone - - -

Miss Sunshine—*Yuan Yung Hsih* 袁永熹
If the ghostly face of the library attic is the coldest of all, Miss Sunshine's is surely the warmest. I never knew her warmth until her eyes shone on me: "a well of love" and "a spring of light".

Mr. Gloom—*Cheng Ying Jui* 鄭應瑞
Mr. Gloom laughs with scorn at his being elected as such, being himself one of the happiest figures of the Yenchinian cycle of romance.

Mr. Charcoal—*T'ang Ping Liang* 唐炳亮
Charcoal is black; Mr. Charcoal, however, is Brown. Brown has "achieved" two things: a stanch figure and a tender heart.

The former makes him a great guard under the basket, while the latter makes him a great lover of "blue eyes".

Miss Melancholy—*Ch'en Mei Po* 陳梅伯
What aches at thy heart, thou lovely gentle maid? Merrily "the year's pleasant king" reigns, merrily the daisy blossoms, and merrily the cuckoo sings,—all Earth smiles.

Tomboy—*Chiang Chao Ai* 江兆艾
到花神廟前去看兆艾吧!那份剛健脫略,真足以睥睨泳海。

The Biggest Book-worm—*Ch'eng Mei Hua* 陳美華
Our Biggest Book-worm is a fair one. Like the robin that sucks the morning dew without spoiling a single leaf that conveys the fluid, she eats into the book without spoiling a single page that conveys the idea.

The Aesthete—*Chia Hsi Yen* 賈希彥
那晚上謠言兵變,把小賈可嚇壞了,你看他:耳朵上夾着兩枝顏色筆,左手提着畫箱子,右手拿着長笛子,急忙忙從樓梯上跑將下來,大喊着"藝術的劫運到了!"這不是一齣絕妙的喜劇嗎?

　　這次"大選",引得一時湖山勝境裏,樓談院議,煞是鬧熱;有些投票底等得不耐煩了,急如星火地催着年刊匠公布結果,年刊匠總委婉地請他們等年刊出版再看,誰知那全憑揣測的 list,竟出來好幾張,簡直和通訊社造閣員名單那樣參差突兀,真是出乎預料底有味。

　　我們當然不是為這般"選民"造階級,從迂遠處說:大學教育祇是要養成一般社會上的平凡人,不是要產生英雄,準太子,名媛,偶像,所以這次"大選"底目的,是為成就一個全校普遍的興趣,這般選民含有 popular 的性質,實在說起來:這不但是友誼底推崇,知交的調侃,並且彷彿還帶着些細緻的 "起鬨"或者不致目為"燕大危機"底屬階能。

185

關於投票底情形，一定有很多人想知道，陳錫三底"Heavy Weight Champion" 真是異口同聲地說是，陳君曾經有過"雖胖而不重"的宣言，然而這個宣言，徒然增加了多量底票額，至於"Light Weight Champion"，張君訓達和陳女士的票數彷彿，後來有人鼓吹說："張君祇是細高挑，而並不瘦，便是瘦也不比陳女士輕。"於是陳女士便膺選了。

田驄底"矮票"得的最多，其實田神童並不算最矮，不過他做起主席來，那大講臺高講桌把他連累苦了。

唐 Brown 底"黑票"真不少，Brown 有自知之明，探聽投票結果也最勤，似乎曉得有被選之虞。

Tremendous Talker 一席，吳沆業君和陳文仙女士逐鹿得很利害，後來有人建議說："此皆一代之寶，未便任其閒散。"結果爲愼重計，男女兩校，各留一席，

"大選"碰巧是魏學智君„愛務"鼎盛底時候，"人逢喜事精神爽，老魏終朝笑口開。"結果 Mr. Smiles 一席，舍君莫屬。

Mr. Gloom 一席，有好多票選那已故去的吳君瑞高，真是"事後有先知之明"佩服，佩服。

Princess Charming 底次多數是黃憶萱女士和趙蘿甤女士。記者不勝答問之勞，所以在這裏一倂寫出。

Prince Charming 底次多數是鄭爲先生。

這次大選，1930底 吳沆業君陳梅伯女士，1932底張桂卿女士，都各得兩席，雖是 „兼差不兼薪"，我們也要深深地致賀。

藝術的效力分爲三等程度，便是：這個能彀如此！這個是如此！這個不得不如此！

在藝術較高的境界裏，不變動的人物是和園中不變動的玫瑰花一樣不可能的。凡物都在變化着牠所能變成的東西。

——赫伯爾

編　後　語

　　這次編輯年刊，師長，同學，朋友們，都很熱烈的幫忙。現在編完了，我們在此分別誌謝。

　　關於稿件方面：　同學投撰，非常之多，我們一方面很感謝他們踴躍的贊助，一方面又很抱歉，因為限於篇幅與經費的關係，未能將所有來稿，完全登出。其餘個人，有司徒校務長替我們寫了一篇學校史畧，並給了不少有價值的指導。劉偉民先生費了幾個星期的工夫，替我們算畫那些統計表。梁議生女士及葛家棟君將他們調查本校男女同學對婚姻問題底意見的結果，送給我們發表。還有些畫，是國立藝術學院畢業同學張鳴琦先生替我們畫的。在藝術上，他又常常給我們重要的建議。

　　關於編輯方面：　教授及同學們借了很多國內外的年刊給我們作參考。圖書館主任田先生更將館中所藏精美的年刊，借閱半年。在編列校中行政人員位次的時候，我們得了吳校長好些重要的指導，而全紹文先生，對於籌畫方面，又給了不少的建議。英文文稿經栢基根，桑美德兩位教授代爲訂正。至於剪裁美術照片，方君貺予，與勞實多。

　　關於經費方面：　除教職員，同學們踴躍的預約外，學校補助我們五百元，夏爾孟博士個人更慨然捐助了二百七十五元，這是我們應當特別感謝的。

　　其餘給年刊無論那方面幫忙的師長們，同學們，朋友們，都一概在此致謝。　　　　　　　　　　　　　　　　　　　　裕鼎識於迦樓那室。

正 誤 表

24頁　Lin Ting-Fang T., D.D., Ph. D., S.T.D.

　　應作　Lin Ting-Fang T., M. A., Ph. D., S. T. D-D.

27頁　謝玉海　　應作　　解玉海

　　　孟良岳　　應作　　孟岳良

30頁　謝迪克　　與　　劉兆蕙　互調

31頁　周作人　　與　　沈士遠　互調

33頁　Mrs Murray S. France, B. D., D. Litt

　　應作　Mrs Murray S. Frame, B. D., D. Litt.

41頁　陳桓　　應改作　　陳垣

50頁　吳鈞廣　　吉林扶餘　　應改作　　吳廣鈞　吉林雙城

130頁　馬萬選　　應改作　　馬萬森

135頁　吳月馨　　應改作　　吳毓馨

144頁　Womens' College　　應作　　Women's College

145頁　Mens' College　　應作　　Men's College.

Book IX

招登百圓以上廣告各同學

程家驥

翁初白

陳長津

胡鍾慶

這次編纂年刊，同學幫忙，非常踴躍，而廣告更特別招得多。我們為感謝同學們贊助的熱誠起見，所有招登廣告在壹百圓以上的，都特相片刊在上頭，用以表示我們微微的謝意。　　年刊部。

商務印書館

總發行所：上海棋盤街　分店：上海北四川路虹口
分館設所：三十餘館　分設國內各地及香港新嘉坡

ICA and ZEISS IKON CAMERAS

（贈閱目錄）

自來水筆
本館經售美國派克華德門希爾福及萬國自來水筆公司自來水筆活勳鉛筆，凡百餘種花素紅黑金鍍銀桿粗細長短男用女用文人不備惟墅服公民牌進步牌民國牌三種自來水筆尤爲廉美本館總發行所特備電刻西文名字機，凡購筆每支在三元以上者代在筆桿上刻字不取刻資自用送人均不可缺此美的點綴

活動鉛筆

伊卡蔡司伊康 照相鏡
德國伊卡（Ica）公司爲世界著名之照相鏡製造家出品精良久享盛譽近復與其他名廠三家合併而名聯合出品爲「蔡司伊康」（Zeiss Ikon）其鏡頭之準確機件之靈活製造之精緻均足與伊卡出品並駕齊驅各項晒腊用品尤爲完備講究攝影術者當跻此投高等之照相用品現委本館爲中國方面副經理

Wright and Ditson Athletic Goods

運動用品
本館供給學校體育設備上之一切器械，除設廠自製外兼獨家經售美國造生公司之出品製作精良種類完備，而售價則力求低廉

文房用品 西式文具
信箋信封　各種紙簿
大小湖筆　筆筒盤座
硯池墨錠　墨水墨汁
膠水漿糊　文鎮墨盒
複寫印器　拷貝用品
書畫雜具　繪畫器械
板規算尺　書包紙夾
天然印泥　自來水筆毛

天1456(一)　2—4—18

五光十色盡態極姸

派克筆乃自來水筆之最新式及最靈便者派克筆公司製造此筆有三十六年之經驗四十七次之改良二十九種之專利證其筆桿今有五種艷麗之顏色即翠綠硃紅寶藍嫩黃及烏黑金鑲是也

筆桿係派克不碎物質製成較舊式之橡皮桿減輕百分之二十八而經久耐用永不折斷

筆尖書寫甚流利握筆直書輕捷無比手指全不費力故不覺疲乏

此筆曾在美國五十五個大學中獲選第一允稱榮寵

派克活動鉛筆與派克自來水筆之顏色相配而以兩筆合裝一錦匣者尤為送禮佳品

美國派克筆公司製造 各地商務印書館及文具店均有出售

上海 廣東路 三號 怡昌洋行獨家經理

Parker Duofold

China Electric Co., Ltd.

HEAD OFFICE:
3 Hsi Tang Tze Hutung, East City, Peiping

TELEGRAPH ADDRESS:

MICROPHONE

Codes Used
Liebet's (Standard)
A. B. C. 5th addition
Bentley's Phrase Code, Improved

BRANCH OFFICES:
Shanghai, Canton, Tientsin, Mukden, Hankow

Manufacturers of and agents for various
Telephone, Telegraph Equipment, Power Plant, Radio
and Electrical Apparatus of all kinds

SOLE AGENTS IN CHINA FOR:—

International Standard Electric Company	New York
Western Electric Company	New York
Nippon Electric Company, Limited	Tokyo
Standard Telephones & Cables, Limited	London
Rates Expanded Steel Truss Company	Chicago, Ill
Templeton, Kenley Company	Chicago
The Gamewell Company Newton, Upper Falls	Mass
United Incandescent Lamp & Electrical Company	Ujpest
Western Electrical Instrument Corporation	Newark N. G.

Sanitary Fur Company

(American Registered)

FOR COATS, CAPES, EVENING WRAPS, STOLES

From the Mongolian Cat to the Siberian Sable

All furs Scientifically tanned by the process introduced by Dr. H. S. Vincent of Yenching University.

SATISFCATION GUARANTEED

Prices Reasonable

Show Room	20 Legation Street and Labby, Wagons Lits Hotel, Peiping
Tannary:	12 Tung Shui Fu NE Corner, P.U.M.C. W.E. Stimpson, Agent

THE CONTINENTAL BANK
大 陸 銀 行

Capital..............$5,000,000   *Reserve Fund*..............$1,600,000

President and General Manager: L. S. TAN

HEAD OFFICE: Tientsin

BRANCHES AND SUB-BRANCHES:

PEIPING	HANKOW
SHANGHAI	TSINGTAO
YENCHING, PEIPING	TSINGHUA, PEIPING
ASAHI ROAD, TIENTSIN	

FOREIGN CORRESPONDENTS at

LONDON	TOKYO
PARIS	KOBE
HAMBURG	YOKOHAMA
NEW YORK	NAGASAKI
SAN FRANCISCO	

Cable Address: CONTIBANK

Every description of banking business transacted, including foreign exchange, trust, saving, and safe deposit departments. Safe deposit boxes for rent at our Tientsin, Peiping and Shanghai Offices. Bank's own godowns at Tientsin, and Shanghai.

For details write or call

THE CONTINENTAL BANK, LIMITED

TIENTSIN, PEIPING, SHANGHAI, HANKOW, TSINGTAO,
YENCHING UNIVERSITY, TSINGHUA UNIVERSITY,
ASAHI ROAD, TIENTSIN.

永興洋紙行

本行專售繪圖測量應用
儀器各種繪圖材料精
美西洋文俱兒童玩物
公事應用賬簿信封信
紙承印各種簿册單據
銀行賬簿印刷裝釘特
別精良 如蒙
惠顧當知言之不謬也

經售 { 瓦特曼 自來水筆
　　　 康克林 }
派克 羅絲鉛筆

北平崇文門內大街
電話東局一四五三

天津東馬路東門南
電話總局四一一三

YUNG HSING
Stationery Company

103 Hatamen Street,
Telephone 1453 E.
PEPING

Tung Ma Loo,
Telephone 4113 C.
TIENTSIN

OFFICE, SCHOOL, & DRAWING OFFICE REQUISITIONS

Drawing Instruments, Surveying Materials,
Stationers, Toys, and Any Kind of Paper Belong to
Drawing Office Used, Etc...

Printers, Book-Binders & Rubber Stamp Maker

天豐煤棧煤售廣告

本棧開設清華園車站分號海甸車庫胡同(敝棧)向由山西陽泉採辦大宗鏡面紅煤並由京綏路大同府口泉採辦最高大同塊煤大同末煤以及門頭溝塊末煤大小煤球炸子無不應備倘

蒙

賜顧價值從廉

天豐煤棧謹啟

電話西二分局八十號

北平 文泰生華洋雜貨莊

前門外鮮魚口內抄手胡同

電報掛號 三九三二
電話南分局 二五一一

分行：
- 北平 文記工廠
- 北平 文泰和
- 天津 文泰生
- 天津 文元泰
- 上海 萬山工廠
- 庫倫 瑞泰恒
- 天津 春生榮

經理
美國勝利音樂公司唱機唱片
香港廣生行雙妹牌各種化粧品
上海中國化學工業社三星牌化粧品
上海瑞泰工廠各種雅霜
上海大陸藥房高等牙粉
上海家庭工業社無敵牌牙刷
上海雙輪公司雙輪牌各色軸線
上海統益公司五金鷄牌各式

獨家經理
勝利音樂公司

WEN TAI SHENG COMPANY

Chien Men Wai
Peiping

Tel. 2511 S.B.　Cable 3932

Sole Agents For

Victor Talking Machine Co. U.S.A.
Kwong Shang Hong　Shanghai
The China Chemical Works　Shanghai
The Ta Low Co.　Shanghai
The Association for Domestic industry　Shanghai
The Shong Lung Co.　Shanghai
Tung Yih Co.　Shanghai
The Re Tai Co.　Shanghai

留聲機行
本部分銷第二西城
隆和廣洋貨店號

西單牌樓大街

勝利唱機唱片及各種零件
華洋化粧物品無一不備
兼造各種漆盒等物件

電話西局 三二七

Sole Agents For

Distributors

VICTOR

Talking Machine Co.

U.S.A.

留聲機行
本部分銷第一東城
孟廣西樂商行

王府井大街甲九十六號

鋼琴風琴提琴樂譜
勝利唱機唱片各種零件
兼修各種西樂零件

電話東局 三五八七

美孚油行

美孚出品

煤　油　老牌　虎牌　鷹牌

汽　油　老汽車牌　美孚汽油

機器油　摩托油　黃油　鋼絲繩油　及各種
機器應用油類多種俱備

蘇可林　此油膏功能潤髮治療一切皮膚病

柴　油　汽機燃料分稀稠兩種

瀝青油　分房頂及道路舖敷之用

臘　料　分一百二十五度及一百三十三度及
火柴臘

洋　燭　分老牌　鷹牌兩種大小紅白俱備

燈　貨　大小美孚坐燈　大小台燈　掛燈及
手提燈等多種

煤油燈爐　有冬令煖室爐及做飯爐

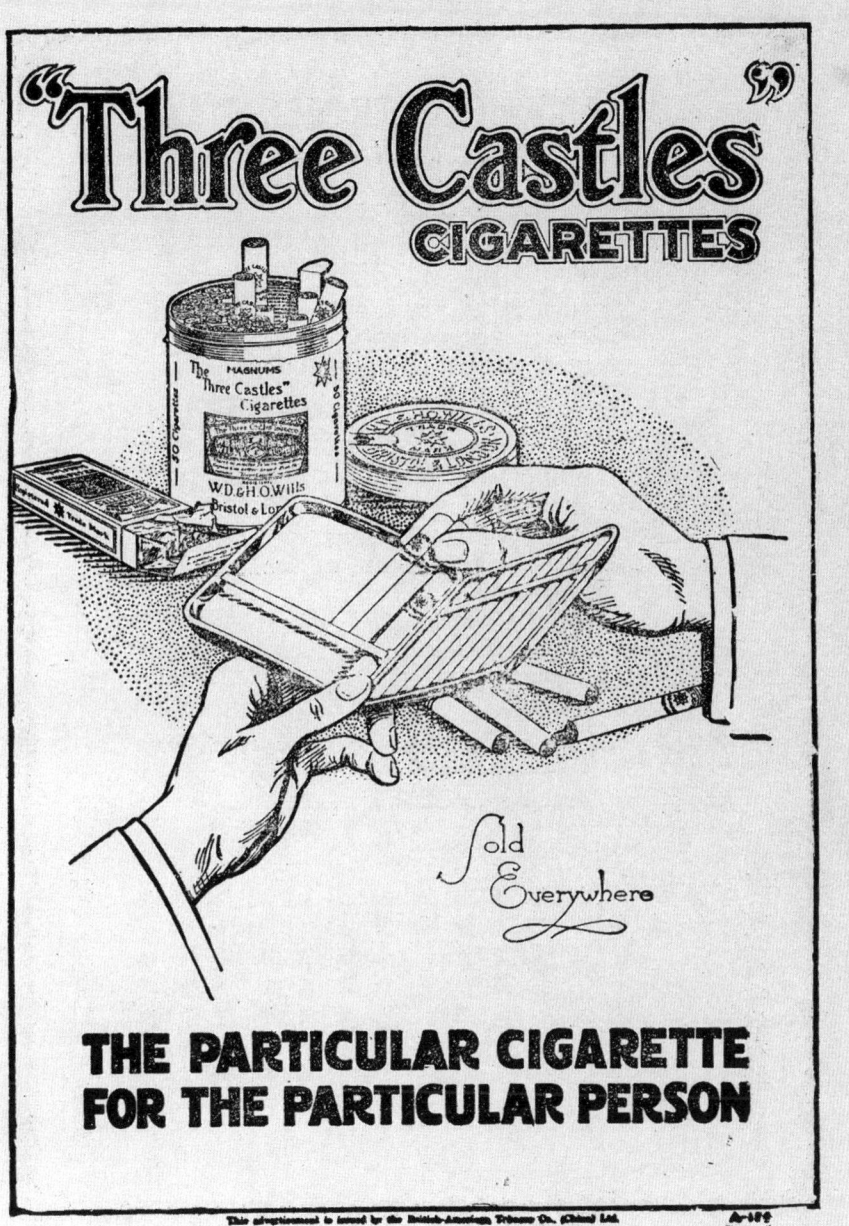

THE ASIATIC PETROLEUM CO:
(NORTH CHINA) LTD.

IMPORTERS OF:—

"SHELL" AVIATION SPIRIT
"SHELL" MOTOR SPIRIT
"SHELL" MOTOR LUBRICATING OILS
"SHELL" LUBRICATING OILS
"LION" LUBRICATING OILS
"SHELL" DIESEL OIL
SOLAR OIL
FUEL OIL
"SHELL" MINERAL TURPENTINE
BLACK "SHELL" BITUMINOUS PAINT
ASPHALTS
PARAFFIN WAXS
STEARINE
KEROSENE
CANDLES

OFFICES IN ALL LARGE PORTS THROUGHOUT CHINA.

亞細亞火油公司之出品列左

『殼牌』飛機汽油
『殼牌』汽車汽油
『殼牌』汽車滑機油
『殼牌』機器滑機油
獅牌機器滑機油
殼牌厚質柴油
薄質柴油
黑煤油
殼牌透品廳
殼牌黑漆油
地瀝清
洋燭料
司的林
煤油
洋燭

中國各大商埠均有辦公處

CHINA BOOKSELLERS Ltd.

(INCORPORATED IN HONGKONG)

Peiping; 7 Rue Marco Polo. Telephone 1832 E.
Tientsin; 131 Victoria Road

PUBLISHERS & BOOKSELLERS

LARGE ASSORTED STOCK OF ENGLISH AMERICAN—FREHCH
AND GERMAN PUBLICATIONS

Science – Philosophy, Psychology & Religion History—Geography – Russian & French
Literature in English Translation—Business, Economics, Sociology, Law—
Language & Dictionaries—Orientalia—Travel—Biographies—
Juvenils – English Literature—Arts—Greek &
Latin – Reference Books Periodicals

Subscriptions taken for Foreign & Local magazines
Books not in stock ordered   Prices and lists of books sent on request
Engravers and Copper-plate printers

HIRSBRUNNER & COMPANY

(J. MOORHOUSE & COMPANY, PROPRIETORS)

4, Rue Marco Polo, Peking

The selection of School Clothes, needs a good deal of forethought.

They must be of good quality and style, and of most excellent durability too, if they are to give full service during school day.

Thus it becomes necessary to purchase with the utmost discrimination, and where better than with Hirsbrunner's, the House that specialises in the production of School Clothes that give Service?

注意 歡迎預約

本場成立已八載於茲向以提倡農業為己任於農業改良及試驗方面尤俱細心本場未敢少忽以期我國農業早臻完善地步今年來籽種及家禽家畜試驗均收美滿效果今為推廣起見家禽家畜試驗諸已經試驗結果最佳者以廉價讓與農業界同志俾得各盡所能大有力進步也今僅將農業界諸同志試驗結果最佳者分讓業諸物品名目列左

交配羊脂白玉米	Itatian White Corn
選種美棉屈里斯	American Trice Cotton
乳用公牛	Guernesy Breed
白來航鷄	Leghorn Chickens
白來航鷄孵用卵	Leghorn Hatching Eggs
紅島鷄	Rhode Island Red Chickens
紅島鷄孵用卵	Rhode Island Red Hatching Eggs
蘆花鷄	Barred Plymouth Rock Chickens
純種中波油用猪	Poland-China Pigs
純種布克沙爾油用猪	Berkshire Pigs
混合種太母維斯猪	Tamworth Pigs
罐頭西紅柿	Canned Tomatoes
各種中外菓樹苗木（一年生）	Apple, pear, peach, apricot plum, cherry, persimmon and walnut trees (one year old)

北平燕京大學農事試驗場謹啓

東昇祥綢緞洋貨店　　北平東四牌樓南路西

THE CLOCK STORE
General Silk & Cotton Company

Chinese Silks Satins Brocades,
White and Colored Grass Linens, Korean Cloth,
Camels Hair and Woolen Goods
Cross-Stitch Linen Table Covers, and
Foreign Materials Everything of Best Quality
and at Moderate Prices

27 Tung Ssu Pai Lou　　　　　　　　Telephone No. 1435 E.
PEPING

HSIEH TUNG COMPANY

Agents for ………… { Edward Evans & Sons Ltd.
Tan Kah Kee & Company
Korea Mission Cloth
Wisden's Tennis Balls }

Books, Stationery, Typewriting supplies Sporting Goods of Every Description Job and Book printers and Publishers

**149 South Tung Szu Pailow,
PEIPING.**
TELEPHONE 2772 E. O.
General Manager: **Norman Liang.**

協通學校用品商店
北平經理處
伊文思圖書公司
陳嘉庚公司
衛思丹紅線網球
高麗教會花布
本店並售歐美中西
各種文具及各類壹
育用品無不齊備請
駕光臨是幸
開設在北平東四南
甘雨胡同東口外北
路西電東二七七二
總經理梁荷鰲啟

仁記公司
本公司代理燕
京大學汽車處
往返燕大及北
平間長途汽車
營業並兼出賃
新式克巳如蒙
定價無任歡迎
賜顧本公司謹啟

JEN CHI COMPANY
YENCHING UNIVERSITY BUS SERVICE
Bus and Motor Car Traveling Between Yenta and Peiping
Apply to No. 9, Nan Chih Tze Street, Telephone 3003 E.O.

TIME TABLE

PEIPING TO HAITIEN	HAITIEN TO PEIPING
7.00 A.M.	8.00 A.M.
12.00 NOON	1.15 P.M.
6.30 P.M.	5.30 P.M.

SATURDAY, SUNDAY, HOLIDAYS
There will be additional special service as follows:—

PEIPING TO HAITIEN	HAITIEN TO PEIPING
9.30 A.M.	10.30 A.M.
2.00 P.M.	3.00 P.M.

STANDARD OIL COMPANY OF NEW YORK
26 BROADWAY　　　　　　　　　　　　　　　　　　NEW YORK

The Mark of Quality
SOCONY PRODUCTS

Illuminating Oils　　　　　　　　　Lubricating Oil and Greases
Gasoline and Motor Spirits　　　　　Fuel Oils
Asphaltums, Binders and Road Oils　　Paraffine Wax and Candles
　　　　　Lamps, Stoves and Heaters

Branch Offices in the Principal Cities of
Japan, Philippine Islands, Turkey, Indo-China, Netherlands India, Bulgaria,
China, Straits Settlements, Syria, Siam, South Africa,
Greece, India, Australasia, Jugoslavia.

雙和木廠

本廠承辦歷有年所頗蒙
中外各界所贊許倘蒙惠
顧無任歡迎
承包土木工程
測繪中外建築
修造橋梁道路
專作新式木器
本廠開設在海甸成府街

開灤礦務局
京兆售品處

自運本礦塊末
烟煤清水焦炭
精製缸磚缸管
路磚火土美術
建築用帶色磚
瓦價值克己運
送迅疾
辦事處暫設北
平瑞金大樓電
話東局四八三
號
經理 施密士
　　 魏冲叔

Let Us
Plan Your Trip

EVERY DETAIL ATTENDED TO
NO BOOKING CHARGE

Steamship Reservations— To America. To Europe. China.

Railway Tickets — Japan. Trans-Siberia.

Travelers-Cheques — Safest and Best. Accepted Everywhere.

Baggage Insurance — Low Rates.

Shipments Forwarded — To any destination.

THE AMERICAN EXPRESS COMPANY, INC.

Grand Hotel des Wagons-Lits　　　　Telephone E. 1213

華北總代理 中南貿易所

電話東局二五五〇
紅樓一號
北平東單三條內

▲虎標萬金油▼

內治：中風中痰　絞腸痧痛　四時感冒　止咳化痰　霍亂吐瀉　頭痛昏眩　噎膈反胃　心氣腹痛　時行瘟疫　消暑除煩　及疑難雜症

外治：神經骨痛　癬癩核痛　無名腫毒　蚊蛟蟲毒　疥瘡痧疹　手足腫痛　跌打刀傷　腰痛脚痛　蛇螯狗咬　皮膚破傷　及牙痛　耳痛

立止頭痛粉　主治一切頭痛

▲虎標八卦丹▼

主治：嵐瘴痧症　感冒風寒　頭昏目眩　胸膈飽滯　猝然昏倒　中風中痰　一切咳嗽　時行疫毒　霍亂吐瀉　心氣腹痛　跌打刀傷　手足腫痛　遠年脚疮　寒熱交作　傷寒中暑　無名腫毒

E-TAI PRESS

French Concession, Tientsin

PRINTERS, BOOK-BINDERS,
STATIONERS, ENGRAVERS,
BOOK-SELLERS, LITHOGRAPHERS,
AND
PROPRIETORS OF
THE LEE HUA INK FACTORY
THE TA TUNG PAPER
MANUFACTORY

Moderate Price and Prompt Delivery

西長安街中國理髮館

本館爲應各界需要不惜重資禮聘著名理髮師定價特別克己至於陳設之雅潔招待之週到猶其餘事也

開灤礦務局
京兆售品處

自運本礦塊末
烟煤清水焦炭
精製缸磚缸管
路磚火土美術
建築用帶色磚
瓦價值克己運
送迅疾
辦事處暫設北
平瑞金大樓電
話東局四八三
號
經理 施密士
　　 魏冲叔

德成木廠

本廠成立歷有年所
深得中外顧主之稱
道如蒙賜顧不勝歡
迎本廠專做包修土
木工程修造橋梁承
做新式木器椅棹
海甸成府街
德成木廠謹啟

容豐照相樓美術照相工精術美
減價七扣又不惜巨資購值歐美
弧光照相機幷最新歐美之裱相
卡紙物美價廉請各界諸君一觀
方知所言非謬也
本樓主人孔雨亭謹啓

CHINA MUSIC AGENCY
96A Morrison St.　　Tel. 3857 E.

Pianos, Organs, Victrolas, Records,
Music, Music Instruments, Odeon
gramopanophone and Repairers

孟廣西樂商行

王府井大街九十六號　　電話東局三八五七

風琴鋼琴提琴唱機唱片
各種西樂兼修各種西樂零件
專售勝利原音唱片唱機

明大呢羢西服莊

自運各國呢羢嗶嘰發售
承做男女時式洋服軍裝
兼售各種洋貨附屬等物
北京王府井大街門牌第
十七號本號接洽
號電話東局四千七百八十

鴻泰箱廠
ORIENTAL LUGGAGE FACTORY

SALESROOMS
Shanghai:　71 Broadway
Tientsin:　288 Victoria Road
Peping:　17 Hatamen Street
　　Tel. E. O. 4352

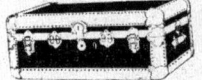

　Extensive travel has put *Oriental* in the high position it holds today. But *Oriental*, in return, has done much for travel.
　When you travel with an *Oriental* luggage, you insure adequate safety for your possessions; you have luggage that is remarkably beautiful and distinctive.

THE VISION OF SUCCESS
Just Remember that your eyes must Serve you all through life.
We help to care for them

Chinese Optical Company
中國精益眼鏡公司
Up-to-date Optometrist and Optician Peiping Branch
48 Kwan Yin Szu Chieh, Chien Men Wai, Peiping.

北洋保商銀行

各種儲蓄存欵

北平分行設於西交民巷

電話南局三一六七號

WILLIAM FORBES & Co.
Sole Agents in Peking
for

FIRE INSURANCE
North British & Mercantile Insurance Co., Ltd.
Law Union & Rock Insurance Co., Ltd.
China Fire Insurance Co., Ltd.

MARINE INSURANCE
Yangtsze Insurance Association Ltd.

MOTOR CAR INSURANCE
Motor Union Insurance Co., Ltd.

SHIPPING & GENERAL
Cie des Messageries Maritimes
China Navigation Co., Ltd.
Blue Funnel Line
Malthoid Roofing
"Red Hand" Anti-Corrosive Paints
"Izal" Disinfectant
"Pabco" Paints
Siscolin Powder Distemper
&c. &c.

TELEPHONE 811 EAST.   **45 WAI CHIAO PU CHIEH, PEKING.**

啟新洋灰公司

馬牌洋灰 **花方磚磚**

△老牌國貨
△質地精良
△行銷廿年
△成績昭著

△花樣鮮明
△經久不變
△磚質堅固
△能耐重壓

總事務所
天津海大道
電話 3 {1309 1749 3462}
無線電報掛
號(啓)0796

北平分發批所
打磨廠大口北
河岸一號電話
南分局1591
無線電報掛號
(新)2450

請聲明係由燕大年刊介紹一底俗套外，鄭重地保證這些商家精良底出品，都能使購者十分滿意！

上海恆康號
Heng=Kong The Tailor

A135 SZECHUEN ROAD
SHANGHAI, CHINA